AN DÁ THRÁ

Saothor Eile ón Údar:

" AN BEALACH CHUN A' BHEARNAIS "

" TAOBH THALL DEN TEORAINN "

AN DÁ THRÁ

le

TARLACH Ó HUID

FOILSEACHÁIN NÁISIÚNTA TEO.
29 Sráid Ó Conaill, Íocht.,
BAILE ÁTHA CLIATH

::   ::

Ní thig leis an ghobadán an dá thrá a fhreastal.—SEAN-FHOCAL.

CAIBIDIL I.

BHÍ tromluí ar Eistir Mhic Giolla Dhuibh. Dar léi go raibh sí arais sa chistin, ina suí cois tine ag fanacht go bhfillfeadh Seoirse chun an bhaile. Níor baineadh anuas feisteas na Nollag fós. Bhí na craobhóga cuilinn sáite isteach ar fad i gcúl na bpictiúirí, dos breá os ceann Rí Liam agus na caora dearga beagnach ar aon-dath lena chasóig sin, agus dos eile os ceann Rí Seoirse V mar an gcéanna. Bhí an tríú pictiúir os ceann an mhatail, ach níor lasadh an gas go fóill agus mar sin níor léir do Eistir den phictiúir sin ach an fráma dubh agus dealramh dearg na tine á fhrithchaitheamh ar a ghloine sin ó ghloine Rí Liam os a chomhair amach. Bhí maisiú-cháin phéacacha páipéir sínte crosach ar a chéile trasna an tseomra agus iad ag luascadh go réidh i gceann gach aon tamaill nuair a thigeadh siorradh isteach idir chomhla agus ursain dhoras an ní-sheomra.

Bhí lámha Eistir ina luí ina hucht. Bhí Goering, an moth-chat ramhar coillte, ina shuí ar bharr an chófra mhóir in aice dhoras na cistine, cos fhada amháin sínte i dtreo na sileála, leath-drod ar a shúile, agus a theanga bhándearg go falsa ag lí a thóna.

Chuir Ábraham Bléine a cheann isteach ar an doras. Bhí a shean-cháipín bealaithe ar a chloigeann rua agus an bun toitín greamaithe mar ba ghnáth dá bheol íochtair.

— Tá Seoirse s'agaibhse marbh.

5

— Bréagach thú, 'Ábrahaim Bléine!

— Tá Seoirse marbh, 'Eistir. Ag obair ar an loing Airgintínigh udaí a bhí muid. An liagán a thit anuas sa mhullach air.

— Bréagach thú!

Tháinig Ábraham aniar. Thug sé a lámh amach as póca a dhungaraíthe dúghorma, sháith a dhorn isteach fá shróin na sean-mhná agus d'fhoscail amach é. Bhí ordóg fhuilteach ina luí i gcroí a bhoise.

— Tá Seoirse marbh, a Bhean Mhic Giolla Dhuibh, arsan tUrramach Scillinn.

Bhí a aghaidh fhada comh bán lena bhóna.

— Tá tú san earráid, a dhuine uasail!

— Tá Seoirse marbh. Is amhlaidh a thit sé amach ar fhuinneoig an charbad traenach agus é ar an bhealach go Rinn Mhic Giolla Ruaidh le Scoil na Sabóide. Tá Seoirse marbh, a bhean bhocht.

— Tá tú san earráid, a Urramaigh!

— Tá Seoirse marbh, arsan Constábla Caimbéal.

— Ní chreidim é!

— Tá Seoirse marbh. Tógadh amach as an Lagán fá Dhroichead na Ríona é agus a bholg lán gláir.

— Ní chreidim é!

— Tá Seoirse marbh, arsa Earnán beag Mac Uidhlidh.

— G'amach as sin, tú féin 's do chuid iomlait nó téifidh mé do mhásaí duit!

— Tá Seoirse marbh, a Bhean 'ic Giolla Dhuibh. Bhí sé 'dreapadh suas beann ar Chnoc na hUamha. Tháinig tom fraoich leis 's thit sé anuas imeasc na gcrann.

— Amach as sin, deirim leat!

— Tá Seoirse marbh, arsan Dr. Báille. An bhruitíneach, a bhean chóir. Na seachghalair, an dtuigeann tú? Tá an páiste marbh.

— Ní féidir é!

— Tá Seoirse marbh, adúirt siad uilig as béal a chéile. Tá Seoirse s'agaibhse marbh.

— Ní éisteoidh mé le bhur gcuid bréag!

— ... Tá Seoirse marbh ...

— ... Stiallta fán liagán ...

— ... Spólta ar an iarnród ...

— ... Lán uisge Lagáin ...

— ... Briste ag bun na beinne ...

— ... Dearg leis an bhruitíneach ...

— ... Dearg le fuil ...

— ... Dearg mar chaor cuilinn ...

— ... Dearg mar chóta Rí Liam ...

— ... TÁ SEOIRSE MARBH!

Bhí an chistin plodaithe leo. A súile uilig sáite inti. Súile truamhéileacha, súile fiosracha, súile scanraithe, súile brónacha ... Súile an chait ...

Sheasaigh Eistir i lár an urláir. Bhí a súile féin lán muiníne agus mór-uchtaigh.

— Tá Seoirse beo! Ina chodladh slán sábháilte ina sheomra bheag féin thuas staighre. Tá Seoirse beo, deirim libh!

— Tá Seoirse marbh! MARBH! *MARBH!*

Bhí a nglórthaí mar thoirneach ina cluasa. ...

Rith sí go dtí an doras. D'fhoscail sé roimpi gan éinne lámh a leagan air. . .

Naoi gcéimeanna a bhí sa staighre. Naoi gcéimeanna. Ach i dtobainne bhí a troithe ina luaidhe. Ina luaidhe, ainneoin nach ndearna siad aon trup ar an chéad chéim. A haon! Iarracht mhór go sroicheadh sí céim a dó. A dó! Céim a trí

an ceann a raibh an clár scaoilte ann. Chluinfeadh
sí ag gliúrascnaigh fána meáchain é. Ach níor
chuala. Agus bhí na naoi gcéimeanna ag síneadh
suas roimpi ar fad. Bhí ciúineas ann a ba mheasa
ná an callán sa chistin féin. Céim a haon arís!
Buíochas don Tiarna ar son an chiúinis. Chluinfeadh
sí análú tomhaiste a mic ach an doras á fhoscailt an
claon beag a ba lú ar bith. A dó! Bhí mairbhe
mhillteanach ina cosa, ach—bhí céim a trí bainte
amach aici! Ní dhearna sé aon ghliúrascnach fúithi.
Agus bhí na naoi gcéimeanna roimpi ar fad. . . Bhí
an doras thuas le feiceáil go doiléir sa dorchadas.
Taobh thiar de bhí a mac, a haon-mhac, ina chodladh
go sámh fán chuilt bhreac a rinne a máthair féin de
phaistí éagsúla ioldathacha breis is leathchéad bliain
ó shoin, sa bhaile ag Port a' Bhogaigh. Bhí Seoirse
ann. Ach ise? Bhí bonnaí a cos greamaithe anois
den staighre . . .

Foscladh an doras thuas. Léim a croí ag fáiltiú
roimh a mac a d'éirigh as a shuan a theacht i dtarr-
tháil uirthi. Ach ní Seoirse a bhí ann, ach Dáibhidh
agus a chulaith Dhomhnaigh air. D'amharc sé anuas
uirthi.

— Tá Seoirse s'againne marbh, adúirt sé.

Stán Eistir air. Ansin chaith sí suas a lámha
agus thit siar i nduibheagán an dorchadais . . .

Bhí sé dubh, comh dubh leis an uaigh. Agus
ansin bhí sé dearg, fuil-dhearg, dearg le pianaigh.
Bhí sí céasta, broinn-teasctha. Bhí a colann uilig
ina haon-chréacht uafásaigh amháin. Bhí an saol
agus an tsíoraíocht araon ina bpianaigh, agus bhí an
phianach féin ina síoraíocht. Ní raibh ann ach
pianach, ní raibh ann riamh ach pianach, ní bheadh
ann feasta ach pianach. Dearg, dearg, fuil-
dearg . . .

Guth stuama an dochtúra arís:

— Tá Seoirse marbh.

D'fhreagair sí as ceart-lár a Calbhaire é:

— Tá sé beo . . . *BEO* . . . Tá mé 'mo chéasadh . . . le beatha a thabhairt dó . . .

— Tá Seoirse marbh. Rugadh marbh é . . . Stad a croí . . .

* * *

Luigh Eistir ansin sa leabaidh. Bhí sí ar maothas in allas agus í ar aon bharr amháin creatha. Bhí pian ina bolg. Bhí a hintinn in achrann mhill-teanach, ach tháinig smaoineamh soiléir amháin ag snámh go spadánta aniar as clúid fholaigh éigin.

— Caithfidh mé éirí chun an phota . . . Amaide-ach an mhaise domh an tae udaí a ól sul a ndeachaigh mé fá chónaí . . .

Tháinig sí go hanásta amach as an leabaidh. Ní raibh sí ach leath-mhuscailte go fóill agus bhí a súile druidte ar fad agus í ag útamáil thart fán leabaidh ag iarraidh theacht ar an fhualán. Níor dhúisigh sí i gceart gur theagmhaigh an cria fuar lena cneas.

Is ansin a chuimhnigh sí go raibh Seoirse marbh dáiríre, marbh agus adhlactha san Iodáil, an cholann a d'oil sí comh muirneach sin ina criathar, agus an éide dheismear a chaith sé comh bródúil sin i Sráid Clifton smeartha le fuil. Tháinig tocht bróin agus cumha uirthi. A Dháibhidh! Och, a Dháibhidh!

Ach bhí a fhios aici fán am seo go raibh Dáibhidh féin ar iarraidh, nach dtáinig sé chun an bhaile tráthnóna ón Oileán, agus gur amuigh ar fuaid na cathrach a bheadh sé, ag ól. Ar ndóigh, ní raibh sí ag tnúth na dí dó. Ní ólfadh sé an oiread sin ar fad, agus an praghas a bhí ar an stuif ó bhí an Cogadh ann. Ach ní fhéadfadh sí gan bheith á

aifirt air, gan é bhéïth sa láthair le sólás éigin a
thabhairt di.

Arais sa leabaidh di, shleamhnaigh sí a lámh
isteach fán adhart go bhfuair sí a brat póca.
Thriomaigh sí a súile agus rinne smúrthacht. Ansin
luigh sí go ciúin socair sa dorchadas.

Bhí sí díreach ag titim thart arís nuair a chuala
sí fuaim áirithe as i bhfad i gcéin a thug uirthi
cliseadh suas agus an croí ag léimnigh go scaolmhar
ina cliabh. Dar léi, seal neomait amháin, go raibh
na sean-droch-laethe arais acu agus go raibh cuid
eitleán Hitler chucu arís. Ansin d'aithin sí nach
raibh ann ach béiceachán loinge amuigh ar an Loch
ag fógairt theacht na Bliana Úire. Rinne sí gáire
bheag chianach. D'fhreagair long eile go croíúil don
chéad cheann, chuir an tríú ceann a ladar sa scéal,
agus ceann eile, go dtí go raibh cór iomlán béiceachán
ag ceiliúr go neamh-bhinn Athbhreith an Dóchais.
Chuala Eistir fuinneogaí á bhfoscailt thall agus
abhus, agus madaí ag tafann, agus an chéad rud
eile, callán diabhalta éigin i gcúl an tí. Earnán beag,
agus é ag greadadh chlár an channa brúscair le
sluasaid an ghuail nó le huirlis éigin den chineál!
Dar le hEistir, tá Borstal i ndán don tincéara bheag
sin mura n-athra sé béasaí. Théifinn a mhásaí, dá
mba mise a mháthair siúd. Och, an créatúir. Is
méanar di a bhfuil a leithéid aici . . . Bhí Earnán
beag sa bhrionglóid udaí a bhí aici fá Sheoirse. Bhí
siad araon ann, gidh nárbh fhéidir léi a rá anois cad
é go díreach a ba abhar na brionglóide. Aigh, agus
bhí Seoirse imithe, agus Earnán beag—nach raibh
ann ach naíonán anbhann agus gobán ina bhéal nuair
a d'imigh Seoirse—bhí seisean amuigh ansin sa chlós
cúil, amuigh fána léine agus gan aird dá laghad
aige ar an scamhatas dúbálta, ag cur mhuintir na

comharsanachta ina suí lena chuid drumadóireachta ar an channa brúscair, bail ó Dhia ar an leanbh— díreach mar a níodh Seoirse uair den tsaol . . .

Shíothlaigh an callán de réir a chéile. Chuala Eistir glórthaí amuigh ar an tsráid ag guí rath san Athbhliain ar a chéile. Chuala sí doirse á ndrod agus fuinneogaí á dtarraing anuas, agus chruinnigh an ciúineas isteach arais go dtí nach raibh le cloisint ach cnádán corr-ghluaisteáin ag dul suas Bóthar na Croimghlinne, agus coiscéim ar an chosán amuigh. Chuir sí cluas uirthi féin, ag súil go stopfadh sé nuair a shroichfeadh sé doras an tí. Ach coiscéim níos éadroime, níos brisce ná leifteanacht neamh-dheifreach Dháibhidh a bhí ann, agus chuaigh sé thar bráid agus soir an bóthar go ndeachaigh sé as éisteacht ar fad.

An Bhliain Úr, ar ndóigh! Cad a b'fhiú í? Bliain fholamh eile ag iarraidh a dubhrón a cheilt ar Dháibhidh, ar fhaitíos go ngoillfeadh sé airsean, ar an fhear fhiúntach chineálta sin. Bliain eile ag iarraidh aghaidh chalma a thabhairt ar an tsaol, agus a chuid den tsaol tar éis dul ar ceal. Bliain eile níos faide ó laethe a hóige, ó laethe a sonais. Bliain eile níos faide ar shiúl ó Sheoirse. Nó níos comhgaraí dó? Bliain níos comhgaraí, ar scor ar bith do Ghleann sin Scáth an Bháis. Cinnte, bheadh Seoirse agus an Tiarna Íosa thall udaí ag fanacht léi . . .

Bhog beola na sean-mhná. Go mall, sollúnta, mar d'aithriseadh siad fadó sa halla ag Port a' Bhogaigh cois fharraige iad, thosnaigh sí a dh'aithris fána hanáil focla Sailm a 23:

— Sé an Tiarna is Aoire dom, ní bheidh easnamh orm . . .

11

CAIBIDIL 2.

BHÍ aoibh mhaith ar Ábraham Bléine. Murbh é sin, rachadh Dáibhidh caol díreach chun an bhaile, comh dócha lena athrach, in ionad an tráthnóna uilig a chaitheamh ag ól ina chuideachta siúd agus i gcuideachta Shéimidh Uí Aoláin. Óir ba Chaitiliceach é Séimidh Ó hAoláin, Caitiliceach a bhí ag saothrú sa longbhoth, agus bhí olc ag Ábraham dó ar an abhar sin thar mar a bhí aige do Chaitilicigh a bhí ar fostú in áiteacha nach gcasfaí Ábraham iontu ach go hannamh.

Bhí Ábraham ina dhea-Phrotastúnach, dar leis féin. Ar ndóigh, is ar éigin a chonaic sé an taobh istigh de theampall ón lá a pósadh é, ach is iomaí duine in Ultaibh a bhfuil clú dea-Phrotastúnaigh air a bhféadfaí an rud céanna a rá faoi. Tugtar isteach sa teampall chun a mbaiste iad. Nuair a thagann siad in aois chuige cuirtear amach go dtí Scoil na Sabóide go rialta gach Domhnach iad. Freastalann siad Scoil na Sabóide go rialta go dtí go dtugann buachaill sean-chríonta éigin le fios dóibh go bhfuil sé lán comh furasta agus i bhfad níos pléisiúrtha an tráthnóna a chaitheamh fá aer na spéire agus do bhróga a ghlanadh go cúramach led bhrat póca sul a dtéann tú chun an bhaile a dh'inse dod mháthair gur tugadh moladh ar leith duit as a raibh de eolas agat fá eachtraí Naomh Pól. Póstar a bhformhór go fiúntach sa teampall, ach tá na mílte acu nach bhfilleann ar an áit go dtugtar arais in éadan a dtola iad agus a gcosa sínte amach rompu. Bhí Ábraham ina Oráisteach agus ina bhall dílis den Lóiste áitiúil. Léadh sé an *Ulster Protestant* gach seachtain, agus chreid sé an uile

fhocal de. Bhí sleachta as " Maria Monk " ar bharr
a theangadh aige; ach, ar ndóigh, fuair sé an méid
sin lena chuid. Bhí fuath aige do na Pápaistigh—do
Phápaistigh Bhéal Feirste. Is ar éigin a bhí sé
tuigthe aige go raibh Pápaistigh chearta áit ar bith
eile. Is fíor nár ní leis an Pápa, ach bhí seisean
thall sa Róimh mar nach dtiocfadh leis mórán
dochair a dhéanamh do Phrotastúnaigh Chúige
Uladh, dá mhéid a fhonn. Is fusa fuath a thabhairt
don namhaid atá i mbéal an dorais agat ná do
namhaid is urchóidí ná é ach nár leag tú súil riamh
air. " De Valera agus na Sinn Féinithe udaí suas
an tír," mar shampla; fuair Carson agus an Cúnant
a mbua sin de ainneoin a ndíchill, agus bhí siadsan
fágtha i muinín na cainte. Ach Caitilicigh Bhéal
Feirste, sin dream a gcaithfí súil ghéar a choinneáil
orthu.

Bhí Ábraham breis is dachad bliain ag saothrú
do Harland & Wolff. Níos mó ná uair amháin
chonaic sé na Caitilicigh á ndíbirt as Oileán na
Ríona. Chonaic sé á gcaitheamh isteach sa Lagán
iad, agus theilg sé féin bolta nó dhó ina ndiaidh lena
mbrostú agus iad ag snámh go guaisbheartach i
dtreo an bhruaich thall. Ach ar dhóigh amháin nó
ar dhóigh eile shnámh siad arais isteach chun an
Oileáin go dtí go raibh oiread acu ag obair ann,
mura raibh níos mó, agus bhí an chéad lá riamh.
Is fíor nach raibh iontu a mbunús ach sclábhaithe
garbha, ach dar le leithéidí Ábrahaim gur scannalach
an rud é iad bheith ann in aon chor. Bhí Ábraham
bródúil as Oileán na Ríona. Chonacthas dó gur
chruthú é an tionscal long-thógála gur éirimiúla agus
gur éifeachtaí mar chine iad Protastúnaigh Chúige
Uladh ná na " Taidhg " a d'áitigh an dúthaigh sin
roimh aimsir na Plandála. Níor chuimhnigh sé

riamh gur de thairbhe Shasanaigh agus Iúdaigh
Ghearmánaigh a tháinig an tionscal céanna in éife-
acht. Ba cheardchumannach dúthrachtach é an fad
a réitigh an ceardchumannachas lena dhearcadh
polaitíochta. Chreid sé go mba chóir gur "siopa
iata" a bheadh in Oileán na Ríona, agus gan áit
ann ach do Phrotastúnaigh amháin. Is mar cheard-
chumann, go bunúsach, a chuimhnigh sé ar an
Phrotastúnachas. Sea, ba "dea-Phrotastúnach" é
Ábraham Bléine.

Ní mhaífeadh Séimidh Ó hAoláin a choíche go
raibh sé féin ina dhea-Chaitiliceach, gidh go dtéadh
sé amach chun Aifrinn beagnach gach Domhnach—
Aifreann an dó-dhéag, ar ndóigh. De ghnáth
bhíodh sé in am don Chré, agus gheibheadh sé áit
oiriúnach mar a mbeadh léim an dorais aige sul a
dtosnófaí ar an seanmóineacht. Ach ar a dhóigh
féin bhí Séimidh dílis don Eaglais, agus dar leis gur
mhasla don Eaglais sin an droch-rún a bhí ag daoine
mar Ábraham Bléine dó féin agus dá chomh-
Chaitilicigh san Oileán. Níorbh fhearmadóir ar
bith é mar Shéimidh. Ba Náisiúntóir de chineál éigin
é maidir lena dhearcadh polaitíochta, agus a náisiún-
achas agus a chreideamh fite fuaite tríd a chéile.
Sul a ndeachaigh an chéad bhríste fada air, chuidigh
sé leis na buachaillí gríosáil a bhualadh ar ghlas-
stócach "den tsórt eile" a ceapadh agus é ar fán
ar Bhóthar na bhFál. Rinne an duine gránna sin
lámh mhaith go leor dá choisreacadh féin nuair a
hordaíodh dó é, ach nuair a tugadh air dul ar a
ghlúine agus an Phaidir a aithris chríochnaigh sé le
"óir is Leatsa an Ríocht, an Chumhacht is an Ghlóir,"
agus rinne a aimhleas féin lena linn sin. Nuair a
fuair athair Shéimidh fios an scéil, áfach, bhuail
seisean gríosáil ar fónamh ar a mhac, agus chuaigh

an fearmad uilig suas i néall deannaigh as tón a bhríste sin.

Nuair a tháinig Séimidh amach as an longbhoth an tráthnóna Sathairn seo bhuail sé suas le Dáibhidh Mac Giolla Dhuibh. Bhí sé ag obair le roinnt mhíosa le Dáibhidh agus teacht maith le chéile acu. Is minic a chuir sé iontas air Dáibhidh agus Ábraham Bléine bheith mór le chéile agus a laghad sin cosúlachta eatarthu. Ach bhí sean-cheangal caradais idir Dháibhidh agus an fear rua lomchnámhach. Bhí siad ar scoil in éineacht. Bhí siad in Óglaigh Uladh in éineacht, agus throid siad guala ar ghualainn leis an Roinn Ultaigh i lábán na Fraince. Bhí siad sa Lóiste chéanna. Chónaigh siad sa cheantar chéanna, agus gidh gur dhoiligh do mhacsamhail Shéimidh Uí Aoláin a shamhailt ba dhea-chomharsa garach é Ábraham.

Chuir Dáibhidh forán soilbhir ar Shéimidh i Sráid Ó Diaghaidh, agus d'iarr seisean air bheith leis chun an tábhairne go n-óladh siad deoch le chéile agus iad ag fágáil sláin ag an bhliain 1949. Bhí Dáibhidh díreach tar éis glacadh leis an chuireadh nuair a tháinig Ábraham aníos leo. Chlaon seisean a cheann le Séimidh.

— Bhail, bhfuil tú ag teacht 'na bhaile, 'Dháibhidh?

— Ar ball beag, 'Ábrahaim. Tá mé ag gabháil a dh'ól bhuidéal leanna i gcuideachta Shéimidh. An dtiocfaidh tú féin inár gcosamar?

Bhí Ábraham seal neomait idir dhá chomhairle. Dá mba ó Shéimidh a thiocfadh an cuireadh ní bheadh moill air a dhiúltú go giorraisc, agus dá ndiúltaíodh is dócha go ngabhfadh Dáibhidh féin a leathscéal leis an Aolánach agus imeacht chun an bhaile lena shean-chuallaí.

— Oíche Chinn Bliana, tá's agat, arsa Dáibhidh.

— Aigh, arsa Ábraham, Oíche Chinn Bliana!

Níor fhan siad i muinín an aon bhuidéil amháin, ar ndóigh. Lean buidéal amháin an buidéal eile, agus nuair a d'aithin siad go raibh sé ag dul ó sholas, dar leo nárbh fhiú dóibh dul chun an bhaile in aon chor.

— 'Dé bhacfadh dúinn, arsa Dáibhidh, an cupla uair idir seo agus an mheánoíche a chaitheamh go súgach i dtábhairne éigin ag déanamh ár gcomhrá, 's gabháil síos an triúr againn go dtí an Clog 's fáilte ar dóigh a chur roimh an Bhliain Úir?

Thoilig an bheirt eile leis sin, agus bé a dheireadh go ndearna siad turas gach tábhairne idir sin agus an "Caisleán" ag coirnéal Shráid an tSeipéil ar imeall cheantar na bhFál. Bhí conradh síochána déanta idir Shéimidh agus Ábraham. Oíche ar bith eile seachas an oíche sin ní fhéadfadh siad a oiread sin dí a ól i gcuideachta a chéile gan fonn imreasáin a theacht orthu. Ach bhí bliain úr nua chucu, agus de réir mar a bhí siad ag éirí ólta is amhlaidh is mó a bhí siad ag téamh lena chéile agus ag dearmad an fhíoch bunaidh eatarthu.

— Is gairid ár seal, arsa Séimidh, agus is dual dúinn a chur isteach comh suaimhneach 's is féidir linn. Agus Éireannaigh uilig muid.

Dhiúrn Ábraham a ghloine.

— Aigh, Ultaigh uilig muid, a mhic.

— Béalfeirstigh uilig muid fosta, arsa Dáibhidh.

— Agus Críostaithe uilig muid, a mhic.

— 'Íosa, ní rachainn an fad sin! Ach bíodh ceann eile agat, 'Ábrahaim.

Is sonrach an rud é gur lig Ábraham don Aolánach a mhealladh isteach i dtábhairne Chaitiliceach roimh dheireadh na hoíche. Sé is tábhairne Caitili-

ceach ann, ar ndóigh, teach óil ar Caitilicigh iad
bunús a dtaithíonn é. Is iomaí tábhairne i gceart-lár
cheantair dhubh-Phrotastúnaigh i mBéal Feirste a
bhfuil Caitiliceach ina bhun. Dé ainneoin treoir an
Oird Oráistigh dá bhallraíocht gan tacaíocht a
thabhairt dá leithéidí, is i dtábhairní den chineál sin
is minice a d'óladh Ábraham, ach amháin i dtrátha
an Dara Lá Déag. Ach bé seo an chéad uair dó
dul isteach i dtábhairne ina raibh an comhluadar
comhdhéanta de Phoblachtóirí agus de Phápaistigh.
Ach bhí aoibh mhaith air ón tús, agus aoibh níos
fearr air fán am seo.

Sul ar cuireadh an tóir orthu amach as an tábh-
airne dheireannach líon siad a bpócaí le buidéil agus
chuir buidéal an duine fána n-ascaill. D'imigh siad
triúr go caradach comhráiteach síos an tSráid Ard
ag tarraing ar Chlog Cuimhneacháin Albert, céile
Victoria Ríon.

Liam S. Ó Bairr as Iúr Cinn Trá a sholáthraigh
an greas don leacht seo i gcuimhne an phrionsa
Ghearmánaigh, i mbliain a 1860. Bhí an Barrach
seo mar dhalta ag an ailtire chlúiteach T. S. Ó Duibh,
a línigh Ard-Eaglais Naomh Pádraig, Ard Macha.
Mar mhaithe lena gclú sin araon, áfach, caithfear
a admháil nach é Liam Ó Bairr féin a cheap an
Clog Cuimhneacháin ach a chúntóir sin Searlas
Mac Searraigh. Is deacair a chreidbheáil, gidh gur
fíor, gur ullmhaigh seisean an greas laistigh de dhá
lá; mheasfadh duine go nglacfadh sé ragairne dhá
sheachtain ar a laghad le huafás comh sár-mhíofar
fíor-Victoriach sin a chruthú. Ach is áisiúil, más
mídhealbhach an leacht é an Clog Cuimhneacháin,
agus tá guth breá doimhin aige. Tá sé in ionad
mhaith lena chois, ina sheasamh i lár na cearnóige
ina bhfuil an Teach Custam agus é féin agus íomh-

aigh an Phrionsa Albert ag stánadh suas an tSráid
Ard bealach Mhargadh an Arbhair mar ar crochadh
Énrí Seoigh.

Gach Oíche Chinn Bliana dá dtagann, cruinní-
onn na sluaite meidhreacha isteach go dtí an chear-
nóg chéanna go bhfeice siad lámh fhada an Chloig
á tógáil a shaileadh don Bhliain Úir. Deoraithe
Albanacha, ar ndóigh, a chéad-rinne nós den tionól
seo, mar a rinne lucht a gcomh-thíre i Londain nós
de chruinniú ina bhfáinne thart ar Ard-Eaglais N.
Pól oíche na bliana úire. Slua measctha go maith,
áfach, a fuair Dáibhidh agus a bheirt chomráda
rompu sa chearnóig. Bhí Albanaigh den uile
chineál ann. Albanaigh a tháinig anall in aimsir
Shéamuis I; Albanaigh a tháinig anall le harm
Roibeaird Mhic an Róthaic agus a d'éalaigh de
thoradh reatha ó éirleach na Beinne Boirbe; Alban-
aigh, béidir, a lean Mac eile sin an Róthaic go Baile
na hInse; Albanaigh nach raibh iomlán bliana
abhus; Albanaigh as an Mhachaire Ghallta agus
Albanaigh as na Garbhchríocha; fonsóirí as Abar
Deáin, ollaimh iolscoíle as Dún Éidin, coirpigh as
cúl-sráideanna Ghlascú.

Bhí callán ann a bhí ag bodhrú Dháibhidh.
Daoine ag caint agus daoine ag ceol agus daoine ag
scairtigh; píobaire ag iarraidh an bhua a bhreith ar
lucht acordán is béal-orgán.

Bhí Séimidh ag labhairt le Dáibhidh, ach ní
fhéadfadh seisean na focla a dhéanamh amach.
Sméid sé a cheann go sochma, áfach, agus lean
Séimidh agus Ábraham gur bhain siad amach áit a
bhí lena sásamh, in aice le ráille an Tí Custam agus
ar imeall an tslua. Shatail fear beag de thaisme ar
ladhair Dháibhidh.

— Tá brón orm, a mhic, arsa seisean.

18

AN DÁ THRÁ

— Och, tá sin maith go leor. Ól slog as sin.
Ghlac an fear beag uaidh an buidéal agus chuir
ar a cheann é. Nuair a shín sé arais é bhí sé leath-
fholmhaithe aige. Rinne Dáibhidh gáire.

De réir mar a bhí sé ag teacht ní ba chomhgaraí
do uair an mheán-oíche is amhlaidh a bhí an slua
ag éirí ní ba tostaí go dtí sa deireadh gur thit ciúineas
mínádúrtha air. Sheasaigh siad ansin, dreach sol-
lúnta ar gach aghaidh, a súile sáite sa chlog úd a bhí
crochta os a gceann mar bheadh gealach ollmhór.
D'fhán siad go faobhrach mífhoighdeach amhail
dream a bheadh ag feitheamh le teachtaireacht ó
Neamh. Streachail an lámh fhada go righin suas
aghaidh an chloig go raibh sí ag seasamh díreach os
ceann na láimhe giortaí.

BÚM!

Croitheadh an slua mar bheadh bomba tar éis
pléascadh ina lár. Tháinig aon gháir amháin as na
céadta scornach.

BÚM!

Teilgeadh na céadta de bhuidéil fholamha go
fiata isteach gur bhris siad ina smionagar fá bhun
an chlog-thúir.

BÚM!

Rug siad greim ar láimh a chéile—cairde agus
naimhde, gar-ghaolta agus dubh-stróinséirí:

Shud owld acquaintance be forgot
    An' never brought to—BÚM!
Shud owld acquaintance be forgot
    An' days o' owld lang—BÚM!

Bhí Dáibhidh agus Séimidh agus Ábraham gach
duine agus a lámha go muirneach thart fá ghualainn
a chéile. Bí ag caint ar na hÉireannaigh Aontaithe!

19

For ow-ow-owld lang syne, me—BÚM!
For ow-ow-owl lang syne!

BÚM!
Bhí siad ag longadán anonn is anall agus deora meisce agus maoithneachais lena súile.

We'll tak' a cup o' kindness—BÚM!
For the sake of o' owld lang syne!

Níor canadh riamh " Amhrán na bhFiann " nó " The King " nó " Creideamh Ár Sinsear " nó " Dolly's Brae " níos dúthrachtaí ná chan an triúr seo an sean-amhrán úd a bhí sean roimh aimsir Rab the Rhymer, gidh gur airsean atá sé maíte.
BÚM!
Gáir amháin eile agus bhris an slua ina chéadta de mhion-scataí.
BÚM!
Daoine ag caint go callánach corraithe, daoine ag déanamh crothadh láimhe le chéile, daoine ag gáirí go meidhreach, daoine ag canstan leo ar fad :

For ow-ow-owld lang syne, me dear,
For ow-ow-owl lang—BÚM!

Tháinig daoine idir Ábraham agus Séimidh díreach agus an bheirt sin ar tí greim a bhreith ar láimh a chéile.
BÚM!
Sciobadh Séimidh chun siúil. Chartaigh tonn daonnachta léi é, agus d'fhág ina sheasamh i Sráid Victoria é.
— Breast é, an maistín buí! arsa seisean. Mairg

a dhéanfadh mór le duine ar bith den dream udaí!

Bhí an bhiotáille ag searbhú ina ghoile. D'imigh sé go duairc chun an bhaile.

Chonaic Ábraham ag imeacht é agus thug iarraidh dul fhad leis.

— Má leagaimse mo lámh air, arsa seisean go fíochmhar, cicfidh mé an t-uisce Fíníneach as an ghineachán!

Ansin chuimhnigh sé ar Dháibhidh. Rachadh sé á chuartú, ach theip air a bhealach a throid arais. D'imigh sé féin leis de shiúl chorrach ag tarraing ar an bhaile.

Bhí Dáibhidh fós san áit ar fhág siad é. Bhí an fuinneamh bréige tar éis trághadh as a ghéaga. Bhí a cheann ina roth, agus lúbfadh na cosa faoi ach gur rug sé greim an fhir bháite ar an ráille iarainn. Chruinnigh baicle bheag scigiúil thart air.

— Bhfuil sé tinn, d'fhiafraigh óigfhear ard a raibh cuma fhiúntach air.

— Tinn? Heit, tá sé comh lán le breallán, a mhic!

Bhreathnaigh an t-ógánach an fear meisce. Bun-fhear toirtiúil fá dhungaraíthe donna. Bhí croiméal liath air. Dar leis an óigfhear nach raibh cosúlacht ghnáth-photaire air. Ceardaí macánta a chuaigh thar an mheasarthacht a chomóradh na Bliana Úire, a thuairimigh sé. Tháinig sé aniar.

— Bhfuil tú ag teacht liom 'na bhaile?

D'amharc Dáibhidh aníos air.

— Tá m'—maith g'leor.

— Sin an focal fíor agat. Tá tú díreach maith go leor! Cá bhfuil cónaí ort?

B'éigean dó an cheist a chur cupla uair sul a bhfuair sé freagra.

— Cá'l cónaí orm?

21

Rinne Dáibhidh tamall machnaimh.

— Tá m' mo chónaí—Sráid Eglinton . . . D'amharc an t-óigfhear thart.

— Duine ar bith agaibh ag gabháil suas an bealach sin? Tá mise 'mo choimhthíoch sa chathair.

Chroith siad a gceann agus scaip soir agus siar go dtí nach raibh fágtha díobh ach fear beag giobalach a raibh a shrón fhada gorm le fuacht.

— Cuirfidh mé ar an bhealach cheart thú, más sin a bhfuil a dhíth ort, arsa seisean. Níl a fhios agam an ligfidh Arm an tSlánuithe isteach mé, ach bíodh geall air nach dtig liom mórán níos mó moille a dhéanamh. Murb é sin bhéarfainn lámh chuidithe duit leis an tsean-lead agus fáilte.

— Bulaí fír! —Seo, a dheaid, an bhfuil tú in ann seasamh?

— Seasamh? arsa Dáibhidh. Aigh, ólaimis deoch eile.

— Gheobhaidh tú ceann thuas. Goitse anois. Chabhraigh an fear beag leis Dáibhidh a stiúrú fhad leis an réiteach a d'fhág bombaí an Luftwaffe sa tSráid Ard agus suas an tSráid Thuaidh Íochtair go dtí an tAscal Ríoga.

— Sin duit an tSráid Thuaidh Uachtair thall udaí, arsan fear giobalach. Siúl leat go dtige tú fhad leis an ghabhail. Cloigh leis an leath-ghabhail dheis. Sin Bóthar an tSean-Lóiste. Bhéarfadh an leath-ghabhail chlé suas Cnoc Pheadair 's Bóthar na Sean-chille sibh. Gheobhaidh tú Sráid Eglinton ar thaoibh na láimhe deise, os ceann Sráid Carlisle. Slán leat, a bhuachaill, agus rath oraibh araon san Athbhliain.

— Gurb é duit. Agus go raibh maith agat.

CAIBIDIL 3.

Nuair a mhuscail Liam Seaghach Lá Coille bhí
sé tamall áirithe sul ar aithin sé cá raibh sé.
D'fhoscail sé a shúile agus stán suas ar an
tsileáil. Chonacthas dó go raibh an tsileáil chéanna
beagán níos airde agus beagán níos lú ná ba ghnáth
—beagán níos gile, freisin. Bhí sé ró-shómasach,
ró-fhalsa lena cheann a chorrú, ach bhog sé a shúile
agus d'amharc ar bhalla an tseomra. Páipéar a bhí
ar an bhalla sin, agus gan é ró-chaite nó ró-shalach
ainneoin gur léir go raibh sé tamall maith de bhlianta
suas. Duilliúr uilig a bhí ann, idir ghlas agus donn,
agus éanacha beaga, dearg agus buí agus gorm,
scaipthe tríd agus a gcluimhreach phéacach leath-
fholaithe ag na duilleoga ollmhóra.

Tháinig boladh chuige, boladh tíriúil, boladh
bágúin agus é á fhriochtadh. Phreab intinn Liam
ina lán-dúiseacht. Tháinig sé uilig arais chuige:
an turas tuirsiúil ón tSrath Bán aniar san eadarcharr
le Sam agus Ben Harpúr; an dóigh ar fhág sé a
mhála in oifig an bhagáiste ag stáisiún Mhór-
Iarnród an Tuaiscirt, mar a chomhairligh Ben dó,
ionas nach mbeadh air a iompar leis ar fuaid na
cathrach agus é ag cuartú lóistín; an béile gortach
a fuair sé ar trí is réal i dteach itheacháin éigin; an
dóigh a ndeachaigh sé isteach i bpictiúrlainn ar fos-
cadh ón fhearthain agus le faoiseamh a thabhairt
dá throithe; thit sé ina chodladh agus níor mhuscail
gur thosnaigh siad a sheinnm "God Save The
King"; tháinig sé amach ar an tsráid agus lean an
slua, ach in áit a threorú amach go dtí Alt an Chais-
leáin, a raibh sé ag éirí eolach air fán am seo, sé
rud a shiúil sé síos sráid eile ar fad—Sráid Áine a

bhí uirthi, de réir mar ba chuimhin leis—gur shroich
sé an áit mar a raibh na hAlbanaigh ag plodú thart
fá bhun an chloig mhóir. Agus ina dhiaidh sin, an
fear ólta agus an fear beag scifleogach.

Thug sé a sháith do Liam an fear meán-aosta
a thabhairt leis suas go dtí Bóthar an tSean-Lóiste.
Tháinig fonn orla air leath bealaigh suas an tSráid
Thuaidh Uachtair gur fholmhaigh sé a ghoile mas-
laithe. Bhisigh sé beagán ina dhiaidh sin, ach go
raibh sé níos codlataí fós. Lig sé a mheáchain uilig
ar sciathán Liam. Ansin, i dtobainne, labhair guth
údarásach amach as póirse siopa: " Caidé tá ar siúl
anseo? " Agus nocht síothmhaor fathachúil chucu.
Thug Liam in amhail an scéal a mhíniú dó, ach ní
raibh gá le míniú, nó d'aithin an constábla fear an
chroiméil léith. " Maise, tú féin atá ann, a
Dháibhidh! 'Dé tháinig ort ar chor ar bith? Seo,"
ars seisean leis an fhear óg, " glacfaidh mise an
sciathán eile. Níl sé ach coiscéim eile go Sráid
Eglinton." D'fhág sé ag coirnéal na sráide iad.
" An teach sin thall," adúirt sé. " An ceann a bhfuil
crann beag Nollag ar fhuinneog an pharlúis. Níor
mhaith liom Bean Mhic Giolla Dhuibh m'fheiceáil
agus mé fá m'éide agus greim gualann agam ar
Dháibhidh. Bean bheag chiúin í agus scanródh sí
go furasta. Beidh sibh ceart go leor? Beidh, go
díreach. Sonas oraibh san Athbhliain."
Nuair a chuir Liam an fear eile ina sheasamh
agus a thaca leis an bhalla, go mbuaileadh sé féin
cnag ar an doras, thit sé chun suain in áit na mbonn
agus níor stad den srannfaigh go raibh sé sínte ar
an leabaidh.

An tsean-bhean bheag a d'fhoscail an doras,
lig sí cnead aisti ar a fheiceáil Liam di. Sheasaigh
sí ansin ag baint lán na súl as, agus gan oiread is

24

amharc a thabhairt ar a fear céile. Bhéarfadh Liam
a mhionna gur shíl sí seal neomait amháin gur aithin
sí é féin. Nó, ar scor ar bith, bhí dreach forbhfáil-
teach ar a haghaidh a d'imigh comh luath agus a
tháinig. Nuair a thiontaigh sí chuig Dáibhidh,
áfach, ní raibh le haithne uirthi ach meascán
greannmhar de thrua agus de mhíshásamh. D'éist
sí go foighdeach le Liam agus é ag inse fán dóigh
ar tharla i riocht an dea-Shamairiteánaigh é. Ansin
ghabh sí a buíochas leis as a oiread sin saothair a
chur air féin, chuir a lámh isteach fá ascaill
Dháibhidh agus d'fhéach lena tharraing isteach
chun tí. Bhí sé mar bheadh sac trom coirce idir a
lámha. Thit an breacán dá guaille agus thitfeadh
sí féin in éadan chomhla an dorais ach go dtáinig
Liam i dtarrtháil uirthi. Chuidigh sé léi an fear
meisce a thabhairt suas an staighre agus a shíneadh
ar an leabaidh. Scaoil sise na bróga de agus chimil
an ghruaig liath siar dá éadan. I ndiaidh di cuilt
throm a chaitheamh sa mhullach air, lean sí Liam,
a bhí tar éis trupáil síos an staighre arais. Rinne sí
a chomóradh go dtí doras na sráide, ainneoin gur
dhúirt sé go bhfaigheadh sí a bás ag bogadaigh
thart fána gúna oíche. Díreach agus é ag dul thar
an tairsigh d'fhiafraigh sí de an mbeadh siúl fada
chun an bhaile air. Rinne sé draothadh gáire, ag
cuimhniú dó i dtobainne nach raibh lóistín faighte
fós aige. " Is amhlaidh nach bhfuil mé ach díreach
i ndiaidh theacht 'na cathrach," adúirt sé. " Ar
ndóigh, tá aithne agam ar dhaoine ar Bhóthar
Cluanaí—cibé áit a bhfuil an bóthar céanna. Ní
dóigh liom go ndiúltódh siad mé fá dhídean na
hoíche, dá n-éiríodh liom an teach a aimsiú."
" M'anam, a bhuachaill, bheadh sé i ndiaidh an trí
sul a mbainfeá amach an áit sin de shiúl do chos,

agus tú 'do stróinséir i mBéal Feirste 's uilig? Agus
ní dócha go bhfaigheann tú tram fán taca seo den
oíche." Rinne Liam tamall machnaimh. "Och,
bhail," arsa seisean. "Gheobhaidh mé áit éigin.
Cibé ar bith, ba dána an mhaise domh a gcur ina
suí comh hantráthach seo, agus gan iontu i ndiaidh
an iomláin ach lucht aitheantais. Fóill, nach bhfuil
áit éigin ag Arm an tSlánuithe fá lár na cathrach?"
"As ucht Dé, a bhuachaill, ní ligfinn síos ansin
thú! Ní chodlaíonn ansin ach lucht déirce 's ruath-
airí póirsí. Caidé bheadh ag bacaint duit an oíche
a chodladh anseo?" Dúirt Liam nach bhféadfadh
sé bheith ag teacht sa díobháil uirthi sa tslí sin:
"Cá bhfios duit nach ndéanfainn an teach a chreach-
adh agus bhur sceadamáin a ghearradh roimh
mhaidin?" Rinne an tsean-bhean gáire bheag.
"Ní dhéanfá a leithéid, a bhuachaill!" Lean sí ag
tathant air. Ní raibh fonn ró-mhór air dul amach
arís. Bhí sé bréan de shráideanna Bhéal Feirste.
Mar sin, dúirt sé sa deireadh go mbeadh sé go mór
fá chomaoin aici dá gceadaíodh sí dó an oíche a
chaitheamh ar an tolg nó sínte ar chupla cathaoir
féin. "Heit, a bhuachaill! Cupla cathaoir, an ea?
Tá leaba thuas ag fanacht leat!" Thóg sí an
choinneal lasta de bhoirdín sa halla chúng, agus
threoraigh suas an staighre go dtí seomra beag é.
D'amharc Liam go hamhrasach ar na braitlíní geala.
"Tá mo chulaith oíche fá ghlas i mo mhála thíos
ag an stáisiún." Ní thug sí de fhreagra air ach a
lámh a chur isteach fán chuilt bhreac agus culaith
oíche fir a tharraing amach. "Ná bíodh aon eagla
ort, a bhuachaill. Fóirfidh sí i gceart duit. Agus
rinne mé a haerú inniu." Stán Liam uirthi mar
bheadh sé ag tosnú a smaoineamh gur bandraoi a
bhí aige inti. "Ná suigh ar an chathaoir sin," arsa

sise, " nó ligfidh sí anuas thú." Shuigh Liam síos
ar imeall na leapa. " Fágfaidh mé an choinneal.
Níl gas ar bith sa tseomra seo." " Go raibh maith
agat. Oíche mhaith—agus go raibh maith agat
arís." " Oíche mhaith." Rinne sí moill ag an doras.
" Oíche mhaith—a mhic," agus d'imigh sí. Bhí rud
éigin comh cúthail faiteach sin fán dóigh ar chan sí
an focal deireannach go ndearna sé gáire nuair a
dhruid an doras ina diaidh. Níor luaithe a shéid sé
as an choinneal agus a leag a cheann ar an adhart
ná thit a chodladh air. Mhuscail sé i seomra choimh-
thíoch agus boladh bágúin á fhriochtadh ina
ghaosáin . . .

*   *   *

Chorraigh Liam agus chaith siar an t-éadach
leapa. Ba mhithid dó bheith ag glanadh leis amach
as an tigh seo. Tháinig sé amach ar an urlár agus
é ag méanfaigh. Bhain sé síneadh as a ghéaga. Bhí
an t-íléadach fuar fána chosa, agus ba bheag a bhéar-
fadh air dul arais agus codladh go meánlae. Ach
ní bheadh sé fiúntach a thuilleadh trioblóide a
thabhairt don bhean chóir. Thóg sé a léine den
urlár, mar a raibh sí ina luí ó stróc sé dá dhroim
aréir í. Dar leis, níorbh fhéidir bheith ina
dhiaidh ar dhuine ar bith a chreidfeadh go raibh mise
comh dallta ag an ól agus bhí an sean-fhear udaí.

Chuala sé gíoscán á bhaint as clár scaoilte. Bhí
duine éigin ag teacht aníos an staighre. An chéad
neomat eile buaileadh smitín ar chomhla an dorais.
Léim Liam isteach sa leabaidh arais agus a léine ina
láimh go fóill.

— Buail ar d'aghaidh!

Chuala sé gréithre tae á mbualadh in éadan a
chéile. Ansin foscladh an doras isteach agus nocht

27

bean an tí chuige agus tráill idir a lámha aici. Leag
sí ar ghlúine an óigfhir í agus chuaigh anonn gur
tharraing sí cúirtíní na fuinneoige i leataoibh.

— Ar chodlaigh tú go maith?

— Ar fheabhas, go raibh maith agat.

— Ith suas an greim beag sin, sul a bhfuara sé
ort.

— Bhí sé i bhfad barraíocht agat, agus an
chiondáil 's uilig.

Bhí Eistir ag siúl thart tríd ag tseomra, ag
tógáil gach ball éadaigh as déis a chéile, á chrothadh
agus á leagan amach go deismear ar an leabaidh.

— Och, níl sé comh dona sin ar fad. Gheibhim
corr-rud ón bhaile.

— Ón bhaile?

— Aigh, ó Phort a' Bhogaigh i gContae an
Dúin.

Dhoirt Liam amach an tae agus bhreathnaigh
thar imeall an chupa í. Ní raibh cosúlacht bhean
tuaithe uirthi. Ní raibh de dhath ag baint lena
haghaidh tharraingthe ach goirme a cuid súl agus
deirge éigin ina leicne nach raibh inti dáiríre ach
iarsma na deirge.

— Ach fágfadh mé anois thú le do chuid a
dhéanamh.

Rinne sí moill ag an doras, díreach mar rinne sí
an oíche roimhe.

— Ní fhéadfainn a inse duit comh mór 's tá mé
fá chomaoin agat as Dáibhidh a thabhairt 'na bhaile.

— Mise atá fá chomaoin agatsa as aíocht na
hoíche.

— Bealastánacht! Sin an méid a ba lú a
d'fhéadfainn a dhéanamh.

Rinne sí moill arís.

— Cá hainm seo a bheir siad ort, a bhuachaill?

28

— Liam. Liam Seaghach. Is as an tSrath Bán domhsa.

— Aigh. D'aithin mé gur Eoghanach a bhí ionat. A Liam—

— Sé?

— Ná bí ag sílstin gur potaire é mar Dháibhidh. Fear breá fiúntach atá ann.

— Tá a fhios agam.

— An mbeidh tú i bhfad sa chathair, a Liam?

— Ní fhéadfainn a rá. Tháinig mé a bhaint trialach as post abhus. Mura dtaitneann sé liom beidh mé arais sa bhaile roimh dheireadh na seachtaine comh dócha lena athrach. Agus creidim gur deacair lena chois lóistín fóirstineach a fháil i mBéal Feirste ar na saoltaí deireannacha seo.

—Tuigim. Bhail—ná bíodh do dheifir ort, a mhic. Agus ith suas an bágún sin sul a sioca sé.

Chuaigh Eistir síos an staighre. Bhí Goering ag sceamhlaigh ag an doras cúil. Lig sí isteach é agus rith sé trasna an urláir ionsar a fhochupán féin fán sorn, agus a eireaball in airde amhail chrann loinge. Chuir Eistir braon bainne amach ar an fhochupán dó, tháinig isteach sa chistin arais agus chuaigh ar a glúine ar an teallach a ghlanadh amach luaith na hoíche aréir. Stróc sí an *Belfast Telegraph* agus rinne meallta beaga de na duilleoga. Chuir sí cipíní adhmaid trasna ar a chéile ar bharr an pháipéir sa ghráta. Ansin chuaigh sí a thóchadh tríd an luaith lena sean-mhéara mosacha gur phioc sí amach an chuid a b'fhearr de na haibhleoga, agus chóirigh go cúramach ar an bhrosna iad. Chroith sí deora paraifín orthu agus chuir tine leis an iomlán. Phreab lasair ghorm aníos, agus ansin bladhair bhuí a rois go búirfeach suas an simné. Thosnaigh brioscarnach chroíúil an bhrosna, agus lasadh suas aghaidh fhoigh-

deach chaite Eistir. Nuachtán deireannach na sean-
bhliana a d'éag agus aibhleoga fuara na hoíche aréir
—agus tháinig solas agus teas astu, mar lasfaí dóchas
i gcroí na sean-mhná.

— Níodh Seoirse an tine a fhadú domh achan
mhaidin sul a dtéadh sé amach chun an Oileáin. An
cuimhin leat, 'Ghoering? adúirt sí leis an chat.

Níor thóg an bhrúid a cheann slíocaí amach as
an fhochupán, ach bhog sé a chluasa lena thabhairt
le fios di gur chuala sé a cuid chainte. Ar ndóigh,
chuala sé an sean-scéal úd na céadtaí uair roimhe,
siúd is nár chuimhin leis féin an fear óg a mbíodh
fáilte comh mór sin aige dó in aimsir a phisíneachta,
nuair a léimeadh sé anuas den tsean-chathaoir uillinn
ina airicis gach maidin agus a ritheadh suas a dhroim
le suí ar a ghualainn agus é ar a ghlúine os coinne na
tine, díreach mar bhíodh a mháistreas na maidneacha
seo. Dar le Goering, áfach, is bainne é bainne agus
ní bheathaíonn na briathra na bráithre.

Chuaigh Eistir amach go dtí poll an ghuail,
thíos fán staighre.

— Ní raibh ins na málaí deireannacha sin a thug
siad chugainn ach deannach 's sclátaí, arsa sise go
gearánach. Ach ní ar an ghual a bhí a haire.

D'fhéadfá gach uile thrup dá ndéanfaí ar fuaid
an tí a chloisint ach do cheann a chur isteach i bpoll
an ghuail. Ní raibh fuaim le cloisint as Dáibhidh,
ach é ina mhuc-chodladh ar fad. Níor ghar an *News
Of The World* a thabhairt suas chuige go fóill.
Chuala sí gliog na spúnóige sa chupa sa tseomra
eile, áfach, agus gliúrascnach na leapa nuair a
bhogadh an fear óg inti. Thug sé sólás áirithe di a
fhios bheith aici go raibh fear óg thuas i leabaidh
Sheoirse—sa leabaidh a choinnigh sí réidh ullamh i
gcónaí, fiú i ndiaidh a bháis, mar bheadh sí ag súil

gach lá go bhfillfeadh a mac marbh uirthi de ainneoin na n-ainneoin. Níor chodlaigh éinne inti ó d'imigh Seoirse thar sáile leis na Raidhfil Ríoga Ultacha—saor ar an tréimhse a chaith Dáibhidh go corrach sa leabaidh chéanna, tráth dá raibh sise breoite.

Dhírigh Eistir a droim agus sheasaigh ag bun an staighre, leathcheann uirthi, agus an tsluasaid ina láimh. Dar léi go raibh teas agus solas ar fuaid an tí nach raibh ann leis na blianta fada folamha. Ach is ina croí-se a bhí an teas agus an solas. Dar léi, tá sé beagnach mar bheadh Seoirse féin i ndiaidh theacht chun an bhaile. Lig sí osna aisti. D'imeodh Liam, ar ndóigh, agus fágfaí an teach mar a bhí, agus thiocfadh Dáibhidh chun an bhaile ón Oileán gach oíche agus léifeadh sé an *Tele* i ndiaidh a dhinnéara, agus chaithfeadh sé a phíopa go tostach, agus tar éis di na soithigh a ní shuífeadh sí féin agus a lámha ina hucht ag coimhéad an ghuail á ídiú agus an tine ag dul in éag go dtigeadh am luí. Agus chóireodh sí leaba Sheoirse arís agus d'fhágfadh an seomra réidh don té nach dtiocfadh a choíche. Ba dheacair léi a chreidbheáil go dtréigfí tar éis chuairt aon-oíche seomra a bhí comh fada sin ag fanacht go foighdeach le duine éigin a theacht a chónaí ann.

Chimil Eistir deor fhánach dá leiceann, agus d'fhág lorg an ghuail ann ina háit. Chuaigh sí arais chun na tine agus chuir tuilleadh connaidh uirthi. Is ansin a bhuail smaoineamh í. D'fhág sí an tsluasaid arais fán staighre agus chuaigh suas gur bhuail sí cnag ar dhoras Liam.

Bhí seisean go díreach ag sá a chos isteach in osáin a bhríste.

— Bomaite, mura miste leat!

— Gheobhaidh tú an seomra folcaidh ar thaoibh na láimhe clé, a mhic.

— Go raibh maith agat.

— Fágfaidh mé amac tuáille glan duit. Féadaidh tú do bhearradh féin le rásúr Dháibhidh. Sin mura miste leat rásúr foscailte a úsáid. Agus an bhfaighidh mé uisce te duit?

— Ná bac leis. Tá mé breá cleachtaithe 'mo bhearradh féin le huisce fuar.

— Níl deifir amach ort, an bhfuil?

— Bhail, níl.

— Buail isteach 'na cistine chugam go mbí tamall comhrá againn le chéile.

CAIBIDIL 4.

IS ar Phádraig Ó Préith a bhí Liam ag cuimhniú nuair adúirt sé le Eistir Mhic Giolla Dhuibh go raibh aithne aige ar dhaoine ar Bhóthar Cluanaí, agus is i Sráid Tennyson, clúid chiúin chúlánta den bhóthar sin, a bhí cónaí ar Phádraig. Ceantar measctha a bhí ann, agus a gcothrom féin de Chaitilicigh agus de Phrotastúnaigh ann. Bhain na buachaillí a ngar féin as an mheascadh chéanna le linn an Chogaidh, nuair a bhí Pádraig gníomhach in imeachtaí Óglaigh na hÉireann (I.R.A.). Bhí Sráid Tennyson comh ciúin sin agus na comharsanaigh comh muinteartha sin, ach gan dánaíocht dá laghad a dhéanamh ar a chéile, agus gach uile dhuine acu ar a dhícheall le taispeáint dá chéile gur chuma leis cad é an creideamh a chleacht a chomharsa nó cad é an dearcadh polaitíochta a bhí aige, go raibh tithe ar nós teach Chlann Uí Phréith rí-áisiúil ag na Poblachtóirí. Is minic a bhíodh gunnaí agus pléascáin agus, rud a ba chontúirtí fós, scríbhinní a thabhódh fiche bliain de phríosúntacht dó, folaithe ag Pádraig

32

AN DÁ THRÁ

sa tigh gan fhios do éinne eile den teaghlach las-
muigh de Shíle, an duine a ba óige dá bheirt
dheirfiúr.

Thug Clann Uí Phréith a gcónaí go Sráid Tenny-
son nuair a thug urchar millte bás an athar i 1937.
Roimhe sin bhíodh tábhairne agus óstán beag acu i
Sráid Eabhroc. Ní raibh Pádraig ach ina bhuach-
aill scoile nuair a tháinig Uafás 1935. Ba chuimhin
leis — comh maith céanna agus ba chuimhin
leis oícheanta na n-aer-ruathar deich mbliana níos
moille—na hoícheanta a chaith an teaghlach cuachta
go critheaglach i gceann a chéile ar an urlár
sa tseomra os ceann an tsiopa agus troscán agus
tochta carntha in éadan na fuinneoige le haon philéar
fánach nó fealltach a cheapadh. Ba chuimhin leis
trup briosc bhróga na saighdiúirí ar an tsráid amuigh
agus riail chlog na hoíche i bhfeidhm, agus glór
garbh geancach an Chocnaí ag scairtigh: "Blow
aht that bleedin' light or I'll blow yer flamin' 'ead
orf!" Ba chuimhin leis fir dúr-ghnúiseacha a thig-
eadh isteach ag ól go hoíche gan pingin rua d'íoc
as a n-óladh siad, fir a d'ordódh buidéal uisce beatha
le hiompar leo abhaile agus a d'imeodh i ndiaidh a
rá le hathair Phádraig: "Ná bíodh eagla ar bith ort,
'Mhic Uí Phréith. Ní chuirfear chugat nó uait. Tá
thar fhios againn gur fear cóir agus gur dea-
chomharsa thú . . . Och, mo dhearmad! gheobhaidh
tú do chuid airgid fá dheireadh na seachtaine." Óg
agus uilig mar bhí sé d'aithin an gasúr an bagar a
bhí folaithe ins na focla séimhe. Bhí sé ag léamh
Treasure Island san am agus dar leis go raibh an-
chosúlacht idir a athair bocht buartha féin agus
athair Jim Hawkins; is minic a smaointigh sé, na
bliantaí ina dhiaidh, gur luathaigh na fir úd bás a
athar.

33

B

De ainneoin, nó béidir de thairbhe bheith ina
Chaitiliceach i gceantar Phrotastúnach le linn an
Uafáis nior éirigh Pádraig Ó Préith aníos ina fhear-
madóir, gidh go ndearna imeachtaí na haimsire sin
fearmadóirí de na céadtaí de ógánaigh Bhéal Feirste,
idir Chaitilicigh is Protastúnaigh, nár chuala ach an
taobh amháin den scéal agus nach bhfaca ach an
taobh amháin den troid. Mhothaigh Pádraig nach
in aon cheantar amháin nó i gcroí aon dream amháin
a bhí an fuath agus an fhearg agus an fearmad
agus an imeagla. Thug sé gráin don achrann
mhíréasúnta uilig, agus de ainneoin na n-ainneoin,
de ainneoin bhás a athar fiú, d'fhás sé suas ina
Phoblachtóir agus fonn air a scair féin a dhéanamh
chun deireadh a chur leis an easaontas agus leis an
éagóir. Chuaigh sé isteach san I.R.A. i 1938 agus
bhí sé ar an fhíor-bheagán a mhair tríd an Chogadh
gan na síothmhaoir a bhreith air. Fuair sé ardú céime
go luath, óir duine i ndiaidh an duine eile bhí oifigigh
agus treoraithe na heagraíochta á ngabháil. Scoil-
teadh an tArm ó bhun go barr nuair a d'éalaigh
Stíofán Ó hAodha ó oifigigh Cheannasaíocht an
Tuaiscirt—a bhí tar éis príosúnach a dhéanamh den
fhear sin a ghlac ionad Sheáin Ruiséil an t-am ar cail-
leadh an Ceann Airm áit éigin idir Nua Eabhroc agus
Berlin—agus a thug sé fianaise ina n-éadan i gCúirt
Mhíleata i mBaile Átha Cliath. Cuireadh Pádraig
Ó Préith síos go Tír Eoghain chun féacháil le ath-
eagar a chur ar an ghluaiseacht sa dúthaigh sin, agus
is ansin a chuir sé aithne ar Liam Seaghach.

* * *

Chuir ciúineas na Sabóide Béalfeirstí iontas ar
Liam tar éis callán agus corraí na hoíche aréir. Is
ar éigin a casadh dó beirt idir Shráid Eglinton agus

an Ascal Ríoga. Bhí Bóthar an tSean-Lóiste
cáidheach gruama, dallóg anuas ar fhuinneog shalach
gach siopa bhig dheilbh, sean-pháipéirí agus craicinn
oráistí go tiubh ar an chosán, agus an ciúineas namh-
adach sin ar fuaid na háite, sa dóigh ar chosúla le
truplásc marcshlua torann a choiscéime ar an tsráid.
Ní thabharfá de shamhail ar Bhéal Feirste, maidin
Domhnaigh, dar le Liam, ach Londain in aimsir na
Plá.

Bhí Sráid Tennyson ciúin mar an gcéanna, ach
gur chomhgaraí do chiúineas charadach na tuaithe
an ciúineas anseo. Bhí ráille ag bun na sráide agus
barra crann le feiceáil sa lag laistiar de. Tithe de
bhrící dearga uilig a bhí sa tsráid, agus gairdín beag
bídeach ar aghaidh gach tí acu. Thug Liam fá dear
go raibh na cúirtíní trasna ar na fuinneogaí ina dhá
dtrian de na tithe agus go raibh buidéil bainne agus
nuachtáin Domhnaigh i bpóirse gach ceann de na
tithe sin. Bharúil Liam, agus an ceart aige, gur
Protastúnaigh a bhí ina gcónaí iontu sin. D'aimsigh
sé an teach ceart sa deireadh. Ní raibh ceachtar acu
buidéil nó nuachtáin ar chéim an dorais sin. Bhrúigh
sé cnaipe an chloigín agus sheasaigh agus a dhroim
leis an doras ag fanacht. I dtobainne, thosnaigh éan
ar an díon thall a chantain go suairc. Chlis Liam
agus d'amharc suas. Dar leis, seal neomait amháin,
gur londubh a bhí ann. Ansin rinne sé draothadh
gáire. Ní raibh ann ach sean-druideog ina suí ar
an tsimné. Bhí sí dorcha go leor le bheith ina lon-
dubh, ach ní raibh sa mhéid sin, is dócha, ach an
sugha a bhí go fairsing in aeráid Bhéal Feirste.
Scéith a gob dubh agus gairbhe áirithe ina glór uirthi.
Rinne Liam aithris ar fhead bhinn an londuibh.

— Déan thusa aithris ar an cheann sin, a
chleasaí!

Chuir an druideog leathcheann uirthi, agus í ag léirmheas cheol an fhir seo a fuair de mhisneach dul a dh'iomaíocht léi. Ansin lig sí grág éadmhar aisti agus d'fholaigh í féin go stailceach i gcúl phota an tsimné. Rinne Liam draothadh eile gáire.

Chuala sé an doras á fhoscailt taobh thiar de agus thiontaigh thart agus fuair srón agus péire spéaclaí ag caochadh amach thar imeall na comhlan. Srón a bhí ann de na sróna mífhórtúnacha sin a shoilsíos amhail tine shionnaigh san dubh-dhorchadas agus a mbíonn dealramh dalltach astu fá sholas na gréine. Bhí lionsaí na spéaclaí, freisin, den sórt sin ar doiligh amharc tríothu ach den taoibh istigh, sa dóigh nach léir do dhuine an dá shúil laistiar díobh agus nach bhfeiceann sé ach dealramh na gloine. Den chéad radharc ní thabharfá fá dear de aghaidh Mháire Ní Phréith ach trí baill gheala mar bheadh triantán agus é bun os ceann.

— Sé? a d'fhiafraigh an triantán céanna go doicheallach.

— An é seo an áit a gcónaíonn Páidí Ó Préith?

— Sé. Cad chuige? a d'fhiafraigh an triantán go dúshlánach.

— Ba mhaith liom labhairt leis.

— Cén fáth? a d'fhiafraigh an triantán go droch-amhrasach.

— Och, fáth ar bith ach go díreach gur tharla sa chathair mé.

Bhuail an smaoineamh Liam go raibh na trí baill gheala sin ina dtrí súile agus nach raibh ins na trí súile sin ach a thús agus go raibh Argus éigin i gcúl an dorais agus an mhong ina coilgsheasamh ar a mhuinéal.

— Bhfuil Páidí istigh?

Tost gairid.

— Níl a fhios agam.

Tost eile. Ansin labhair guth ógmhná amach as an pharlús.

— Cé sin ag an doras tosaigh, a Mháire? Tá siorradh millteanach ag teacht isteach ar dhoras an pharlúis!

Chuaigh na súile as amharc nuair a labhair Máire siar tharna gualainn.

— 'Dé tá ort gan doras an pharlúis a dhrod, mar sin?

— Ní shínfidh mo sciathán an fad sin, 's níl rún dá laghad agam theacht anuas as seo lena dhrod. Cad chuige nach dtiocfá isteach agus doras na sráide a dhrod?

— Tá fear anseo.

— Cén fear?

— Níl a fhios agam. Ba mhaith leis labhairt le Páid s'againne.

— Bhail, beidh Páid arais ar ball beag. Caidé tá ort gan a ligean isteach?

— Is maith atá a fhios agat caidé tá orm.

D'éirigh an glór istigh mífhoighdeach.

— Bhail, más cara de chuid Pháid atá ann tá mé cinnte nár mhian leisean go bhfágfaí á chonnáil amuigh ar an tsráid é. Agus más duine den dream eile é níor mhaith le Mamaí go bhfeicfí ag an doras é.

— Ó, maith go leor. Ach d'fhéadfá gan bheith ag scréachaigh mar sin. An mian leat do mháthair a mhuscailt?

Nocht na súile thar imeall an dorais arís.

— Bhail, cad chuige nach siúlann tú isteach? Ní ag fréamhradh ansin sa phóirse atá tú, is dócha!

Ní raibh Máire as cuimse reamhar, gidh go raibh cumhdach maith ar a cnámha. Ach bhí sí ar dhuine de na mná seo nach sroicheann a choíche an

fhoirfeacht, duine de na mná seo atá de dheas de
bheith dóighiúil ach go bhfuil cupla máchail nó mion-
easnamh orthu, duine de na mná seo nach n-oireann
a n-éadaí a choíche i gceart dóibh. Tá mná a chuir-
eas imní i gcónaí ort go bhfuil giota lúdaigh áit éigin
fána gceirteach atá i riocht a réabtha. Ní fhéadfaí
amharc ar Mháire Ní Phréith gan do mhionna a
thabhairt go raibh giota lúdaigh tar éis réabadh
cheana agus go raibh ball éigin éadaigh ar tí titim.
Nuair a thug sí a droim leis chonaic Liam go raibh
dlaoi-pháipéar dearmadta amháin fágtha go huaig-
neach i bhfostú ina folt dlúth donn amhail rós déan-
ach an tsamhraidh.

— Níl a fhios agam cad chuige nach bhfanann
sibh amach uaidh, arsa Máire go searbh. Nach bhfuil
a fhios agat go bhfuil a mháthair bhocht tinn?

CAIBIDIL 5.

SHEOL Máire isteach sa pharlús bheag é. D'fhág
sí ansin é, gan ise an tarna hamharc a thabhairt
air.

Bhí scáthán os ceann an mhatail agus slámógaí
de olainn cadáis greamaithe dá ghloine. Ag dul
isteach sa pharlús dó, chonaic Liam Seaghach sa
scáthán, i gceart-lár na mbratóg bréige sneachta sin,
péire de na cosa mná a ba deise dá bhfaca sé riamh.
Bhí na múrnáin go caol comair fá na stocaí lan-
chumtha nylon, agus bhí na colpaí, an méid díobh a
bhí ris fá imeall an sciorta dúghlas olla, go hálainn.

Bhí slabhraí ioldathacha páipéir ar crochadh ina
lúbaí ó chúinní an tseomra agus iad ceangailte le
chéile le ribín dearg os ceann an lampa leictreachais
i lár na sileála.

Tháinig Liam chun tosaigh. Bhí cailín caoin-dealbhach ina seasamh ar a bairrcíní ar dhroim an toilg agus í ar a dícheall ag iarraidh ceann slabhra acu a ghreamú don bhall le tacóid. Ní raibh sí ró-ard, áfach, agus bhí a sciatháin sínte fad maslach os a ceann, agus a brollach buailte leis an bhalla.

— Lig domhsa a dhéanamh, arsa Liam.

— Ligean duit do bhróigíní a ghlanadh ar an tolg? Maith an seans! Bheadh focal le rá ag Máire do sin!

— Aigh, chuir mé aithne ar Mháire cheana féin. Tá faobhar ar a teangaidh siúd!

Rinne an cailín gáire.

— Och, ná tabhair aird uirthise. Báirseach cheart atá inti mar Mháire. Síleann sí gur lorgaire nó rud éigin den tsórt gach uile dhuine dá dtig chun an dorais a chuartú Pháid. Tá sí go hiontach an dóigh a gcuireann sí an tóir ar fhir árachais 's ar mhangairí agus a leithéidí!

Choimhéad Liam na hiarrachtaí ciotacha a bhí á ndéanamh aici chun an tacóid a thiomáint isteach sa bhalla.

— Nach bhfuil sé buille beag ró-luath i 1950 le gabháil a chur suas maisiúcháin Nollag?

Maise, nach tusa atá deis-bhéalach ar maidin! Sé rud a thit an slabhra seo aréir, díreach sul a ndeachaigh muid fá chónaí. Ní raibh fonn ar dhuine ar bith againn gabháil i gceann oibre an t-am sin de oíche. Tá mé á chur suas arais, nó ar scor ar bith, ag féacháil lena chur suas arais, ar an abhar gur chleacht mo mháthair riamh na maisiúcháin a fhágáil ar crochadh go dtí Lá Nollag Beag agus nár mhaith linn nós a bhriseadh. Och, breast é mar thacóid!

— Dréimire atá de dhíth ort.

— Maise, tá thar fhios agam nach fathach ar bith mé! Agus beidh neart dréimirí i mo chuid nylons má bhainim orlach amháin eile de shíneadh asam féin!

Tharraing sí buille mífhoigheach den chasúr, a tháinig anuas ar a hordóig. Lig sí scread phianai aisti, lig don chasúr titim go rugadh sí greim lena láimh dheis ar a hordóig bhrúite. An chéad neomat eile bhí sí ag teach anuas sa mhullach ar Liam. Cheap seisean í agus chuaigh an bheirt acu ag stabhail trasna an tseomra mar bheadh cineál úr nua jitterbugála ar siúl acu. Scaipeadh cioth tacóidí ar fuaid an urláir.

Chuala siad Máire ag scairtigh go critheaglach ó bharr an staighre.

— 'Shíle! 'Shíle, 'dé tá an fear udaí a dhéanamh ort?

Phléasc siad beirt amach a gháire.

— Ní habhar gáire ar bith é, 'gcluin tú mé! Ag screadaigh mar sin 's ag scanradh do mháthara chun na huaighe! 'Dé tharla ar chor ar bith?

— Och, faic na fríde. Níl ann ach gur bhuail mé m'ordóg leis an chasúr. Ná bí 'do sheanfhuadaire.

— Is réidh agatsa bheith ag caint . . . Níl a fhios agam 'dé tá ag coinneáil Pháid . . .

Bhain an cailín a hordóg ghortaithe amach as a béal.

— Nach síleann tú gur mithid duit mo ligean amach? Ní dóigh liom gur cuireadh in aithne dá chéile muid!

Scaoil Liam an greim a choinnigh sé go dtí sin ar an chailín.

— Mise Liam Seaghach. Agus is cosúil gur tusa Síle.

— Liam Seaghach! Maise, chuala mé a lán fút ó Pháid. Bhail, caithfidh mé a rá go bhfuil lúchair orm aithne a chur ort. Síleann Páid an dubh-rud díot. A dhálta sin, chuaigh sé amach go dtí Aifreann a deich ag Cluain Iorraird. Ba chóir go mbeadh sé arais roimhe seo. Ach, seo, caithfidh mé na tacóidí damanta seo a bhailiú sul a dtige Páid isteach.

— Dhéanfaidh mise mo scair féin den obair, arsa Liam. Gach uile sheans nach é d'ionga ach ceann na tacóide udaí a bhuailfeá ach go raibh mise do bhodhradh le mo chuid deismireachta.

— Maith go leor. Leanaimis don chomhrá ar ár nglúine. Anois, innis leat fán dóigh ar casadh sa chathair thú.

Thosnaigh Liam á inse agus an bheirt acu ag bogadaigh thart ar a nglúine amhail. dhá chirc ag piocadh tríd an bhrat urláir.

I gceann gach aon tamaill bheireadh Liam amharc uirthi le ruball a shúile. B'iontach leis comh cosúil le Máire is bhí sí agus a oiread sin de dhifríocht eatarthu san am chéanna. Bhí sí díreach fán mhéid chéanna le Máire, ach í i bhfad níos cumtha. Bhí a gruaig dhonn díreach mar bheadh folt Mháire dá ndéanadh sise a cóiriú mar ba cheart. Níor dhírí snoite a srón bheag ná srón Mháire, ach ní raibh sí soilseach mar a bhí a srón sin. Bhí éadan ard uasal uirthi, mar a bhí ar Mháire, ach gan an dá roc úd idir na malaí. Rosca glasa glé-ghlana a bhí ag Síle, agus gidh nach bhfaca Liam de rosca Mháire ach na spéaclaí, bhí súile móra den chineál cheannann chéanna ina ceann sin, ach go raibh an laige sin ag baint leo a chuir de fhiachaí uirthi na gloiní úd a chaitheamh agus a n-áilleacht a cheilt lena linn. Bhí cneas Shíle mar shíoda, agus a dhá chois, mura mbeadh go raibh na stocaí á bhfolach, bán amhail

41

dhá lile, i gcomparáid le colpaí dearga agus múrnáin neamhshlachtmhara Mháire. Níorbh fhéidir an bheirt dheirfiúr a fheiceáil i gcuideacht a chéile gan smaoineamh, ainneoin nach raibh Síle ach cupla bliain ní ba óige ná an duine eile, gurb é rud nach raibh i Máire bhoicht ach garbh-dhréacht a línigh an Cruth-aitheoir i modh chleachtuithe sul a dtugadh sé fán tSíle chríochnaithe a tháirgeadh.

Is ar bhéal an chailín is mó a bhí iúl Liam. Bhí sé an-tarrantach, an dóigh a raibh an beol lán íochtair ag gobadh amach claon beag, agus fiú sa mhéid sin bhí an-chosúlacht idir an bheirt dheirfiúr. Bhí an deirge chéanna agus an crot céanna ar bheol gach cailín acu, ach bhí línte fá chúinní bhéal Mháire, agus an beol lán íochtair a bhí comh deas sin ag Síle ní mheasfadh coimhthíoch ach mar chomhartha dúire is droch-fheirge é i gcás Mháire.

Bhí an oiread sin spéise ag Liam i Síle go dtáinig a ghlún anuas níos mó ná uair amháin ar choirr cheann tacóide, agus fuair sé amach lena linn gur rud an-nimhneach é. Maidir le Síle féin de, lean sise uirthi go dícheallach staidéarach ag cur lorg na dtacóidí agus ag ligean uirthi nach raibh a fhios aici go raibh an fear óg ard as Tír Eoghain á grinniú. Nuair a chuir Liam é féin in aithne di agus a chroith sí lámh leis, d'amharc sí isteach idir an dá shúil air agus chonaic gur súile macánta donna a bhí iontu; ach sin an méid.

Bhí siad ar a nglúine nuair a d'fhill Pádraig ó theach an phobail. Chuala Síle é ag foscailt an gheata agus chuaigh sí go ligeadh sí isteach é.

— Liam, dar Dia! Leigheas ghalar súl thú a fheiceáil! 'Bhfuil tú i bhfad abhus?

— Fágfaidh mé fúibhse an slabhra páipéir sin

a chur suas arais, arsa Síle. Aithním-se nuair nach
bhfuil iarraidh ar mo chuideachta!

D'imigh sí agus dhún doras an tseomra ina
diaidh.

—Anois, arsa Pádraig. Suigh síos go gcluine
mé an t-iomlán. Is maith mar a tharla gur fhadaigh
siad tine sa pharlús. Ní dhéanann ach go fíor-
annamh ó d'éirigh mo mháthair tinn. Ach is dócha
gur éirigh siad cleachtaithe leis i rith shaoire na
Nollag. Sin é—tarraing aniar an chathaoir uillinn.
Anois!

Bhreathnaigh siad a chéile.

— Tá tú ag titim chun feola, a Pháidí, arsa
Liam.

— An díomhaoineas níos má ná an dea-chothú
atá 'na chionta leis, má tá!

B'fhíor do Shíle Ní Phréith nuair adúirt sí
nárbh fhathach ar bith í, ach níorbh fhathach ar bith
éinne de mhuintir Uí Phréith ná dá ngaolta ó thaoibh
an athar nó ó thaoibh na máthara. Béidir gur le
sinsear éigin a dhiallaigh Pádraig, óir bhí seisean
beagnach sé troithe ar airde agus é cruinn dá réir.
Bhí a ghruaig sin donn freisin, ach go raibh ruas
áirithe inti. Go dearfa, rua a ba chóir di a bheith,
nó bhí súile Phádraig an-ghorm, agus bricíní bréige
fúthu agus bhí craiceann solasta aige.

— Caidé mar d'aimsigh tú muid? a d'fhiafraigh
sé.

— Scríobh tú do sheoladh, ar ndóigh, ar chárta
Nollag a chuir tú chugam cupla bliain ó shoin.

— Agus choinnigh tú é! Innis domh, 'bhfuil
tú i bhfad sa chathair?

— Aréir díreach a shroich mé Béal Feirste. Dá
mbeadh ciall agam sí traen na maidne a gheobhainn.

Ach is amhlaidh a bhí beirt fhear as Bóthar
Urnaidhe, Sam Harpúr agus a dheartháir, ag brath
leath-dhosaon de chona rásaíochta a thabhairt go
Béal Feirste san eadarcharr. Tá géar-bharúil agam
gur ar Shasain atá triall na maol-chon céanna, 's nach
bhfuil brúid ar bith den leath-dhosaon nár shiúil
trasna na Teorann ar cheann éille, fá choim na
hoíche, agus gobán uirthi le fios nó le hamhras!

— 'Dé tá tú a dhéanamh abhus, ar scor ar bith?

— Is amhlaidh atá post agam le Muintir Uí
Chríocháin, Easportálaithe, Sráid an Bhardais. Sórt
Fo-Leas-Bhainisteora Chúnta a bheas ionam,
creidim. Le cupla bliain roimhe bhí mé ag obair—
nó béidir go mba bheaichte a rá go raibh mé ar
fostú—sa Mhalartán Feadhmanais ar an tSrath
Bán, Ach bhí m'athair ar scoil le sean-Iosóg Ó
Críocháin, agus chuir sé focal isteach ar mo shon.
Agus caidé fá dtaobh díot féin? Caidé tá tusa a
dhéanamh ó shoin, a Pháidí?

— Dheamhan mórán, creid uaimse é! Bhí mé
ag tiomáint bus idir Bhéal Feirste agus an Caisleán
Nua go dtí gur aithin an ghin méirdrí udaí Brianaidh
Ó Domhnaill, a bhí i mBeiric Bhóthar Cluanaí le linn
an Chogaidh, mé. Tá cleachtadh maith agamsa
fosta ar an Bhúró ó shoin!

— An mbíonn an C.R.U. ag ruaig ar an tigh go
fóill? Shíl mé go raibh deireadh ar fad leis an
obair sin, arsa Liam.

— Thug siad cuairt amháin orm nuair a phill mé
'na bhaile i 1946, ach níor bhac siad liom ó shoin.
Bíonn a fhios acu cé tá ins na hÓglaigh go fóill
agus cé nach bhfuil.

— Brathadóirí, is dócha?

—Ní dóigh liom é. Níl ann ach go dtuigeann
siad a ngnoithe. Bhíomar i gcónaí ró-thoilteanach

an locht uilig a chur ar bhrathadóirí nuair a thigeadh na péas taobh na gaoithe orainn. Nuair a canfar feartlaoi na gluaiseachta i mBéal Feirste sé a ba chóir bheith ann: " Chreid siad gur bodhmanta a bhí an C.R.U.—R.I.P."!

— Bíonn do dheirfiúr Máire i gcónaí ag dréim leo, creidim.

Rinne Pádraig gáire.

— Sin an rud a deir sí, ar ndóigh, ach sí an fhírinne gur leis na hÓglaigh a bhíos sí ag dréim! Tá eagla uirthi go meallfaidh na buachaillí arais mé.

Bhreathnaigh an tEoghanach an Béalfeirsteach.

— Tháinig athrú ar do dhearcadh, mar sin?

— Féadaidh tú a rá go dtáinig. Ach ní tháinig athrú ar mo chuspóir. Níor bhain mé deireadh dúile den tsean-chúis go fóill. Bheadh sé lán amaideach dóchas a chailleadh anois.

— Bhí sibhse i gcónaí ró-dhóchasach. Nár dhúirt mé leat go raibh droch-chríoch i ndán do Hitler?

— Dúirt, ach is cuma. Ní raibh an lag-iarracht a rinne muidinne abhus gan toradh éigin a bheith uirthi. Ní fheadfadh muintir na Sé gContae Fichead neamhiontas a dhéanamh níos faide den Tuaisceart, mar a rinne siad le breis is fiche bliain. Bheimís ceart go leor ach go rabhmar i gceangal leis an dream udaí i mBaile Átha Cliath. Dá scaipeadh siadsan agus an troid a fhágáil idir na buachaillí ins na Sé Contaethe agus fórsaí na Sasana, bheadh muintir uilig na hÉireann a dh'aonleith.

— Ach Protastúnaigh Chúige Uladh a thógáil as!

— Breast thú, a Liam, tá an ceart agat! Bímse i gcónaí ag deanamh dearmaid de nach as an bhonn amháin a chuireas tusa agus mise!

45

AN DÁ THRA

Tháinig Síle isteach.

— Is mian le Máire a fháil amach an mbeidh "an fear udaí" ag caitheamh lóin 'nár gcuideachta! a d'fhógair sí.

—Beidh, cinnte, d'fhreagair Pádraig. A dhálta sin, 'bhfuair tú lóistín go fóill, Liaim? Tá mé thar a bheith buartha nach dtiocfadh linne do thabhairt isteach anseo. Ach níl mórán ar bith fairsingeachta ins na tithe seo, agus níl mo mháthair ar fónamh le blianta beaga anuas, idir bheith 'na luí ar shlait a droma agus ar fann-éirí. Ní fhéadfadh sí duine ar bith a fhuilstin in aon-leabaidh léi, gidh nach ró-mhaith a chodlaíos sí 'na haonar. Tá an seomra eile ag na cailíní agus leaba champa sa chistin agamsa.

— Maise, arsa Síle go haifearach, d'fhéadfá gan bheith ag aithris an iomláin dó! Nach bhfeiceann tú an pus atá air!

Bhí groig ar Liam, ceart go leor.

— 'Dé tá cearr? d'fhiafraigh Pádraig.

— Och, níl faic. Níl ann ach go bhfuil mé ag iarraidh a dhéanamh amach cá rachaidh mé a lorg dhídean na hoíche agus gan oiread 's scuaibín fiacal lena chruthú gur taistealaí ionraice mé. Seo mar atá . . .

Thosnaigh Liam agus d'innis dóibh fánar bhain dó féin ó shroich sé Béal Feirste an tráthnóna roimhe.

— . . . Agus thairg an bhean seo mo ghlacadh isteach má bhíonn a fear sásta leis an tsocrú. Dúirt mise go bhfaighinn áit éigin fá choinne na hoíche anocht agus gabháil arais chuici tráthnóna amárach go bhfeice mé an bhfuil sé 'na mhargadh go fóill. Bhuail mé isteach chun an stáisiúin ar mo bhealach aníos, ach bhí an oifig druidte agus mo mhála istigh inti.

46

— Ná bí 'do bhuaireamh féin, arsa Pádraig Dhéanfaidh muidinne leaba de shórt éigin a sheiftiú duit.

Chuir Síle a ladar sa scéal.

— Caithfidh tusa a shocrú le Máire, 'Pháid. Ní thiocfadh súil ghruama a thabhairt uirthi ar na saoltaí deireannacha seo!

— Caithfidh tú gach a n-abair Máire a ghlacadh 'na mhór-mhisneach, 'Liam, arsa Pádraig. Abhar ceart sean-mhaighdine seirbhe í siúd, ach tá dea-chroí i bhfolach áit eigin aici! . . . Bhfuil an lóistín udaí le do shásamh?

—Gach rud mar d'iarrfadh do bhéal a bheith— taobh amuigh den pháipéar ar bhalla an tseomra leapa!

— Ní ró-ardnósach an seoladh é, arsa Síle.

— Breast é mar sheoladh! Má tá an bia ion-ite agus gan barraíocht dearnaid sa leabaidh, sin a bhfuil a dhíth ar Liam. — Cá mhéid atá sí a iarraidh?

— Níor iarr sise ach tríocha scilling sa tseachtain as iomlán bordála, ach thug mé uirthi socrú ar dhá phúnt.

— Tá an t-ádh ar an bheirt agaibh! arsa Pádraig go croíúil.

CAIBIDIL 6.

NUAIR a tháinig Dáibhidh Mac Giolla Dhuibh anuas i dtrátha an mheán-lae, an mhaidin i ndiaidh oíche na póite móire, bhí Eistir imithe amach chun an teampaill. Choigil sí an tine sul ar imigh ach bhí an simné ag déanamh toite. Rinne Dáibhidh gnúsacht. Dar leis, sin agat toradh an Náisiúnuithe

—seomra lán múiche! Ní bheadh beo ar an droing thall mura ndéanadh siad an gual a náisiúnú, agus dheamhan a bhfuair muidinne ó shoin ach an díogha. Má théid acu an chruach a náisiúnú lena chois beidh sé comh maith againn an tOileán a dhrod anuas . . .

Chuaigh sé amach go dtí an nísheomra. Bhí an corcán leath-lán de tae fhuar. Chuir sé ar an ghas-fháinne é agus las an gas faoi. Ní ghlacfadh sé mar chéadlonga ach an tae, te, láidir, milis. Ní bhlais-feadh sé greim bídh; chuirfeadh an smaoineamh féin samhnás air. Fhad is bhí an tae á théamh chuir sé boiseog uisce ar a aghaidh agus thriomaigh leis an an tuáille a bhí ar crochadh i gcúl dhoras an chlóis í. Caithfidh sé go ndearna mé amadán ceart díom féin aréir, arsa Dáibhidh istigh ina mheanmna. Níor chuimhin leis fá imeachtaí Oíche Chinn Bliana ach go raibh sé ag ól i gcuideachta Ábrahaim agus Shéimidh Uí Aoláin, agus go ndeachaigh siad síos go dtí an Clog.

Fuair sé cupa, dhoirt amach an tae, chuir deor bhainne agus lán spúnóige de shiúcra air, agus thug isteach go dtí an tine é, nó is amhlaidh a bhí sé ag siúl thart agus gan ar a throithe ach a ghíosáin, agus bhí leacóga dearga an nísheomra fuar fána bhonnaí. Shuigh sé síos sa tsean-chathaoir uillinn agus lig siar galamóg bhreá den tae. B'amaideach an mhaise dó, dar leis, luí isteach ar an ólachán agus gan é cleachtach leis. Ní dhearna sé póit mar sin ón lá a pósadh é, tuairim is dachad bliain ó shoin. Bhí an grianghraf a tarraingeadh an lá sin sa tseomra thuas go fóill, os ceann na leapa. Ba deacair a chreidbheáil gur imigh dachad bliain thart ó sheas-aigh siad os comhair an ghrianghrafadóra, an t-óig-fhear fána chroiméal trom dubh agus an bóna ard geal ag gearradh a smige agus an óigbhean choim-

leabhar úd a raibh an ghruaig thiubh carntha ar
mhullach a cinn—amhail beirt mhairtír os comhair
scuad an lámhaigh. Bé an chosúlacht a bhí orthu
araon go raibh siad cráite i gceart ainneoin go raibh
siad ar a ndícheall le ligean orthu go raibh siad ar
a suaimhneas. Ba chuimhin leis an bhaineis: an
teach lán ó chúl go doras, daoine ag ól agus ag ceol
agus ag caitheamh tobaca go dtí go raibh ceo toite
ar fuaid an tseomra, díreach mar bhí an mhaidin seo.
I gceann achan tamaill d'amharcadh sé go mífhoigh-
leach trasna an tseomra ar Eistir, agus níodh sise
meangadh gáire, á mhisniú. Agus ansin—níor
chuimhin leis ina dhiaidh sin ach mar bheadh aisling
mhearaí sa dorchadas agus muscailt ar maidin agus
ise a fháil ina trom-chodladh lena thaoibh, a gruaig
in aimhréidh ar an cheann-adhart . . .

Bhí an teach iontach ciúin. Bhí an cat féin ar
iarraidh. Ach, ar ndóigh, bhí an teach i gcónaí ciúin
na laethe seo, ciúin, folamh. Ní mar sin a bhíodh
sé, fhad is bhí Seoirse beo. Fiú nuair a bhíodh sé
as baile b'fhurasta a shamhailt go raibh macalla a
ghlóir ag cogarnaigh fós ar fuaid an tí. Nuair nach
raibh i Seoirse ach tachrán linbh ina luí thuas staighre
is minic a shamhlaíodh siad, agus iad sa chistín,
gur chuala siad é ag glaoch orthu, agus a dheifríodh
Eistir suas chuige agus a theacht arais leis an scéal
gur ina chodladh go sámh a bhí an páiste . . .

Thug Dáibhidh fá dear go raibh poll ina ghíosán
agus go raibh an ladhar mhór ag gobadh amach.
Dar leis, bheadh sé comh maith agam mo shlipéidí
a chur orm sul a bhfeice Eistir an poll sin. Níl sé
ach cupla lá ó chuir sí bail orthu domh.

D'fhág sé a cupa as a láimh agus chuartaigh thart
go bhfuair sé na slipéidí. Tháinig sé arais agus
sheasaigh os comhair na tine gur bhreathnaigh sé

pictiúir a mhic a bhí ar crochadh ar an bhalla os
ceann an mhatail. Bhí cuma, a bhí san am amháin
bródúil, agus cotúil, ar an bhuachaill fána chulaith
nua saighdiúra. Grianghraf breá soiléir a bhí ann.
Df'héadfaí an suaitheantas ar an cháipín a dhéan-
amh amach, fiú: Clairseach na hÉireann fán Chor-
óin Bhreatainigh, agus, an mana QUIS SEPAR-
ABIT thíos fúithi. Chaith Dáibhidh éide an Rí
comh bródúil céanna lena linn féin. Chuimhnigh
sé ar an lá uafásach úd ag Thiepval, an lá ar cuir-
eadh tús le cath na Somme, an chéad lá de mhí an
Iúil, 1916. Sé mhíle fear den Roinn Ultaigh a cail-
leadh an lá sin, agus ina measc siúd bhí Bhullai
Mac Dhonnchaidh as Sráidín na Gainmhe, agus
Seoirse Cromtha a bhí ar scoil le Dáibhidh agus a
gheibheadh léasadh gach dara lá ón mháistir, agus
Cecil Creag a bhí ina chomh-phrintíseach san Oileán
leis, agus Tam Sincléir, agus Sam Mac a' Phrír, agus
an iomad Ultach eile de chuid an 11ú (S.) Cathán,
Raidhfil Ríoga Éireann (Óglaigh Aondroma Theas).
Ba chuimhin le Dáibhidh an dearg-ruathar a thug
siad trasna an eadarfhásaigh, sligeáin ag réabadh
na talún fá dtaobh díobh, maisín-ghunnaí ag snag-
arnaigh, agus fir ag titim comh tiubh le duilleoga
san fhómhar. Chonaic sé Ábraham Bléine ag teacht
go talaimh agus léim se thar a chorp sínte; bhí iontas
agus áthas air nuair a casadh Ábraham leis arís,
agus *puttee* salach fuilteach fána cheann, le linn an
teithe thubaistigh úd ina dhiaidh . . . Agus ní ar an
ghlóir, nó ar an Impireacht, nó ar chlú na reisiminte
a bhí sé ag smaoineamh agus é ag tarraing ins na
featha fásaigh ar an áit mar a raibh sean-churaí an
Kaiser ag fanacht leo, ach ar an tachrán bheag fir
sa bhaile. Agus nuair a bhris siad in éadan línte na

nGearmánach amhail toinne in éadan carraige, agus
a rois sé bolg an fhir san éide liath-ghlas agus thar-
raing amach an baignéad agus steall bun an raidhfil
isteach san aghaidh chasta úd, dar leis gurbh é
Seoirse féin a bhí sé tar éis a mharú. Níor dhuine
cráifeach é, ach fiú i lár an áir úd ghuigh sé go
dúthrachtach chun Dé ag iarraidh air ligean dá mhac
a shaol a chaitheamh go cneasta síochánta sa bhaile.
Agus níos faide anonn, agus an dá thaobh ag streach-
alt go righin cadránta le chéile i lábán na Fraince,
is minic a thug sé buíochas le Dia, go tostach gan
focla, go raibh Seoirse óg go leor le go mbeadh an
t-iomlán thart sul a mbeadh sé ionchomhraic—agus
a ghabh imní é an chead neomat eile agus é ag
cuimhniú nach raibh comhartha ar bith go dtiocfadh
an cogadh céanna a choíche chun críche . . . Agus
ina dhiaidh sin uilig, bhí sé mórtasach as Seoirse
nuair a liostáil seisean i ndiaidh Dunkirk—ina shean-
reisimint féin, má bhí a athrach de theideal anois
uirthi agus má ba neamhionann an cath-éide a bhí á
chaitheamh ag a cuid fear. Chaoin Eistir uisce a
cinn, ar ndóigh, nuair nach raibh Seoirse ann lena
feiceáil, ach d'admhaigh sise fosta nach raibh sé ach
ag déanamh mar ba dhual dó. Tá, bhí abhar caointe
ag an chréatúir roimh dheireadh an Chogaidh. Ach
ansin, nár mhó an díol truaighe é féin ná Eistir?
Bhí a creideamh mar shólás aicise. Chreid sise go
bhfeicfeadh sí Seoirse arís agus go mairfeadh siad
i gcuideachta a cheile ar feadh na síoraíochta. Níor
chaill Eistir a mac, dáiríre. Ní raibh sí ní ba mheasa
as de dheascaibh a bháis ná bheadh dá bhfaigheadh
sí scéal uaidh á rá go raibh sé le socrú síos ar an
choigrích agus gan filleadh chun an bhaile go ceann
cúig mblian déag nó fiche bliain. Ach níor chreid
Dáibhidh féin go raibh aon dath a bhí do-mharfa i

nduine. Bé a chríoch dheireannach a chríoch, dar
leis. Ní de bharr dian-mhachnaimh a tháinig sé ar
an tuairim sin. Ní raibh ann ach rud a mhothaigh
sé ina chroí istigh agus fir ag marú agus á marú
thart timpeall air i rith an Chogaidh Mhóir. Chon-
aic sé fear óg as Lios na gCearrbhach lá ag dearg-
adh toitín agus iad ag fanacht leis an ordú chun
léimnigh amach as an trinse agus an namhaid a ion-
saí. Agus an chéad neomat eile ní raibh fágtha de
ach a chafarr agus raidhfeal lúbtha agus spraisteacha
fola ar bhallaí an trinse. Chuaigh sé ar ceal mar a
chuaigh bladhar an lasáin a bhí sé tar éis a shéid-
eadh as. Ní fhéadfadh Dáibhidh a chreidbheáil sa
bheatha mharthanaigh. Bé an bás marthanach scair
an chine dhaonna den tsíoraíocht, dar leis. Níor
nocht sé riamh an bharúil sin do Eistir. Má chuidigh
a creideamh léi a hualach bróin a fhulang, ba
mhéanar di a raibh dóchas fágtha go fóill aici. Ní
raibh fágtha aigesean ach na cuimhní . . .

Chroith Dáibhidh a cheann liath agus shuigh síos
arís. Cuimhní? Bhí an chistin seo ag cur thar maol
le cuimhní. Ní raibh ball troscáin sa tseomra nár
fhág Seoirse a lorg air. An cófra thall a suíodh sé
air agus é ina ghasúr bheag, bhí an t-adhmad breac-
aithe, cupla orlach ón urlar, leis na céadtaí créacht
a d'fhág sé san tsean-adhmad agus é ag drumadóir-
eacht air le sála a bhróg. An cat séine ar chlár na
tine, bhí fáinne fána mhuinéal fhada an áit ar
deisíodh le giota de tháth gloine é tar éis do
Sheoirse a bhriseadh agus é ag dreapadh suas ag
iarraidh pingin a ghoid as i gcúl an chloig go gcean-
nódh sé Peggy's Leg nó Yellow Man dó féin i siopa
Uí Dhúin thart an coirnéal. Agus thall udaí in ursain
doras an nísheomra bhí eaga beaga a ghearr Seoirse
inti leis an scian póca a bhronn a Uncal Bilí air

ar a ochtú breithlá—cuntas beacht ar an fhás ghasta
a bhí faoi agus é ar an bhealach aníos go dtí airde
fir agus deireadh a shaoil, cuntas a mhair níos faide
ná an té a bhíodh á choinneáil, cuntas a mhairfeadh,
de ainneoin ar cuireadh de sheithí péinte ar ursain
an dorais ó shoin, go strócfaí anuas an sean-teach.
An chathaoir seo a raibh sé féin ina shuí uirthi, fiú,
ní raibh scríob nó scoilt inti nach gcuirfeadh i
gcuimhne dó iomlat an ghasúir úd . . .

Bhí súile Dháibhidh nimhneach. An mhúch seo
a bhí ag goillstin orthu . . .

Nuair a mhuscail sé ar feadh neomait go luath
ar maidin chuala sé duine éigin ag corrú i seomra
Sheoirse. Dar leis, agus é ina leath-dhúiseacht, sin
Seoirse s'againne ag tiontó ar a thaoibh. Ach ansin
bhíog a intinn agus bhí a fhios aige nach raibh ann
ach Eistir ag cóiriú leaba Sheoirse mar níodh sí gach
lá, agus thiontaigh sé féin ar a thaoibh agus thit
thart arís . . . Mairg nach stadfadh Eistir den tsíor-
chóiriú sin. Níorbh fholláin an rud é bheith ag
coinneáil an tseomra úd ina iarsmalainn bhig agus
ag athfhoscailt gach uile mhaidin an ghoin leath-
chneasaithe ina croí . . .

Chlis Dáibhidh. Bhí duine éigin ag doras na
sráide. Dheifrigh sé amach sa halla. Dar leis, d'fhág
sí an eochair ina diaidh. Ach ní raibh ann ach
máthair Earnáin, naprún fána coim agus cóta caite
thart ar a slinneáin.

—Tá Eistir amuigh ag an teampall, arsa
Dáibhidh.

—Is cuma. Is a dh'aisíoc léi dhá únsa mar-
gairín a thug Bean Mhic Giolla Dhuibh ar iasacht
domh i rith na seachtaine a tháinig mise ag ruaig
uirthi. An dtabharfá thusa di é? Agus abair léi
go bhfuil mé thar a bheith buíoch di. Chuirfinn

arais chuici níos luaithe é ach go raibh mé ag brath
Earnán beag a chur isteach leis. Bíonn sé i gcónaí
ar iarraidh nuair atá teachtaireacht le déanamh.
Ach tá a fhios agat caidé mar a bhíos na diúlaigh
bheaga.

—Tá a fhios. Go raibh maith agat, a Bhean
Mhic Uidhlidh. Agus rath na Bliana Úire ort.

—Gurb é duit. Bheadh an donas ar fad ar an
scéal mura mbeadh sí níos rathúla ná mar a bhí 1949.

—Nach " Bliain Bheannaithe " ag na Caitilicigh
Rómhánacha an bhliain nua seo? d'fhiafraigh
Dáibhidh. Níl a fhios agam an tuar ratha an méid
sin.

—Ní doigh liom gurb ea. Ní cara ar bith dár
leithéidí-ne an tIodáileach udaí, a Mhic Giolla
Dhuibh.

—Abair do sháith de sin, a bhean Mhic Uidh-
lidh! arsa Dáibhidh.

CAIBIDIL 7.

OÍCHE Luain tháinig Dáibhidh trasna Dhroichead
na Ríona ar a bhealach abhaile, agus é crochta
go guaisbheartach as cúl an tram. Bhí tram dearg
na n-oibrí plodaithe leo, gach duine acu fána cháipín
bhealaithe agus a dhungaraithe. Bhí siad carntha i
mullach a chéile amhail scadán i mbarraille, ar
íochtar agus ar uachtar, ar an staighre, ar an chos-
adóir; gan fiú nach raibh beirt phrintíseach gnúis-
shalach ina suí cos-ghabhlachán ar an ráille a bhí
thart ar dhá cheann fhoscailte an urláir uachtair.
Bhí teas do-fhulangtha istigh, agus na fir leath-
phlúchta ag boladh na híle agus na toite, ach bhí
lámha Dháibhidh préachta agus é amuigh ansin i

bhfostú sa tram, amhail cuileoige ar bhalla, agus suas
le dáréag eile in éineacht leis. Dar leis, tá mé ag
éirí ró-aosta don chineál seo. Na boic óga seo,
teilgeann siad uathu a gcuid casúr nó seam-ghunnaí
agus sciordann siad amach romhainne go mbaineann
siad amach suíochán sómasach dóibh féin istigh sa
tram sul a mbíonn faill ag ár leithéidí theacht anuas
den scafall. Tá buntáiste ag Ábraham féin ormsa, nó
threabhódh an fear céanna a bhealach tríd bhalla
brící leis na huilleanna cnámhacha sin aige; bé mo
cheart leanstan níos dlúithe dó nuair a threabhaigh
sé a bhealach tríd an phlodadh . . . Bhí Ábraham
Bléine thuas os a cheann, na huilleanna cnámhacha
céanna ar an ráille, idir an bheirt phrintíseach, agus
é ag iarraidh comhrá a choinneáil lena chuallaí thíos.
I gceann achan tamaill chaitheadh sé amach sileog,
rud eile a bhí ag cur as go mór do Dháibhidh. Dar
leis, tá sé cineál contúirteach bheith mór le fear atá
ina leithéid de ionad; ach, ar ndóigh, béidir go mba
chontúirtí fós gan bheith mór leis!
    Bhí gach féitheog ina sciatháin mhaslaithe
frithir, agus bhí pian ina mhuineál ó bheith ag cur
a chinn siar le freagraí giorraisce a thabhairt ar
na ceisteanna a chuireadh Ábraham air. Thuirsigh
Dáibhidh de i bhfad sul a dtáinig an tram isteach
go dtí an tSráid Ard.
    — Fágfaidh mé slán agat, 'Ábrahaim. Tá mé
ag tuirlingt anseo, a scairt sé.
    — 'Dé tháinig ort, 'Dháibhidh—tart? arsa
Airseabóid Ó Loinn, dearg-luaidheadóir reamhar a
bhí ina shuí ar an staighre.
    Rinne an méid a chuala an cheist sciotbhach
gáire, óir bhí tuairisc mhór-phóit Dháibhidh Mhic
Giolla Dhuibh leata ar fuaid na longbhoithe fán am
seo.

Chuir Dáibhidh aoibh shearbh air féin.

— Ní hé, a Airsí, arsa seisean, ach an tsean-aois!

Scaoil sé amach a ghreim agus shiúil fhad leis an chosán, a smig, fána conlach liath féasóige sáite amach roimhe agus a neamhiontas á thabhairt aige do hadharca gluaisteán a bhí ag séideadh go géibheannach fá dtaobh de.

Ní raibh a dheifir chun an bhaile air, nó bhí sé amhrasach fán fháilte a chuirfí roimhe. Is fíor nach ndearna Eistir tagairt ar bith inné do imeachtaí Oíche Chinn Bliana, agus sheachain sé féin an t-abhar sin cainte; ach béidir nach raibh ann ach gur leisc léi tabhairt faoi ar an tSabóid, nó béidir gur shíl sí go mba bhocht an dóigh é le ceann a chur ar bhliain úir nua. Seans, áfach, go mbeadh a athrach de bharúil aici inniu, tar éis di an lá uilig a chaitheamh ina haonar. Ina dhiaidh sin, bhí sé stiúgtha leis an ocras, nó ní raibh goile ar bith do bhia aige an lá roimhe, chodlaigh sé amach ar maidin é agus ní raibh sé de uain aige ach blúire aráin a alpadh siar, agus ní dhearna na ceapairí a d'ullmhaigh a bhainchéile dó ach an faobhar a bhaint dá ghoile ar feadh cupla uair a chloig. Lena chois sin, bhí eagla air go mbeadh Eistir ag smaoineamh gurb amhlaidh a bhuail sé isteach i dtábhairne arís agus gurb é sin a bhí á choinneáil.

Bhí Eistir ag an doras tosaigh ina airicis.

— Tá tú mall, 'Dháibhidh, arsa sise.

— Hileo, 'Eistir, arsa seisean, agus shiúil thairsti tríd an chistin go dtí an níseomra agus chuaigh a ní a lámh.

Lean sí isteach é agus sheasaigh ansin á choimhéad, agus amharc imníoch ina súile gorma.

— Bhail, arsa Dáibhidh go míshuaimhneach, caidé tá agat fá choinne an dinnéara?

— Samhdógaí.

— Arís!

— Ní raibh a dhath eile le fáil . Fuair mé ciondáil iomlán na seachtaine le haghaidh an dinnéara Lá Coille. An méid nár itheamar bhí sé idir na ceapairí a bhí leat ar maidin.

— Huth! Sin agat an Rialtas Sóisialach arís! An dóigh leo go bhféadfadh fear lá cothrom oibre a dhéanamh 's gan aige lena bholg a líonadh ach meascán de ghrabhrógaí aráin 's de phónairí soya?

— Ním mo dhícheall lena bhfuil le fáil, a Dháibhidh.

Níor dhúirt sí, ar ndóigh, gur ar éigin a bhlais sí féin feoil nó uibh nó bágún leis na blianta, ach í ag ligean a ciondála féin lena fear céile agus ag cur i gcéill gurb iad an t-arán agus an tae ba rogha léi.

Níor chan Eistir focal eile go raibh a chuid déanta ag Dáibhidh agus gur tharraing sé de a bhróga troma agus a chaith isteach sa chúinne iad. Choinnigh sé a dhroim léi sa tslí nach bhfeicfeadh sí an ladhar nochta úd. Bhí a shean-shlipéidí á dtéamh os comhair na tine.

—'Dháibhidh—.

— Sé? arsa seisean agus é ag líonadh a phíopa.

— Beidh cuairteoir againn anocht.

— Cuairteoir? Níl fonn ró-mhór orm bheith ag éisteacht le geab sean-mhná.

— Ní sean-bhean ar bith é, ach fear óg.

— Sin nuaíocht, caithfidh mé a rá! Cé tá ann? Searlaí Caimbéal ag iarraidh orm áit a fháil dó san Oileán? An síleann an stócach sin gur Sir Frederick Rebbeck atá aige ionam?

Bhí Eistir ag útamáil go neirbhíseach leis na soithigh ar an bhord.

— Ní Searlaí atá ann ach oiread.

— Bhail, amach leis, a bhean seo. 'Dé an cheilt atá agat air?

— Bhail — bhail, sé atá mé a rá, an fear óg a chodlaigh anseo an oíche fa dheireadh.

— Ag brionglóidigh a bhí tú. Níor chodlaigh fear óg anseo ó—

Cheap sé é féin in am, agus bhuail cipín comh nimhneach sin go dtáinig an ceann lasta de agus thit ar a ghlúin.

— Aigh, tá a fhios agam, a Dháibhidh—ó d'imigh Seoirse s'againne thar sáile.

Stán Dáibhidh go hiontach uirthi. B'fhada an lá ó luaigh sí an t-ainm sin gan crith a theacht ar a glór agus gan deora a theacht lena súile.

— Cuir amach ar aghaidh do bhoise é, 'Eistir. Cé hé an fear óg seo?

Bhí guth Dháibhidh féin níos séimhe ná mar ba ghnáth, agus mhisnigh an méid sin Eistir.

— Sé tá ann an buachaill a rinne do chomóradh 'na bhaile Oíche Chinn Bliana. Nach cuimhin leat é?

Las Dáibhidh suas agus chor a cheann uaithi.

— Och, aigh! Eisean? Nach cinnte gur cuimhin liom é!

Ach ba dheacair an dallamullóg a chur ar Eistir, agus bhí a fhios aige nár chreid sí é. Bhí tost gairid ann.

— Bhail, arsa Dáibhidh go dúshlánach, cad chuige arbh éigean duit ligean dó an oíche a chaith-eamh anseo? Ná habair liom go raibh sé comh hólta sin nach dtiocfadh leis an baile a bhaint amach.

— Ní raibh braon ar bith ólta aigesean, a Dháibhidh, murb ionann 's daoine eile a d'fhéadfainn a lua.

— Bhail, damnú air, bhí mé ólta an oíche sin,

más sásamh leat é!

—Ní raibh mé fá choinne corraí a chur ort, 'Dháibhidh. Ní luafainn ar chor ar bith é ach nach dtiocfadh liom an scéal a inse gan a lua.

— Bhail, maith go leor. Innis leat.

Dhearg Dáibhidh a phíopa agus d'fholaigh a aghaidh i néall toite.

— Is amhlaidh a bhí an buachaill seo ina stróinséir sa chathair, agus bhí sé i bhfad i ndiaidh na hoíche, agus ní raibh lóistín ar bith faighte aige go fóill—agus, ar ndóigh, rinne sé gar duitse.

— Caidé mar tharla nach bhfaca mise inné é?

— Bhí sé ar shiúl sul ar éirigh tú. I leabaidh Sheoirse a chodlaigh sé, ar ndóigh.

— I leabaidh Sheoirse!

Stán Diábhidh uirthi arís. Bhí luisne ina leicne caite.

— Tá dúil agam nach miste leat duine eile bheith ag codladh i leabaidh Sheoirse, arsa sise go hachaineach. Ach tháinig sé isteach i mo cheann go mbéidir gurb iomaí oíche a casadh Seoirse s'againne ina choimhthíoch i gcathair éigin ar an choigrích, agus go dtug bean dea-chroíoch isteach é.

Réitigh Daibhidh a scornach.

— Ó, níl mise ag rá a dhath ina éadan. Ach deir tú go bhfuil sé le cuairt a thabhairt orainn anocht?

— Aigh. Dúirt mé leis go bhféadfadh sé stopadh tigh s'againne fhad 's bheas sé i mBéal Feirste.

D'fhág Dáibhidh a phíopa as a láimh go ligeadh sé a racht amach uirthi.

— Bhail, buaileann sin amach Beannachar! Cuireadh a thabhairt do dhubh-stróinséir theacht isteach anseo! Cé an fear seo, cibé ar bith? Ruagaire reatha éigin atá ag iarraidh suí i do bhun, bíodh geall air!

— Ní hé, ach buachaill fiúntach as an tuaith.

— Ní thugann sin leathscéal dó theacht anseo ag ithe—ár gcuid samhdóg!

— Íocfaidh sé as a n-íosfaidh sé. Thairg sé dhá phúnt sa tseachtain domh, ach níl rún agam thar tríocha scilling a ghlacadh uaidh.

— Níl lóisteoir ar bith a dhíth orainne. Tá airgead maith á ghnóthú agam san Oileán.

— Ní ar son an airgid a bhí mé, 'Dháibhidh. Ach—tá an teach iontach uaigneach ó d'imigh Seoirse uainn.

D'fhuaraigh Dáibhidh láithreach.

— Bheadh sé mar chuideachta agam, 'Dháibhidh, arsa Eistir.

— Níl tú ag sílstin go bhfanfadh sé istigh a choinneáil cuideachta leatsa? Agus nach mbímse féin istigh gach oíche sa tseachtain?

— Ní bhíonn gach oíche, 'Dháibhidh. Tá oícheanna nach mbíonn agam le cian a thógáil díom ach Goering.

Bhain sé lasadh eile as Dáibhidh agus dhírigh sé a haird ar an chat, a bhí thuas ar an bhord ag lí an phláta, leis an méid sin a cheilt.

— Scuit, 'Goering! Téigh síos as sin!—Ach, a Dháibhidh, thaitin an buachaill liom. Agus ba leor mar chuideachta agam bheith ag fanacht go gcluininn a eochair á casadh sa ghlas, agus trup a chos ar an staighre, agus bheith ag éisteacht leis ag bogadaigh thart tríd a sheomra leabadh.

— Seomra Sheoirse?

— Sé.

Rinne Dáibhidh tamall machnaimh.

— Caidé'n t-eolas atá agat faoi? Cá bhfios duit nach Caitiliceach Rómhánach atá ann?

— Tá sloinneadh Protastúnach air. Agus, ar scor ar bith, bheadh a fhios ag duine ar dhóigh éigin, nach mbeadh?

— Cad is sloinneadh dó?

— Seaghach.—Liam Seaghach.

— Heit, tá sin Protastúnach go leor do dhuine ar bith! Ach ní comhartha ró-chinnte sloinneadh duine ar na saoltaí deireannacha seo. Nach cuimhin leat an tUrramach Ó Conchubhair, a bhí ag sean-móineacht sa Halla Grosvenor ar na mallaibh. Tá ard-mheas ag Ábraham Bléine ar an mhinistir ud, ach cá bhfaighfeá sloinneadh ní ba Phápaistí ná Ó Conchubhair?

— Aigh, ach bhí seisean ina Rómhánach agus thiontaigh sé.

— Bíodh ag sin. Féach an tAire Saothair s'againne. Brian Mac Aonghusa! Nach dtabharfá do mhionna gur Caitiliceach Rómhánach an fear a mbeadh an t-ainm sin air? Agus seo sampla eile—déarfá, cinnte, nach bhféadfá meancóg a dhéanamh i gcás Steele. Sir Séamus Steele atá ar Choirnéal na Raidhfeal, ar ndóigh. Ach Séamus Steele atá ar an ghunnaire Chaitiliceach a bhíodh ag gabháil thart i gcuideachta Mhic a' tSaoir, deartháir an fhir udaí as Doire a bhfuil suíochán i Stormont aige!

Bhí Dáibhidh ag éirí tógtha fá cheist seo na n-ainm, ach d'amharc Eistir go stuama air agus solas grinn ina súile. Ní raibh sí dachad bliain pósta le Dáibhidh Mac Giolla Dhuibh gan aithne áirithe a fháil air. Bhí glactha cheana aige le samhailt seo an óigfhir in éintíos leo agus ag codladh gach oíche i leabhaidh Sheoirse. Ní raibh ag cur as dó anois ach creideamh an lóisteora nua.

— Fan go bhfeice tú é, 'Dháibhidh, arsa sise go ceansa. Mura mbíonn sé le do shásamh, féadaidh tú an socrú uilig a chur ar ceal. Is dócha go bhfaighidh sé lóistín eile furasta go leor.

— Diabhal é! Ní bhfaighidh sé lóistín comh maith ar an airgead, go maramas tú sin, a bhean chroí. Leoga, níl sé comh furasta sin lóistín de shórt ar bith a fháil i mBéal Feirste ó bhí an Cogadh ann.

— Och, ní abróinn sin.

— Deirimse é, áfach. Ní thuigeann tusa a olcas atá fadhb seo na cóiríochta. Agus cá bhfuil mar a thuigfeadh, 's a rá go gcaitheann tú an lá uilig ag fuadráil thart tríd an tigh 's gan do cheann a chur amach ar an doras ach an fhíor-chorr-uair a théid tú amach a shiopaíocht! Dá léifeá an *Tele* féin! Bhí Ábraham Bláine á rá liom, díreach an lá fá dheireadh, go bhfuil muidinne inár suí go te i bhfarradh is mar tá seisean féin agus an iomad teaghlach eile sa chomharsanacht seo. Féach Bean Mhic Uidhlidh, a bhfuil cúram uirthi ar mhór an lucht tí a leath, sa dóigh nach bhfuil seomra le spáráil aici a d'fhéadfadh sí a shuí ar chupla scilling, gidh go bhfuil sí go mór ina fheidhm. Tá tithe thíos i Sráid na Danmhairge a bhfuil suas le triocha duine ag cónaí iontu, tithe nach bhfuil a dhath níos mó ná an ceann s'againne. Tá teaghlaigh iomlána a mbíonn orthu theacht le haon tseomra amháin. Agus tá teach breá fágtha fúinne. 'Chomhair a bheith go dtiocfadh leat a rá gurb é ár ndualgas duine éigin a thabhairt isteach anseo.

— Beidh sé ceart go leor, mar sin, glacadh leis an bhuachaill seo?

— Fóill, fóill, a Eistir. Níl mé á rá gurb é ár ndualgas glacadh leis an chéad fhear anaithnid a thig chun an dorais. Beidh ceist nó dhó le freagairt sul a dtuga mise an eochair do choimhthíoch ar bith, is cuma comh plásánta leis.

— Nach gcuirfeá ort do sheaicéad, a Dháibhidh?

— Cad chuige? Tá teas breá as an tine anocht.

— Bheadh cuma níos measúla ort.

— Bheadh cuma iontach orm! Glacadh sé muid mar a gheobhas sé muid, nó bíodh an doras aige!

Ach nuair a tháinig an cnag ag an doras i dtrátha a hocht a chlog, chuir Dáibhidh air a sheaicéad fá dheifir. Nuair a seoladh Liam isteach sa chistin bhí Dáibhidh ina shuí comh díreach le feag agus dreach foirmeálta fuar-bhéasach air. D'amharc sé fána mhalaí troma liatha ar an óigfhear ard. Dar leis, tá aghaidh ionraice air, agus tá sé cóirithe fiúntach go leor; i ndiaidh bheith ag éisteacht le hEistir ag inse fána "buachaill ón tuaith" bheadh duine ag dréim le gámaí spágach ón phortach nach bhfuair an t-aoileach a ghlanadh dá bhróga go fóill.

— Seo m'fhear céile, adúirt Eistir go fústrach faiteach.

Shín an fear óg a lámh ionsair.

— Tá áthas orm aithne a chur ort, a dhuine uasail, arsa seisean go múinte.

D'aithin Dáibhidh an greann a bhí folaithe san fháiltiú sin. Rug sé greim ar a láimh.

—Silim gur casadh ar a chéile cheana féin muid, a d'fhreagair seisean—ach nach bhfuil dul agam an áit nó an ócáid a thabhairt chun cuimhne!

Agus chaoch sé a leath-shúil air.

— Fág an mála udaí as do láimh, a bhuachaill, agus bain an mheachain de do chosa. Deir mo bhean liom gurb as an tSrath Bán duit. Ní bheadh aithne agat, is dócha, ar an Chonstábla Bigear?

— Fear mór rua a mbíonn an dubh-rud cainte fá cholúirí aige?

— An fear ceannann céanna! An gcreidfeá é!

—'Eistir—. Cá ndeachaigh an bhean udaí?

— Chuaigh sí suas an staighre le mo mhála, creidim, arsa Liam.

— Fan go dtige sí anuas arais. Beidh lúcháir uirthi a chluinsint go bhfuil aithne agat ar Jeac Bigear. M'anam, is cuimhin liom é nuair a bhí sé ag rith thart ina smugachán bheag i gcuideachta Sheoirse s'againne. Is cuimhin liom lá amháin . . .

I ndiaidh dul fá chónaí di an oíche sin, luigh Eistir ansin ar shlait a droma ag éisteacht le Dáibhidh agus é ag cur amach na mbuidéal folamh agus Goering in éineacht leo. D'éist sí freisin leis an fhear óg a bhí ag bogadh thart tríd a sheomra. Bhí an teach lán truip mar nach raibh leis na bliantaí. trup a chuir an tóir ar an taibhse truamhéileach a bhí á thaithí le fada an lá. Agus ina dhiaidh sin, mhothaigh Eistir ar dhóigh éigin go raibh Seoirse níos comhgaraí di dá thairbhe.

Nuair a tháinig Dáibhidh aníos shuigh sé tamall ar an leabaidh ag piocadh a ladhrach. D'aithin sé go raibh cluas le héisteacht ar a bhainchéile, agus gan fhios dó féin, beagnach, chuir sé cluas air féin.

— Cén fáth nach gcornann tú suas do ghíosáin agus a gcur isteach 'do bhróga mar a bhfaighidh tú ar maidin iad, arsa Eistir, mar adúirt na céadtaí oíche roimhe.

Ach ní raibh sí ag súil go dtabharfadh sé aon aird uirthi. Agus ní thug.

— Nár dhúirt mé leat gur duine den tsórt cheart a bhí sa bhuachaill udaí? arsa Dáibhidh.

CAIBIDIL 8.

BHÍ Liam iomlán míosa ag cuartaíocht i dtigh
Phádraig Uí Phréith sul ar iarr sé ar Shíle siúl
amach ina chuideachta. Thaitin Síle leis. Bhí sí
dathúil go leor le súil fir ar bith a shásamh, agus
banúil go leor leis an fhuil a théamh beagán ina
chuisleanna nuair a thiocfadh sí ró-chomhgarach dó.
Bhí ciall do ghreann aici comh maith, agus ní raibh
sí gan intleacht éigin bheith aici. Ach ar feadh
tamaill mhaith is mar dheirfiúr Phádraig amháin a
smaointigh Liam uirthi. I dtaca le Síle féin de,
bhíodh sí i gcónaí caradach cainteach leis, ach thais-
peánadh sí go soiléir gur mar chara de chuid
Phádraig a smaointigh sise ar Liam Seaghach. Ar
ndóigh, bhíodh Pádraig féin i gcónaí forbháilteach,
ach ní fhéadfadh Liam gan a shamhailt nach raibh
de cheangal eatarthu dáiríre ach an seal gairid a
chaith Pádraig Ó Préith ar a sheachnadh in iarthar
Thír Eoghain. Ansin, bhí Máire ann; gach uair dá
gcastaí dó í shonraíodh sé óna hiompar agus ó ghlór
a cinn go raibh sí ag doicheall roimhe, agus go raibh
sé fós ann an drochamhras agus an namhadas, fiú,
a bhí laistiar dá spéaclaí nuair a leag sí súil den
chéad uair riamh air.

Ní raibh Liam go hiomlán ar a shuaimhneas sa
tigh sin i Sráid Tennyson. Bhí coimhthíos beag ie
mothú ann. Chuir sé an locht ar tús ar dhúrántacht
Mháire, ach de réir a chéile thosnaigh sé a chreidbheáil
gurb é bhí cearr nach bhfuair sé faill fós aithne a
chur ar mháthair Phádraig. Níor theaghlach ceart an
líon-ti seo. Ní raibh ann, go fírinneach, ach fear
óg agus a bheirt dheirfiúr a chodlaíodh fán aon díon,
a shuileadh isteach is amach, gach duine agus a

shaol féin fá leith á chaitheamh aige agus gan
mórán thar caidreamh lucht aitheantais acu ar a
chéile. Ach níorbh é sin é, ach oiread. Dá mbeadh
an teach uilig fúthu féin dáiríre bheadh sé ar a
shuaimhneas ina measc, dar le Liam—amhail duine
díobh féin. Ach ainneoin nach raibh a máthair riamh
le feiceáil ba dhoiligh a dhearmad go raibh sí sa
tseomra thuas. Chíodh sé Máire ar a bealach suas
an staighre le tráill, ag iompar béile ionsar an tsean-
bhean úd. Nó sa pharlús dóibh, dá mbaineadh focal
grinn scairt gháire astu i lár comhrá, choiscfeadh
Síle a gáire féin i dtobainne agus bhagródh a ceann
orthu á chur in iúl dóibh go gcaithfeadh siad bheith
níos ciúine ar eagla gur ina codladh a bhí a máthair.
Is minic a d'fhiafraigh Liam de féin an raibh a fhios
ag an tsean-bhean bhreoite chéanna go mbíodh
seisean ag airneál sa tigh, agus má bhí, an fáilte nó
doicheall a bhí aici roimhe. Dar leis go mbfhusa
leis a chreidbheáil, ach ise a fheiceáil, go raibh
ionad sa tigh dó. Ach in éagmais na mathára bhí
an teach neamhchairdiúil, nó ar a laghad neodrach,
díreach mar bhí teach a athar sa bhaile, riamh ó d'éag
máthair Liam agus é ró-óg le bheith ag dul ar scoil,
fiú.

Bhí Liam socair síos, roimh dheireadh na míosa,
agus é sásta go maith lena phost in oifig Mhuintir
Uí Chríocháin. Fear maith diaganta a bhí i sean-
Iosóg féin, gidh gur ar éigin a shamhlódh duine dó é
agus é ag breathnú den chéad uair ar na súile beaga
glice os ceann an dá phluic dhearga a chuirfeadh
úlla críona i gcuimhne duit, ar an chloigeann mhaol
a raibh uithin geire ar a bharr agus gan ribe air
seachas an dá dhos bheaga i gcúl na gcluas leathan,
ar an bhéal bheag a bhí comh teann sin nár léir duit
den chéad amharc é, agus ar an chromóig éin

chreiche, an smig a raibh clais inti, agus an scrogall
toirtíse. Ach de ainneoin a mhíchruthaíochta bhí
croí cineálta ag Íosóg Ó Críocháin, agus bhí grá a
bhí doimhin, má ba mhaoithneach, aige ar Thír
Eoghain. Bhí sé beagnach leath-chéad bliain ag
saothrú i mBéal Feirste, ach níor dhearmad sé riamh
an áit ar saolaíodh é. Ní fhillfeadh sé a choíche
uirthi agus é ina bheatha, ach bhí gach cinntiú is
féidir a dhéanamh le dlí déanta aigesean gur imeasc
a mhuintire a dhéanfaí a adhlacadh. Ba Eoghan-
aigh leath a raibh ar fostú aige freisin ; gan fiú nach
raibh Caitiliceach óg as Dún Geanainn, fear a chaill
a leath-lámh agus é ag troid i gcoinne na nIúdach
ina bhall de Shíothmhaoir na Pailistíne, mar fhair-
eachán oíche aige.

Bhí spéis ar leith ag an tsean-fhear seo i Liam
Seaghach, ó ba mhac le comráda a óige eisean.
Chabhraigh sé ar an iomad dóigh le Liam. Bheir-
eadh sé focla comhairle nó mínithe dó an t-am is mó
a mbíodh feidhm aige leo. Thairg sé Liam a
thabhairt isteach ins na Saor-Mhásúnaigh, agus bhí
iontas air nuair adúirt seisean nach raibh fonn air
ceangal leo. " Chuideodh sé go mór leat," adúirt
an Críochánach, " nó is le Másúnaigh is mó a bheas
tú ag roinnt má tá tú le bheith ag plé le cúrsaí
tráchtála abhus i mBéal Feirste. A's tugadh d'athair
isteach an lá ceannann céanna liom féin. Ach do
chomhairle féin, ar ndóigh. Má chreideann duine i
nDia 's má tá sé dílis don Rí is dócha gur leor an
méid sin. Mar mhaithe leat féin a bhí mé." D'fhios-
raigh sé go cineálta fán bhail a tugtaí ar Liam sa
lóistín a bhí aige, agus thairg lóistín a fháil dó ar
Bhóthar Ormeau—bhí teach aige féin ag an Sruthán
Milis, comhgarach do Iolscoil na Ríona.

Bhí Liam lán-tsásta, áfach, leis an áit a bhí aige i

Sráid Eglinton. Thaitin sé leis an dóigh a mbíodh
Eistir ag tathant air a chuid a dhéanamh sul a
bhfuaradh sí air. Bhíodh mothú ait sástachta ina
chroí agus é ag filleadh ón oifig tráthnóntaí, amhail
is dá mba ar a theallach féin a bheadh sé ag filleadh
agus a fhios aige go raibh duine éigin istigh a
mbeadh fáilte ar leith aige roimhe. Agus sin rud
nár mhothaigh Liam Seaghach le fada an lá. I
ndiaidh bhás a mháthara cuireadh a chónaí ag a
aintín é, ar Bhóthar Dhoire, agus ise a thóg é go
raibh sé mór go leor lena chur go dtí an Scoil Ríoga
i nDún Geanainn. Bhíodh a aintín comh cineálta
leis agus d'fhéadfadh sí a bheith agus gan mórán ar
bith tuigbheála aici ar aigne an ghasúra, ach chroth-
naigh sé a mháthair ar tús, agus ansin nuair a d'éirigh
an chuimhne sin níos doiléire chrothnaigh sé an
chuimhne. Ní raibh mórán sonais i ndán dó i dtigh
a aintín. Agus nuair a tugadh chun an bhaile chuig
a athair é, bhí siad ró-fhada scartha óna chéile le
mórán dáimhe bheith acu le chéile. Níor bhréag ar
bith a rá, mar sin, go raibh sé ar a shuaimhneas i
gcistin Eistir Mhic Giolla Dhuibh mar nach raibh
in aon áit eile. Agus dá ainneoin sin, bhí sé uaigh-
neach i mBéal Feirste.

Théadh Liam amach go minic go dtí na pictiúr-
lanna, agus fuair sé amach lena linn nach bhfuil
aon áit is uaigní in uaigneas mhór na cathrach ná
pictiúrlann. Na céadta duine agus aghaidh gach
duine acu dírithe ar an scáileán — shílfeá go mba
nasc áirithe eatarthu an méid sin féin, na sluaite
bheith cruinn le chéile san aonad sin ar a dtugtar
" an lucht éisteachta," díreach mar a bhíonn idir an
pobal atá comhpháirteach san aon ghníomh adhartha
amháin i láthair íbirt an Aifrinn Naofa. Ach istigh
sa phictiúrlainn bíonn an duine aonarach níos aon-

araí ná d'fhéadfadh sé a bheith i lúib chruinnithe aon áit eile, béidir. Óir ní aonad amháin a bhíonn sa lucht éisteachta i bpictiúrlainn ach na céadta de aonaid, is cuma céacu triúr nó beirt nó aon duine amháin atá i ngach aonad ann. Agus an t-aonad nach bhfuil ann ach aon duine amháin tá sé níos scoite ó dhaoine eile ná bheadh fiú agus é amuigh ar an sráid ina aonar. Ceileann an dorchadas air aighthe na ndaoine atá ar a dheis agus ar a chlé. Os a chomhair amach tá sreath cloigeann, muinéil mhongacha, foilt chasa, bathais bhlagadacha, hataí fear is hataí ban. Níl le cloisint aige ach focla dothuigthe a chantar de phlimp-chogar—an méid sin, agus búirfeach fhuaimraon an scannáin. Níl de chomhluadar aige, dáiríre, ach scáilí fathachúla an scannáin, agus a smaointe féin.

Oíche amháin tharla beirt shuiríoch bheith ina suí díreach ar aghaidh Liam amach, sa Ritz. Bhí an dá chloigeann buailte ar a chéile sa chaoi arbh éigean don Eoghanach dul a scrogaireacht má bhí sé leis an phictiúir a fheiceáil in aon chor. Shíl sé ar tús gur fearg a chuir an méid sin air. D'aithin sé ar ball, áfach, nach fearg a bhí air. Sé rud a bhí sé ag éad leis an fhear óg a bhí i gcuideachta an chailín. Sé rud a bhí sé ag tnúth an chailín dó.

*   *   *

Dar le Liam, is mór an nuaíocht é seo, cibé ainm eile a bhéarfá air. Scairt an dúchais, béidir. Nó fonn fiosrachta. Nó an amhlaidh is aithis liom bheith in aois fir agus gan chaidreamh riamh agam ar bhean? Ní abródh an namhaid is nimhní agam gur banaí mé. Is ar éigin a thóg mé súil riamh le cailín. Sinéad Scott, ar ndóigh. Agus mo chéad-shearc nach bhfaca mé ach an t-aon uair amháin—

neacht an mhinistir as Baile Nua an Stíobhartaigh
. . . Rásaí Charraig Liath. Nocht an Captaen Pat
Herdman chugainn ag spágáil tríd an lábán i lorg
na lárach a loic an bomaite deireannach ag an
gheata. B'álainn mar a chaith sí dá muin é agus a
shiúil go stuama tríd bhearna sa chlaí sul ar imigh
sí ar sodar i ndiaidh na codach eile agus a ruball
in airde ! Tamall gairíd riomhe sin chonaic mé an
Captaen cróga céanna ag beannú go muiníneach don
bhantracht agus ag dul sa diallait, é go sciobtha
scuabtha fána léine shíoda, a bhriste comh geal le
sneachta na haon-oíche, a cháipín eachaí go galánta
ar fiar ar a fholt sceadach rua, a ghloine ar a shúil,
a bhuataisí marcaíochta comh snasta soilseach sin
go bhfeicfeá do scáile inti—*scion of a noble race*,
dar Dia, duine de Chlainn Herdman ar leo féin a
leath de Chontae Thír Eoghain agus cos istigh acu
i mbunús uilig gach mór-ghnó ins na Sé Contaethe.
Agus sin é ag filleadh, a cháipín ar iarraidh, a
ghloine súile ar iarraidh, a each ar iarraidh, a
dhighnit ar iarraidh, é clábar ó bhonn go bóna.
Chor mé mo cheann sa dóigh nach bhfeicfeadh
m'athair go raibh mé mo phléascadh ag iarraidh na
gáirí a choinneáil istigh. Rinne sise an rud ceannann
céanna an bomaite ceannann céanna, neacht sin an
mhinistir, agus an t-abhar céanna leis. D'amharc
muid isteach i súile a chéile. Sé a d'fhiafraigh a
súile gorma go follasach díomsa : Nach é sin an
radharc is áibhéisí dá bhfaca tú riamh ? Agus tá
mé cinnte gur aontaigh mo shúile féin léi. Thug
muid tréan-iarraidh an dreach sollúnta a choinneáil
ar ár n-aghaidh, ach ní raibh gar ann. Shleamhnaigh
sé agus d'fhág an bheirt againn ár dtachtadh i
gcuideachta a chéile agus muidinne ag iarraidh a
ligean amach ar chasachtaigh, murbh ionann is Raibí

AN DÁ THRÁ

Cóiplí agus Seonaí Arbuckle a thóg gáir mhagúil
mholta, agus gach aon *Come on, Steve,* acu nuair a
chonaic siad chucu an Captaen clábarach caor-
chluasach udaí . . . Is dóigh liom gur thit mé i ngrá
leis an chailín ard chaol sin a raibh a gruaig mar
chruithneacht a haibíodh faoin ghréin. Ach b'éigean
domh an baile a bhaint amach gan labhairt léi.
Seachtain, de réir mar is cuimhin liom, a mhair an
lasair ag dó im chroí sul a ndeachaigh sí in éag de
dhíobháil chonnaidh. Ar ndóigh, ní raibh mé mórán
le seacht mbliana déag san am. Caithfidh sé go
raibh neacht an mhinistir fiche bliain de aois. Phós
sí toicí marógach as Cathair Dhoire, dúradh liom,
agus d'éalaigh le hoifigeach Sasanach bliain i ndiaidh
an phósta . . .

An ndéanfadh sé an oiread sin ar fad de dhifear
dá ngéillinn do Shinéid Rua Scott an oíche udaí.
Seans go mbeinnse níos séimhe le Shirley bhocht san
oifig anois. Bhí iarracht de mhíchlú ar Shinéid, ar
ndóigh, comh fada siar agus is cuimhin liom. Ag
teacht chun an bhaile ón scoil, mise agus Seonaí
agus Sam, scairtimís ina diaidh: "Níl brístín ar
bith ar Shinéid Rua!" Agus ansin ag rith i mbéal
ár gcinn agus an bhaindeamhan rua sa tóir orainn.
Bhí meas an chait dhóite againn ar iongaí
agus ar fhiacla na girsí céanna. Agus ina
dhiaidh sin níor labhair mé riamh léi i modh comhrá
go raibh mé im fhear fhásta. Ní bhíodh eadrainn,
an chorr-uair a chastaí chuig a chéile muid ach:
" Hileo, 'Bhilí " agus " Bhail, a Shinéad." Go dtí . . .

An tráthnóna earraigh udaí a tháinig cioth orm
agus mé ar mo bhealach isteach chun an tSrath Bán.
Chuaigh mé ar foscadh i gcistin shean-Mheag Mhic
an Mhaoir. Bhí Sinéad Rua istigh aici, ina suí ar
stól a bhí tarraingthe isteach de chomhair na tine,

71

a gúna corntha aníos os ceann na nglún agus í ag
déanamh goradh a loirgne agus ag coinneáil comhrá
le Meag san am chéanna. Sheasaigh mé ag an doras
agus labhair thar mo ghualainn leis na mná.

— Hileo, a Mheag. Bhail, a Shinéad.

I gceann tamaill thosnaigh an chogarnach agus
an sit-gháire.

— Chugamsa atá sibh, is dócha, a chailíní!
adúirt mé.

Chuaigh corp feolmhar Mheag ar crith fána
gúna dhubh mheirgeach, chuaigh an meigeall beag
sin a bhí fána hath-smig ar crith mar an gcéanna,
agus d'imigh na súile beaga mucúla as amharc taobh
thiar dá pluca. Bhí cuma comh saoithiúil sin ar an
tsean-tráill nach dtiocfadh liom gan gáire a dhéan-
amh fúithi agus amharc trasna ar Shinéid. Bhí sise
ag baint lán a súl dolba asam, ag meá leithead mo
ghuaille agus doimhne m'uchta agus fad mo chuid
géag — amhail is dá mba feirmeoir í, i lár an aon-
aigh, agus é ag meas fiúntas an tairbh a bhí sé ar
intinn aige a cheannach. Chuir an grinneadh sin
mothú míshuaimhnis orm.

— 'An straoille bheag seo ag iarraidh orm focal
a chur isteach ar a son leat! arsa Meag nuair a fuair
sí a hanál léi.

D'fhéach mise lena ligean amach ar ghreann.

— Tabhair thusa aire duit féin, a chailín, arsa
mise, nó beidh ABC ar fuaid do loirgne agat!

Agus thiontaigh mé aníos bóna mo sheacaid
agus thug rúid amach fán fhearthain, ag tarraing
ar an tSrath Bán.

Ní cuimhin liom anois cad chuige a raibh mé
do Sam Harpúr an oíche udaí i dtrátha na Cásca.
Bhí damhsa ar siúl sa Halla Oráisteach ar an Leith-
bhearr agus bhuail mé isteach go bhfeicinn an ansin

a bhí sé. Thug Sam orm suí síos agus toitín
a chaitheamh. Níor luaithe an toitín deargtha agam
ná d'fhógair fear an tí Rogha na mBan, agus
sheasaigh Sinéad Rua os mo chomhair amach. Bhí
gúna glas-uaine uirthi agus ribín ar an dath chéanna
ina folt lasrach. Bhí stocaí de shíoda saorga ar a
cosa fada agus aoibh mhealltach ar a béal dearg.

Chroith mé mo cheann go giorraisc, ach thug
Harpúr sonc domh.

— Och, gabh amach, a Bhilí. Ní íosfaidh an
cailín thú!

Ba álainn an rinceoir í. B'éigean di bheith as
cuimse ealaíonta le mo throithe ciotacha a stiúrú tríd
an bhealts gan oiread is botún amháin a dhéanamh.
Dar liom gur mhothaigh mé teas a colla ag sú
isteach tríd mo chuid éadaigh. D'amharc mé síos
uirthi uair amháin, agus d'amharc go gasta ar shiúl
arís. Bhí a craiceann mar chailc. Na cailíní rua
seo! Chuir sí cogar im chluais.

— Téimis amach go bhfaighe muid bolgam aeir.

D'éirigh mo scornach tirim . . . *Och, gabh amach,
a Bhilí. Ní íosfaidh an cailín thú!* . . .

Oíche réab-ghealaí a bhí ann. Ní raibh thar
fiche slat siúlta againn nuair adúirt Sinéad go raibh
sí tuirseach.

Nach leamh a bhí mo cheann orm! Shuigh mé
síos go tostach ar fhód an bhealaigh mhóir. Rinne
Sinéad moill sul ar shuigh sí síos, agus thogh sí áit
a bhí giota maith uaim. Níor labhair sí focal nó
níor amharc sí orm, ach í go ciúin socair ag stánadh
amach roimpi. Bhí mé díreach ag tosnú a smaointiú
go mbéidir go rabhthas san éagóir ar Shinéid agus
nach raibh inti i ndiaidh an iomláin ach cailín cúthail
de ainneoin na súl dolba sin ina ceann. Ansin léim
sí ina seasamh.

— Tá sé fuar anseo, 'Bhilí.

— Ar mhaith leat gabháil arais chun an halla?

— Cheana féin? Bíodh ciall agat, a bhuachaill! Ach bhfuil 'fhios agat? Tá eolas agam ar chlúid dheas foscaidh as bealach na gaoithe. Goitse, a Bhilí.

Rug sí greim láimhe orm, thug suas bóithrín mé, trasna díge, thar an chlaí agus isteach in uaimh bhig sheascair idir dhá sceich a raibh a gcraobhacha ag teagmháil le chéile os ár gceann le díon a dhéanamh dúinn. Tharraing sí anuas lena taoibh mé agus phóg lena beola teo mé. Níl a fhios agam cad é tharla domh ansin. Is cinnte go raibh mé á santú, mar bhí sise mo shantú-sa. Ach ansin shoilsigh an ghealach isteach idir na craobhacha, shoilsigh sí ar a haghaidh bháin, ar na súile aisteacha sin, ar an bhéal tais dearg a bhí claon beag ar fhoscailt sa dóigh a raibh a fiacla beaga géara le feiceáil. Dar liom an bomaite sin go raibh sí cosúil le súmaire fola a raibh a béal smeartha cheana leis an fhuil a bhí sí i ndiaidh a bhlaiseadh agus a bhí ag baint iomlán suilt as an chéad bholgam sul a gcromadh sí go mianmhar aniar arís agus leanstan don fhleidh go mbeadh sí sachta sásta. Scanraigh mé roimpi.

— 'Dé do bharúil dem nead bheag, 'Bhilí? d'fhiafraigh sí. Is anseo a thugaim i gcónaí iad.

D'éag iarsmaí an phaisiúin i dtobainne ionam. Theann mé siar as a bealach agus thug amach bosca toitíní . . .

Nuair a scar mé uaithi ar ball dúirt Sinéad gur chuir sí an oíche amú liom. Béidir gur mise a chuir an oíche amú . . .

Agus lá tharna bhárach dúirt Seonaí Arbuckle liom go raibh Meag Mhic an Mhaoir ag scaipeadh an scéal ar fuaid Thír Eoghain gur dhúirt Sinéad

Scott gurbh é Liam Seaghach an cúirtear a ba fhuil-
fhuaire sa chontae. Fuil-fhuar, dar Dia! Dá
gcastaí an t-aiméar céanna agam anois . . .

CAIBIDIL 9.

NUAIR a thosnaigh Liam ag amharc thart mar i
ndúil is go bhfaigheadh sé cailín éigin a rachadh
chun na bpictiúirí leis am ar bith a mbeadh an fonn sin
air, ní hí Síle is luaithe ar chuimhnigh sé uirthi. Bhí
beirt nó triúr de chailíní Shráid Eglinton a dtiocfadh
leis labhairt leo ina n-ainm fán am seo, ach bhí siad
uilig ceachtar acu ró-óg nó ró-gharbh dó. Ní raibh
iontu, ar ndóigh, ach cailíní gan oideachas a bhí ag
obair ins na muilte nó i monarchain tobac Mhuintir
Uí Ghallchobhair i Sráid Eabhroc, agus gidh nár
dhuine uaibhreach ar bith é Liam Seaghach níor
mhian leis éirí amach i gcuideachta ghearrchaile ard-
ghlóraí nach raibh ciall don mheasaracht aici maidir
le húsáid cosmaidí agus nach raibh ar a cumas comhrá
céillí a dhéanamh. Ansin bhí cailín san oifig acu,
clóscríobhaí darbh ainm Shirley a thaispeán, comh
follasach agus d'fhéadfadh sí a dhéanamh gan lom
barróige a bhreith air, go raibh dúil aici ann. Ní
raibh sí gan a scair féin den scéimh bheith aici, agus
thuig sí conas caint a dhéanamh le fear oilte ina
chanúint féin, nó ar scor ar bith—rud a bhí comh-
garach go leor di—sa chanúint a thóg sí sa choláiste
tráchtála. Níor thaitin sí le sean-Íosóg Ó Críocháin,
ach, mar a dúirt seisean go géarchúiseach le Liam
agus é ag comhairliú dó Shirley a choimeád fad a
sciatháin uaidh: "Tá'n bhean udaí in inmhe na
heocracha a bhualadh comh healaíonta le Charlie
Kunz féin. Agus ní dochar ar bith é cailín ionsúil

bheith san oifig amuigh againn. Ní éiríonn daoine
tábhachtacha leath comh mífhoighdeach, nuair a
bhíonn fadáil éigin ins na gnóithe, ach bean bheith
ar na gaobhair a bhfuil teanga ina ceann agus cumh-
rán i gcúl a cluas agus nach miste léi a glúine a
nochtadh. Is annamh a gheibh tú cailín mar sin a
bhfuil lámh mhaith ar an chlóscríobh aici lena chois.
Má ní sí a cuid oibre go fónta san oifig, ní de mo
ghnóithe-se é má chaitheann sí an oíche uilig ag siúl
na sráideanna." Ach is ar éigin a bhí gá leis an
rabhadh. Bhí Shirley ró-chollaí ar fad do Liam.
Chuir sí Sinéad Scott i gcuimhne dó. Shamhail sé
cá leis a mbeadh sé cosúil dá gcastaí i ndorchadas na
pictiúrlainne le Shirley é, agus chreathnaigh sé roimh
an smaoineamh.

Bhí níos mó ná fáth amháin nár chuimhnigh sé
níos luaithe ar Shíle Ní Phréith, ach bé an príomh-
fháth go raibh géar-bharúil aige go raibh sí ag suirí
cheana féin, agus fiú go mbéidir go raibh sí i gcum-
ann le hóigfhear éigin. Ar fostú i siopa éadaitheoir-
eachta a bhí Síle, agus leath-lá saor aici ar an
Chéadaoin. Ní raibh a fhios aige conas mar chaith-
eadh sí an tráthnóna sin, ach is ar rang Gaeilge a
bhíodh sí gach oíche Chéadaoine, san Ard Scoil i
Sráid Dubhais. Ní fhéadfadh sé gan a shílstin go
mbéidir gur rud éigin seachas foghlaim na Gaeilge a
bhí á tabhairt ann comh rialta sin. Bhí sí ar iarraidh,
freisin, an cupla uair a chuaigh sé suas ar an Déar-
daoin. Is éadócha, mar sin, go n-iarrfadh Liam uirthi
bheith leis chun na pictiúrlainne ach gur réitigh
Pádraig an bealach dó.

Tharla oíche amháin gur dhúirt Liam le linn
comhrá gur dhoiligh do choimhthíoch aithne a fháil
ar mhuintir Bhéal Feirste.

— Ar bhantracht Bhéal Feirste, tá tú a mhaíomh!

arsa Pádraig. Maise, a dhuine chléibh, níl siad ach
ag fanacht leat forán a chur orthu. Ag briseadh a
gcos i do dhiaidh atá siad, gan fhios duit féin! Cad
chuige nach n-iarrfá ar chailín bheag dheas éigin,
dálta Shíle s'againne, ghabháil 'na bpictiúirí leat
tráthnóna éigin?

— Cad chuige nach n-iarrfá féin uirthi ar mo
shon-sa? arsa Liam, idir shúgradh agus dáiríre.

Bhí coinne déanta aige le Pádraig don Déardaoin
a bhí chucu. Nuair a shroich sé teach mhuintir Uí
Phréith an tráthnóna céanna, áfach, bí Síle a
d'fhoscail an doras dó. Bhí sí gléasta i gcomhair na
sráide agus bhí a mála agus scáth fearthaine léi.

— Bhail, 'Shíle, arsa seisean. Ar do bhealach
amach?

— Nach cinnte go bhfuil mé ar mo bhealach
amach. Siúl leat, a bhuachaill, nó caillfimid tús an
phictiúra mhóir.

— Caide tá tú a rá, a Shíle?

— Gur dhúirt Páid go raibh rún agat mo chomór-
adh chun an Royal. Agus má deir tú liom gur ar son
grinn a bhí sé ní bheidh tógáil mo chinn agam arís
a choíche . . . agus, a dhálta sin, fágfaidh mé an Páid
céanna sa chruth nach mbeidh seisean ábalta a cheann
a thógáil ach oiread!

— Cuideoidh mise go fonnmhar leat a fhágáil sa
chruth sin! Ní abróinn a choíche é dá sílinn go
mbuailfeadh an guilpín udaí a leithéid de bob orm!

— Bhail, caithfidh mé a rá nach bhfuil mórán ar
bith den bhréag-mholadh ag baint leis an admháil
chéanna! Bíodh aige. An dtiocfaidh tú chun an
Royal ar mo chuireadh-sa?

Ach ní go dtí an Royal nó aon phictiúrlann eile
a chuaigh siad. Níorbh oíche ar bith í le bheith
cuachta istigh i bpictiúrlainn. Oíche ghaofar, agus

an ghaoth ag ruagadh na scamall trasna aghaidh na gealaí sa dóigh a sílfeá gurbh í an ghealach féin a bhí á ruagadh trasna na spéire.

Chuaigh siad ar an tram síos Bóthar Grosvenor.

— Sin Halla na Cathrach, arsa Síle nuair a chor an tram isteach go dtí Cearnóg Dhún na nGall.

— Tá a fhios agam. Nach é sin an áit a mbíodh sean-Halla an Línéadaigh mar a dtáinig na hÓglaigh i gceann a chéile a chomóradh na hócáide nuair a thit an Bastille?

D'amharc Síle go hiontach air.

— Ní bheadh a fhios agamsa.

— Nach de thógáil Bhéal Feirste thú?

— Aigh, ach ní raibh mé ar an tsaol an t-am sin! D'fhéadfadh mo mháthair a inse duit, nó chuala mé í á rá gur cuimhin léi nuair a bhí Halla na Cathrach á thógáil. Ceart go leor, Sráid Halla an Línéadaigh atá ar cheann de na sráideanna i gcúl Halla na Cathrach, ach ní bheadh an méid sin féin agam murb é go siúlainn féin agus Máire síos an tsráid sin go dtí Ascal Ormeau go bhfaighimís an bus go Dún Droma i rith an Chogaidh. Cá bhfuair tusa do chuid eolais uilig?

— As leabhra, bunús uilig. Níor theagasc an saol mórán ar bith domh go fóill!

Nuair a chonaic Síle an scuaine lasmuigh den phictiúrlainn chroith sí a ceann.

— Ní fiú dúinn fanacht. Chaillfimís tús an phictiúra mhóir, cinnte. Téimis a shiúl.

— Maith go leor. Caidé'n bealach?

— Fan go bhfeice mé. Tá a fhios agam! Ar mhaith leat Caisleán Bhéal Feirste a bhreathnú . . . an taobh amuigh de, ar scor ar bith?

—Ní miste liom. Caidé tá ann? Sean-bhallóg, is dócha?

— Bhí do Mhóraí ina Dochartach! Níl achan rud foghlamtha agat go fóill. Ballóg, arsa tusa? Ar ndóigh, is dócha go bhfuil damhsa ar siúl ann anocht féin. Sé atá ann foirgneamh níos breátha ná Halla na Cathrach, fiú.

— Níor dheacair dó! Cuireann Halla na Cathrach cáca baineise i gcuimhne domh.

Rinne Síle gáire.

— Maise, fear sléibhe ag déanamh beachtaíochta ar ár gcuid ailtireachta!—Rith leat, a Liam, nó sin bus Ghleann Gormghaile thall udaí.

Nuair a shroich an bus Siorcas Carlisle, thug Liam sraicfhéachaint imníoch amach ar an fhuinneoig. Níor mhian leis go bhfeicfeadh Earnán beag Mac Uidhlidh nó duine ar bith eile de áititheoirí Shráid Eglinton in éineacht le Síle é agus go gcuirfí an scéal thart go raibh lóisteoir Bhean Mhic Giolla Dhuibh ag " cúirtéaracht."

Thuirling siad den bhus ar Bhóthar Aondroma, ag geata eastáit Chaisleán Bhéal Feirste. Choimhéad siad solas an bhus ag imeacht soir an bealach go ndeachaigh sé as amharc thar an chorradh. Ní raibh gluaisteán ar bith ar an bhóthar, nó ní raibh neach beo le feiceáil fad a radhairc uathu. Bhí an suaimhneas comh sonrach sin, ar imeall mhór-chathrach tionscalaí, gur chuir sé mothú uaignis orthu. Níor labhair ceachtar acu go raibh siad ag siúl suas slí leathan gairbhéil idir sreathanna de chrainn arda.

— Is dócha gur fíneáil as dul i ndíobháil an méid is lú a bhféadfaimís bheith ag dréim leis! arsa Liam. Beidh an t-ádh orainn mura síleann siad gur buirgléirí muid.

—Tá sé ceart go leor, d'fhreagair Síle. Tá an t-eastát ar fhoscailt don phobal, bíodh a fhios agat. Is leis an Bhardas anois é, idir chaisleán agus uilig.

— Tuigim.

Bhí sé iontach dorcha istigh ansin fá scáth na
gcrann sin nach raibh le feiceáil díobh ach na géaga
loma dubha idir thú agus léas. Ní raibh fuaim le
cloisint ach siosarnach na gaoithe tríd na crainn
labhrais a bhí fá imeall an chosáin. Bhéarfá do
mhionn go raibh an chaschoill beo le hainmhithe a
bhí ag snámh aniar go bhfaigheadh siad amharc ar
na daoine seo a bhí ag dul thar bráid.

— Sin oíche nár dheacair a chreidbheáil go bhfuil
a leithéidí ann mar shíóga! arsa Síle.

— Aigh . . . nó taibhsí!

Díreach mar bheadh sí ag fanacht leis an fhocal,
thainig an ghealach amach as i gcúl néill agus shoil-
sigh ar bhalla liath cloiche ag ceann an chosáin. Lig
Síle cnead scaolmhar aisti agus rug greim ar sciathán
Liam.

—Caidé tá cearr? a d'fhiosraigh sé.

— Och, a dhath ar bith. Scanraím go furasta
roimh rudaí arda liatha a dtigim go tobann orthu.
Ghlacfadh sé aigneolaí leis an chúis a mhíniú go
sásúil, is dócha. Tá mé ceart go leor anois.

Níor thóg Síle a lámh dá mhuinchille, áfach; ina
ionad sin is amhlaidh a shleamhraigh sí isteach fána
ascaill í, agus is uille in uillinn lena chéile a shiúil
siad ar aghaidh.

— Ná habair liom gurb é sin an caisleán,
i ndiaidh a ndearna tú de mhaíomh as!

— Bíodh trí splaideog céille agat. Níl ansin ach
ceann amháin den iomad sean-fhoirgneamh atá
scaipthe ar fuaid an eastáit. Níl mé cinnte caidé an
úsáid a bhaintí as an cheann seo. Sórt sciobóil é,
béidir.

— Más scioból é, b'amaideach an mhaise dóbhtha
lag a thoghadh mar ionad dó, arsa Liam.

Ach ní ar an fhoirgneamh a bhí a iúl.
Istigh ina mheanmna bhí Liam ag fiafraí de
féin an amhlaidh a bhí sé tar éis dul i gceann
eachtra nár léar dó a deireadh. Is mar chara
a deartháir-se agus mar dheirfiúr a charad-
san a d'fhág siad Sráid Tennyson. Tháinig athrú
bunúsach ar chineál an chaidrimh a bhí eatarthu. ó
thuirling siad ag geataí an Chaisleáin, deich neomat
roimhe. Fear agus Bean a bhí iontu anois, agus bhí
a uille-sean buailte le boige a brollaigh-se á chur i
gcuimhne dó.

Bhreathnaigh siad an Caisleán. Ní raibh damhsa
ar bith ar siúl ann an oíche sin, nó ní raibh solas le
feiceáil ó cheann ar bith de na fuinneoga iomadúla.
Bhí an Caisleán, fána chuid taibhle is túiríní mar
bheadh bruíon sí, agus solas draíochtach na gealaí
ag déanamh marmair ghil dá mhúrtha de chloich
shnoite eibhir. Sheasaigh siad tamall ar an léana
ghlas ar a aghaidh amach agus a scáilí fada sínte
rompu ar an fhéar.

— Slogaim siar an tsean-bhallóg! arsa Liam i
dtobainne. Tá sé go hálainn. Caidé tá thart ar
deireadh?

— Níl a dhath ach na stáblaí, agus bheadh sé
ró-dhorcha i gcúl an chaisleáin lena bhfeiceáil i
gceart. Is mó a b'fhiú a bhfeiceáil an bhliain seo
chugainn, nó tá siad le sórt iarsmalainne a dhéanamh
díobhtha, mar chuid d'Fhéile seo na Breataine a
bheas acu. Iarsmaí de shean-shaol Chúige Uladh a
bheas sa taispeántas idir sheolta fíodóireachta agus
charranna taoibhe 's a leithéidí. Gan fiú nach bhfuil
siad ag brath teach beag cinn tuí den tsean-déanamh
a thógáil agus an triuc uilig a bhíodh coitianta i
mbothán tuaithe a chur isteach ann, túirne, corcán
dubh trí-chosach, cathaoireacha súgáin 's uilig.

— B'éachtach an smaoineamh é! arsa Liam. Tá
stair uilig Chúige Uladh sa mhéid sin . . . teaichín
beag aoilnite fá scáth bhallaí an chaisleáin . . .

Ar a mbealach arais dóibh mhúch an ré i néall
scamaill, agus d'imigh siad den chosán. Liam a ba
luaithe a d'aithin an méid sin.

— Tá muid ag gabháil ar seachrán, arsa seisean.
Ag siúl ar dhuilleogaí feoite atá muid anois.

— Tá a fhios agam, arsa Síle. Tá muid i lár
na coille.

Sheasaigh sí agus a droim le crann ard beithe.

Dar le Liam, ag fanacht le rud éigin atá sí. An
d'aon-turas a threoraigh sí isteach chun na coille mé?
An amhlaidh a bé a ba rún di ó thús, uair a mhol sí
cuairt a thabhairt ar Chaisleán Bhéal Feirste—áit
chiúin dorcha a aimsiú fá choinne tamall deas suirí-
ochta? Cá leis a bhfuil sí ag dúil? Bhfuil sí ag
fanacht go mífhoighdeach liom mo lámha a chur thart
uirthi? Cad a chomhairleodh Seonaí Arbuckle, an
sean-eolaí? " Má bhíonn tú in amhras, cuir féacháil
uirthi."

Ach ní fhéadfadh sé bheith cinnte, agus ní
rachadh sé sa tseans. Thug sé a chúl léi agus shiúil
cupla coiscéim, ag smurthacht a bhealaigh idir na
crainn, ag iarraidh theacht ar an chosán gairbhéil arís.

— 'Liam!

D'fhill sé go fadálach ions uirthi. Sheasaigh sé
comh comhgarach sin di go raibh boladh a gruaige
ina ghaosáin.

— Caidé tá 'dhíth ort?

— Níl a dhath. Níl ann ach gur scanraigh mé
nuair a chonaic mé thú ag imeacht uaim.

— Ag cuartú an chosáin a bhí mé.

— Amharc! Sin bus ag gabháil amach go
Gleann Gormghaile. Nach bhfeiceann tú an solas

thíos fúinn imeasc na gcrann. Má chlaonaimid ar
thaobh na láimhe clé sé rud a thiocfaidh muid amach
ar an chosán arais ar luas nó ar moille.

D'imigh siad go tostach leo, agus tháinig amach
ar ball idir dhá chrann labhrais gur mhothaigh an
gairbhéal arís fána gcosa.

Bhí intinn Liam in achrann. Arbh é a bhain sé
míchiall as imeachtaí uilig na hoíche? Arbh amhlaidh
a bhí sí comh soineannta sin nár thuig sí ar chor ar
bith an smaoineamh a bhí ina cheann sin, nár
chuimhnigh sí fiú, gurbh Fhear eisean agus gur
Bhean ise? Seans nach raibh ann ach gur mhuscail
an ghealach agus ciúineas na coille ann an ainmhian
a d'éirigh agus a shíothlaigh arís ann an oíche úd a
chuir Sinéad Rua cathú air thiar i dTír Eoghain.
Béidir go raibh sé, riamh ó shoin, ag fanacht go fó-
choineasach leis an fhaill chun a chruthú dó féin
gurbh éagórach an bhreith dhrochmheasúil a thug
Sinéad air. An cúirtéar is fuil-fhuaire sa chontae!
Béidir gur ghoill an focal fonóideach air thar mar a
thuig sé san am. Sea, béidir gur ar Shinéid a bhí an
locht uilig—Sinéad Rua, a rug páiste díomhaoinis do
shaighdiúir Shasanach go luath sa Chogadh, agus a
d'imigh ina dhiaidh ina brídigh G.I. chun na Stát.
Ise a d'fhág é sa riocht go raibh sé i gcónaí ag dréim
lena macsamhail féin eile a fháil i ngach cailín dá
gcasfaí ina threo. " Tír Eoghain Imeasc na dTom "
—sin mar a chanadh Seonaí é—"Tír Eoghain Imeasc
na dTom, mar nach dtig leat méaróg a chaitheamh
gan ceachtar acu girria nó striapach a chur ina
suí . . . "

Níor labhair Síle arís gur sheasaigh siad ag stad
na mbus ar Bhóthar Aondroma.

— Beidh an lasóg sa bharraic má chluin Máire
s'againne fá eachtra na hoíche anocht! Mise istigh

i lár coille i gcuideachta Phrotastúnaigh!

Chlis Liam. Dar leis, sin réiteach na ceiste fá dheireadh agam: Ní Cara agus Deirfiúr a Charad, ní Fear agus Bean, fiú—ach Protastúnach agus Caitiliceach Rómhánach!

CAIBIDIL 10.

IS i gclochar i mbaile bheag chois fharraige a fuair Síle Ní Phréith a hoideachas. Cuireadh ansin í tar éis bhás a hathar. Sea, is i gclochar a fuair sí a hoideachas, nó béidir go mba chruinne a rá gur ansin a fuair sí a cuid oiliúna. I bhfad roimhe sin a thosnaigh a hoideachas. Ar na céad mhear-chuimhní a bhí aici bhí a máthair mhór ag comhairliú dá máthair, tráth dá raibh sí ar cuairt acu san óstán i Sráid Eabhroc: "Ná bíodh iontaoibh agat as aon fhear péas dá ndearna an diabhal, a mhallaí. Ní fhéadfá a mionna féin a chreidbheáil." Ghlac an páiste a bhí ag cúl-éisteacht leis an tsean-mhná lena comhairle sin, sa dóigh a n-abradh Pádraig i modh grinn, na blianta ina dhiaidh, gur chosúil gur Phoblachtóir ón chliabhán í, bhí a oiread sin fuatha ag Síle do na síothmhaoir ó aimsir a naíontachta i leith.

Ach ba óg ina saol, freisin, a d'fhoghlaim Síle go raibh naimhde eile seachas na síothmhaoir ag an mhuintir ar díobh í. Bhí buime ar fostú ag máthair Shíle, an tráth úd, le haire a thabhairt do na páistí agus ise féin i mbun ghnoithe an tí ósta. Cailín dearg-phlucach ón tuaith, arbh ainm di Sadhbh, a bhí inti, agus is le Síle is mó a bhíodh sí ag roinnt, ó tharla an bheirt eile ag dul ar scoil cheana. Nuair a thugadh Sadhbh an leanbh amach a spaisteoireacht is síos Sráid Annraoi go dtí

AN DÁ THRÁ

Cearnóg an Bhardais is minicí a théadh siad, áit a
mbíodh coinne ag an bhuime le saighdiúir óg a raibh
sí mór leis. Bhí sé de nós ag Sadhbh an páiste a
chur ina suí in airde ar shean-ghunna mhór a bhí
ann san am, oráistí nó milseáin nó dornán duilisc a
thabhairt di lena coinneáil ciúin, agus dul a shiúl
ar a suaimhneas thart an Chearnóg agus lámh a
suirígh chalma fána coim. Ba ghairid gur éirigh
Síle glic go leor le tuilleadh seaclaide a éileamh,
ar gach ócáid den chineál, mar luach a tosta. Ansin,
lá amháin, agus droim an chailín léi, d'éirigh le
Síle theacht anuas den ghunna agus slíocadh léi thar
choirnéal áras na Síothmhaor Calafoirt.

Shiúil an páiste léi ar a sáimhín agus bábóg
ghorm-roscach chúil-fhionn, a raibh sí iontach
ceanúil uirthi, ina baclain. I gceann tamaillín
chonaic sí girseach a bhí a dhó nó trí de bhliantaí
níos sine ná í féin, girseach a raibh a gruaig cean-
gailte siar as a súile le sean-bharriall dubh, agus a
raibh pilirín stróctha uirthi. Bhí greim aicise ar an
ráille iarainn a bhí thart timpeall ar áras na Síoth-
mhaor Calafoirt agus í ag preabadh síos suas lena
téamh féin agus le cian a thógáil di féin. D'éirigh
sí as an chleas seo nuair a nocht Síle chuici, gur
bhain lán a súl as an pháiste eile agus as a bábóig
ghleoite. Sheasaigh siad tamall ag breathnú a chéile
agus gan focal astu, mar a dhéanann páistí nuair a
chasann siad den chéad uair ar a chéile. An ghir-
seach choimhthíoch is luaithe a labhair. D'fhiaf-
raigh sí ainm na bábóige, agus d'iarr cead ar Shíle
a glacadh idir a lámha ar feadh neomait amháin.
Ansin d'innis sí a hainm agus a haois féin agus an
áit a raibh cónaí uirthi. D'innis sí do Shíle go raibh
a hathair ina scuabaire simnéithe agus go raibh
clibín agus carr dá chuid féin aige, agus go raibh a

85

máthair agus a deirfiúr mhór araon ag obair i
Muileann Sníomhadóireachta Shráid Eabhroc.
Nuair a bhí a scéal féin inste aici thosnaigh sí a
chur spéise sa pháiste eile. Níor chuir sí am amú
ag fiafraí fána hainm ná fána haois nó fá ghairm
bheatha a hathar. Ní dhearna sí ach an cheist lom
a chur uirthi: " 'Bhfuil tú 'do Phrotastúnach nó
'do Phápaisteach?"

Ní raibh aon chuid mhór eolais ag Síle bhocht
fá chúrsaí creidimh, ach bhí a fhios aici nár
Phrotastúnach í—bhí an Constábla Reid agus an
Tiarna Creagabhann araon ina bProtastúnaigh, agus
ní raibh mórán measa acu sa bhaile ar cheachtar
den bheirt. Dúirt sí nach raibh a fhios aici. Thug
an ghirseach mhór amharc uirthi a bhí lán droch-
mheasa agus drochamhrais, agus dúirt go gcaith-
feadh sí bheith ceachtar acu ina Protastúnach nó
ina Pápaisteach. Tháinig crith ar bheola Shíle. Bhí
sí ag éirí níos cinnte de in aghaidh an neomait nár
thaitin an ghirseach seo léi. " Maith go leor," arsa
sise, " tá mé 'mo Phápaisteach. Anois tabhair
domh mo bhábóg." Nuair a shín sí amach a lámha
le breith ar an bhréagán, bhuail tallann tobann
girseach an philirín stróctha agus steall sí síos ar
leaca an chosáin é, go ndearna smidríní de chloig-
eann séine na bábóige.

Stán an bheirt leanbh ar a chéile, agus an con-
amar truamhéileach ina luí eatarthu, duine acu
sioctha ina stocán ag tubaiste comh huafásach sin
nach dtiocfadh léi a chreidbheáil gur tharla a
leithéid dáiríre, agus an duine eile ag creathnú
beagáinín roimh oll-mhéid mhillteanach a dánaíochta
féin. Ansin chuir girseach an philirín stróctha
gothadh uirthi féin. " Is cuma liom," arsa sise go
dolba. " Ní raibh ann, ar scor ar bith, ach sean-

bhábóg Phápaisteach!" Agus d'imigh sí ina rith
thart an coirnéal. Nuair a tháinig Sadhbh ar Shíle
agus a chonaic sí na súile tirime ag stánadh amach
as aghaidh bháin tharraingthe an pháiste baineadh
preab aisti. Bhí rún daingean aici go dtí sin croth-
adh maith a bhaint as Síle as éaló uirthi, ach ní
dhearna sí ach rabhadh a thabhairt di fán léasadh
a bhí i ndán di nuair a chloisfeadh a máthair fán
dóigh ar bhris sí a bábóg álainn a chosain fórtún,
ní foláir.

Níor innis Síle riamh do Shadhbh, nó dá
máthair, fiú, nach amhlaidh a thit a bábóg de
thaisme, mar a mheas siadsan. Nó níor innis Sadhbh
dá máthair, ar ndóigh, gur imigh Síle uirthi agus a
hiúl sin uilig ar a saighdiúir óg. Cuireadh ceann
úr nua ar an bhábóig. Níor thuig éinne ach Síle
amháin tábhacht na teagmhála. Bhí sise i ndiaidh
a fháil amach go raibh sí féin ina Pápaisteach, agus
gur namhad aiceanta di a d'fhéadfadh a bheith i
ngach uile dhuine dá gcasfaí ar an tsráid chuici.

Go minic ina dhiaidh sin chloiseadh Síle a
máthair ag aithris, nuair a d'fheil sí don ócáid, abairt
a thóg sise óna mathair-se: " Siad do mhuintir
féin is measa ar bith." Níor chreid Síle é, agus
mhothaigh sí ar dhóigh éigin nár chreid a máthair,
ina croí istigh, é. Óg agus uilig mar bhí sí, bhí an
chéad cheacht fá shaol Bhéal Feirste foghlamtha
aici. Ní raibh ann ach an dá dhream, na Caitilicigh
agus na Protastúnaigh. D'fhéadfadh Caitilicigh
labhairt go garbh leat, nó cleas suarach a imirt ort,
fiú, ach sheasódh siad leat in aimsir na héigeandála.
Maidir leis na Protastúnaigh, ba chuma comh
síodúil agus bheadh siad leat de ghnáth, bhí
urchóid éigin iontu agus olc míréasúnta acu duit dá
fheabhas dá ndearna siad a cheilt in aimsir síochána ;

87

agus is leo sin a bheadh claon ag na síothmhaoir in aimsir iaróige.

Nuair a tháinig Imeagla 1935 agus a bhí teaghlaigh Chaitiliceacha á ruagadh amach as sráideanna áirithe i gceantar na nduganna, chleacht a hathair dídean na hoíche a thabhairt do chuid acu—go dtí gur dearbaíodh dóibh sin agus dó féin nár thearmann sábháilte níos faide an teach ósta. Chíodh Síle iad ina luí thart ar an urlár ins na seomraí sin fán díon nach mbaintí úsáid astu de ghnáth; cuid acu go cráite croí-bhriste tar éis dóibh a raibh acu ar an tsaol a fheiceáil ag dul suas i gcalcanna toite, cuid acu agus fonn fuilteach díoltais orthu, ach a bhformhór go ciúin foighdeach, le foighid mharbhánta lucht na *gheitos*. Thug Síle fuath do na Protastúnaigh, mar a thug sí fuath fosta do na síothmhaoir.

Bhí duine amháin de na siúireacha sa chlochar úd chois fharraige, a bhíodh ar a dícheall ag iarraidh Gaeilg a mhúineadh do na girseacha. Óigbhean thírghrách as Droichead Átha a bhí inti. Am ar bith a gcuireadh duine de na daltaí míshásamh uirthi deireadh sí go drochmheasúil " Ó, tú fuil Bhuí id chuisleannaibh, ní foláir!" Bhí a lán acu a bhí comh soineannta sin nár thuig siad gurb amhlaidh a chreid an tSiúr Eoin gur leath-Oráisteach an uile Chaitiliceach a rugadh agus a tógadh ins na Sé Contaethe. Bhíodh siad ag caibidil na ceiste le chéile, á rá gur chuala siad gur fuil ghorm a bhí i gcuisleanna na n-uasal agus gur chosúil gur buí a bhí cuid fola na haicme a ba ísle ar bith. Pholl cailín amháin acu croí a hordóige le biorán agus d'fháisc deor fhola as a chruthú gur dearg a bhí a cuid-se, ba chuma cad é déarfadh an tSiúr Eoin. Ach thuig Síle Ní Phréith go maith cad a bhí i gceist aici.

Go dtí go dtáinig Liam Seaghach go Béal
Feirste, is ar éigin a bhí aithne thar aithne shúl ar
Phrotastúnach ar bith ag Síle. Agus bhí sí lán-
tsásta gan aon bhaint bheith aici leis an dream sin.
Bhí muintir Bhéal Feirste roinnte ina dhá chuid aici,
Caitilicigh agus Protastúnaigh; agus má ba
" Náisiúntóirí " iad na Caitilicigh uile, dar lei, fiú
an gadai agus an mhéirdreach, ba " Aondachtóirí "
iad mar an gcéanna na Protastúnaigh uile, fiú an
chuid a ba fhiúntaí agus a ba leathan-aigeanta acu.
Ansin chuir sí aithne ar Liam Seaghach, agus rin-
neadh ciolar ciot dá teoiric. Níor innis Pádraig
mórán ar bith di fán Eoghanach seo, ach gur
chuidigh sé leis éaló ar na síothmhaoir uair amháin,
agus go raibh " an dearcadh ceart " aige. Luaigh
Pádraig freisin gur Phrotastúnach é, ach ar dhóigh
éigin ní fhéadfadh sí smaoineamh air mar fhíor-
Phrotastúnach. Má ba Náisiúntóir é, ba sórt leath-
Chaitilicigh é, dar léi, díreach mar shíl an tSiúr Eoin
gur sórt leath-Oráistigh gach Caitiliceach ar an
taobh ó thuaidh den Teorainn. Agus tar éis di
bheith seal i gcuideachta Liam rinne a hintinn
calaois aisteach uirthi sa chaoi nach gcuimhníodh
sí ach go hannamh nach duine díobh féin é.

Bhí dúil ag Síle sa tSeaghach ón tús, agus
chothaigh an caidreamh an dúil sin go dtí go raibh
sí beagnach réidh lena admháil di féin gur thion-
taigh sé ina ghrá. Nuair a ghéill sí don tallann sin
ag Caisleán Bhéal Feirste agus threoraigh a
compánach isteach sa choill, bhí a mothuithe agus
a smaointe comh mór sin in achrann gur dhoiligh di
scrúdú a dhéanamh orthu. Sé fírinne an scéil, áfach,
go raibh sí, go fo-choineasach, ag baint triala as
Liam. Dá ndéanfadh sé é féin a iompar " mar

dhuine uasal," ba chruthú é sin, dar léi, gurbh ionann,
nach mór, le buachaill Caitiliceach é. Bhí barúil
comh holc sin aici do mhoráltacht an ghnáth-
Phrotastúnaigh nár chuimhnigh sí ar chor
ar bith go bhfuil púratánachas Protastúnach ann
atá gach pioc comh scruballach leis an phúratán-
achas Chaitiliceach. Ní raibh sí cinnte cá leis a
mbeadh sí ag dréim ó Phrotastúnach i lár coille—
le póig dhrúisiúil, béidir, nó le láimhsiú neamh-
gheanmnaí. Is follasach, áfach, go raibh muinín
áirithe aici as Liam, is a rá nár chreid sí riamh gur
ag dul i gcontúirt a millte a bhí sí. Theip glan
ar an turgnamh. Ní thug Liam iarraidh a mealladh
nó a milleadh. Ar ndóigh, ní dhearna sé faic. Dá
mba é an laoch dea-iompair i gceann de na húr-
scéilíní úd a léadh sí san suanlios sa chlochar, agus
girseach mhífórtúnach éigin a bhí fá smacht aici
ar a glúine ag poll na heocrach ag faire ar eagla
go dtabharfadh bean rialta cuairt gan choinne orthu,
sé a dhéanfadh sé greim urramach a bhreith ar a
láimh agus stánadh go maoithneach bolgshúileach
ar a haghaidh álainn. Agus ní dhearna sé faic.
Má chruthaigh an triail úd éinní, dar le Síle, chruth-
aigh sí nach raibh de spéis ag an Eoghanach inti
ach gur dheirfiúr a charad í. Go dtí sin ní raibh
eatarthu ach claí íseal a bhféadfadh Liam a chos
a chaitheamh go héasca thairsti. Nuair nárbh fhiú
leis an méid sin a dhéanamh, thug an bród uirthi a
thabhairt le fios dó gur fál go haer a bhí sa chlaí
chéanna, agus is as sin a tháinig an abairt úd a
chan sí ar Bhóthar Aondroma, an abairt a ghoin
Liam Seaghach.

CAIBIDIL 11.

TAR éis na hoíche úd ag Caisleán Bhéal Feirste,
d'fhan Liam amach ó mhuintir Uí Phréith.
Dar leis gurb é a b'fhearr. Ní fhéadfadh sé féin
agus Síle bheith ar a suaimhneas i gcuideachta a
chéile feasta. Shíl sé an chéad uair nach raibh sa
rud sin a dúirt sí ag stad na mbus agus iad ag fil-
leadh ón Chaisleán ach sciorr-fhocal a léirigh a
meon. Sé an chiall a bhain seisean as nach raibh
iarraidh air dáiríre i dtigh Phádraig, gur cheil siad
an doicheall a bhí orthu roimhe, toisc gur shíl siad
go raibh an teaghlach uilig fá chomaoin aige as
siocair an ghair úd a rinne sé do Phádraig agus é
ar a sheachnadh; ar ndóigh, ní dhearna Máire
iarracht, fiú, a doicheall a cheilt air. Nuair a
chuimhnigh Liam, áfach, ar an dóigh charadach a
bhí le Síle, go háirithe an Déardaoin úd, ba dhoiligh
dó a chreidbheáil gur mar sin a bhí an scéal. Bhí
sé ró-ghoilliúnach ar fad. Chuimhnigh sé gur
ghnáth le Síle bheith amuigh ar an Déardaoin agus
gur mheas seisean riamh gur i gcuideachta bhuachalla
a bhíodh sí. Dar leis go mbéidir gur tharla achrann
éigin idir na suirígh agus gur de thairbhe taoda
a chinn Síle ar ghabháil amach a shiúl le fear eile.
Tharla Liam in áit na garaíochta. Ní foláir nó
d'aithin sí ansin sa choill go raibh fonn air dul thar
teorann na comrádaíochta. Béidir gur de aon-
turas a chan sí na focla úd, a chur i gcuimhne dó
go raibh fál eatarthu agus go raibh sé de gheasa
air gan féacháil lena bhearnadh. Ba chuma céacu,
rinne sí balla daingean den fhál sin le linn a gcanta,
agus dar le Liam go mbeadh an balla sin le feiceáil
go soiléir aige sínte trasna an tseomra eatarthu, dá

dtugadh sé cuairt arís ar mhuintir Uí Phréith, rud
a bhacfadh dóibh feasta a gcomhrá a dhéanamh go
nádúrtha le chéile. Sé ba dhual dó, a mheas sé,
Síle Ní Phréith a sheachaint.

Bhí sé bréan de na pictiúrlanna, agus mar sin
is annamh a théadh sé amach oícheanta. Ag léamh
ina leabaidh a chaith sé beagnach gach oíche. Níor
chompordach an t-ionad léitheoireachta é, ach é ag
síor-chasadh agus ag tiontó sa leabaidh ag iarraidh
an leabhar a shocrú sa chaoi nach dtiocfadh codladh
glúragáin ina ghéaga agus nach ngoillfeadh solas
na coinnle ar a shúile. Bhí an aimsir fuar go leor
fós, ach ní cheadódh sé do Eistir tine a fhadú sa
tseomra agus an gual comh gann agus bhí.

Is i bPáirc an Ghabhann a cheannaíodh sé mór-
chuid na leabhar. De thaisme a tháinig sé ar an
mhargadh iomráiteach sin, atá i lár an ghréasáin
úd de chúl-shráideanna cúnga ina gcónaíodh bunús
chuid Chaitiliceach Bhéal Feirste an t-am nach
raibh i mBóthar na bhFál ach bóithrín tuaithe agus
a mbíodh Énrí Seoigh Mac Reachthain ag obair i
muileann nua cadáis a athar i Sráid Proinsias, láimh
le Páirc an Ghabhann, a hainmníodh as uncal leis.
Tharla Liam ag siúl suas an tSráid Thuaidh Uach-
tair um nóin, Satharn amháin, agus é ar a bhealach
chun an bhaile. Ar a choiscéim chonaic sé slua
cruinn fá fhuinneoig siopa i sráid bhéal-leathain a
bhí ag dul in uaim leis an tSráid Thuaidh roinnt slat
óna bun sin. Thug tréan fiosrachta anonn é go
bhfeiceadh sé cad é an t-iontas mór a bhí á dtarraing
chuige. Siopa peataí a bhí ann agus ainmhithe den
iomad cineál ar an fhuinneoig, i gcásanna lasmuigh
den doras nó thart ar bhallaí an tsiopa istigh. Bhí
coileáin mhadaidh agus pisíní cait ann, feiréid agus
coiníní agus gan eatarthu lena gcoimeád deighilte

óna chéile ach mogall sreinge; cearca agus colúirí
agus coiligh troda; luchóga beaga bána, orcáin giní
agus éisc éagsúlta. Tar éis deich neomat nó mar
sin a chaitheamh á mbreathnú bhí Liam ar tí
imeacht, nuair a thug sé fá dear siopa leabhar. Níor
luaithe fuinneog an tsiopa sin scrúdaithe aige ná
chonaic sé an dara siopa leabhar i ngiorracht cúig
slat de; agus don réir chéanna dó, agus an tsráid
dá cúngú i rith an bhealaigh go dtáinig sé isteach
go dtí cearnóg Pháirc an Ghabhann. I lár na
cearnóige féin tá cearnóg eile agus a ceithre thaobh
comhdhéanta de shiopaí. Earraí athláimhe is mó
atá ar díol ins na siopaí seo: sean-troscán, sean-
leabhra, sean-éadaí, sean-iarann, sean-iarsmaí agus
sean-sheoda. An t-aon díon amháin atá á gcumh-
dach uilig, sa tslí go gceapfadh stróinséir sa chathair
nach bhfuil ins na siopaí go léir ach foirgneamh
aon urláir amháin. Chonaic Liam daoine isteach is
amach ar gheata fhoscailte, áfach, agus ar dhul fhad
leis an gheata sin dó chuir sé iontas air a aithne
go raibh an tríú cearnóg istigh ina lár arbh ionann
le baile beag ann féin í. Bhí sreathanna siopaí
istigh ansin, agus sráidíní pábháilte, agus díon oll-
mhór gloine thar an iomlán. Shiúil sé thart tríd an
mhargadh. Is beag cineál earraí a d'fhéadfaí a lua
nach raibh á dhíol agus á cheannach ann, ó chraol-
achán go Crois Victoria, ó sheáspán go pictiúir dar
dhathaigh Frainc Mac an Chalbhaigh. Bhí ceirníní
gramafóin ann ó *Who Killed Poor Ragtime* aniar
go dtí *Dear Hearts And Gentle People*, agus ó *I've
Got A Lovely Bunch Of Cocoanuts* siar go dtí coirn
scáinte fónagrafa de chuid Caruso. Bhí leabhra
ann fosta, leabhra den uile chineál, idir sean agus
nua, ó fhoclóir Danmhairgise go dtí an leagan
"Eirise" de Bhodach An Chóta Lachtna, agus ó

93

Hall's Ireland go dtí *Bride From The Streets*. Ins na leabhra, ar ndóigh, is mó a chuir Liam spéis.

D'aimsigh sé siopa ina bhfuair sé leabhra le húdair ar mhian leis riamh a saothar a léamh ach nach raibh teacht aige air ina chontae dúchais—Voltaire, Rabellais, Joyce. Bhí siad seo costasach go maith, ach is beag seachtain ina dhiaidh sin nach gceannaíodh sé dhá cheann ar a laghad. Cineál na leabhar seo, leis an fhírinne a rá, a ba chúis leis an léitheoireacht sa leabaidh. Bhí drochmheas ag Liam Seaghach ar an mheon ar dtug sé " An Coinsias Neamhaontach," a chothaigh a aintín ann, ach ní ligfeadh sé dó neamhiontas ar fad a dhéanamh de. Gidh gur chuir sé ina luí air féin gur ar son na litríochta a bhí sé ag léamh na leabhar seo, ní fhéadfadh sé gan a admháil dó féin go mbfhearr leis nach mbeadh a fhios ag éinne dá lucht aitheantais go raibh sé á dhéanamh. Thar rud ar bith eile, níor mhaith leis a rún a ligean le hEistir Mhic Giolla Dhuibh, ach oiread agus dá mba í a mháthair féin í. Bhí sé cinnte go raibh iarracht den Choinsias Neamhaontach ag cur as do Eistir féin, nó béidir nach raibh ann ach gur de thógáil na tuaithe ise agus gur leis an tsean-ghlúin a bhain sí, agus go raibh dearcadh sean-aimseartha aici dá réir. Ar scor ar bith, thuig sé go measfadh sí leabhra den chineál bheith scannalach ar fad, sin dá dtéadh aici brí ar bith a bhaint astu. Chuireadh sé i bhfolach uirthi ar bharr an tsean-fhaithleasa iad sul a dtéadh sé amach ar maidin chun na hoifige.

Mhair Eistir ag tathant air, áfach, a chuid léitheoireachta a thabhairt anuas chun na cistine. Ní bheadh sé ag cur isteach orthu, a dhearbhaigh sí. Ghéill sé sa deireadh di, agus ina dhiaidh sin ní ba mhó bhíodh sé trí oíche sa tseachtain, ar a

laghad, arais ina shean-ionad ag bord na cistine
agus leabhar éigin, nach gcuirfeadh uafás ar bhean
an tí, leagtha os a chomhair. Thaitin sé go hiontach
le hEistir an fear óg bheith sa chuideachta, fiú
mura labhradh sé focal ó am tae go ham luí. Is
iomaí oíche a chaith siad mar sin, Liam crom os
ceann a leabhair, agus Dáibhidh agus a bhainchéile
ina suí ag an tine, eisean ag léamh an pháipéir
tráthnóna agus ise ag deisiú gíosán.

Bhí lámh ealaíonta ag Eistir ar an obair sin, nó
fuair sí cleachtú a sáith le dachad bliain anuas.
Bhí Dáibhidh iontach cruaidh ar na gíosáin. Ní
bheadh péire nua de stocaí troma olla os ceann cupla
lá air go mbeadh an ladhar nó na sála ag gobadh
amach tríothu. Chuaigh Seoirse bocht lena athair,
agus ón chéad lá a cuireadh ar scoil é go ndeachaigh
sé thar sáile is annamh oíche nach mbeadh uirthi bail
a chur ar phéire nó dhó do dhuine éigin den bheirt.
Bhain Eistir sásamh mór as bheith ag deisiú gíosán
de chuid Liam. Fhad agus bheadh sí i mbun na
hoibre sin, agus Liam sa láthair, níor dheachair di
a shamhailt gurb amhlaidh a bhí Seoirse é féin arais
acu, ina ghasúr scoile ag gabháil dá cheachtanna baile,
nó ina phrintíseach óg a bhí i ndiaidh filleadh ón
Oileán in éineacht lena athair agus a raibh a chúpon
peile á líonadh isteach aige sul a ndéanadh sé a
ghlanadh agus a chóiriú féin le dul amach chun na
pictiúrlainne nó go dtí an club. Chuireadh sé duine
a gháire, an gasúr úd ag an tábla, a ghruaig ina
coilgsheasamh ar a cheann, a shrón smeartha le
dúch ; ach ní fheiceadh Eistir ach an chuma bhuartha
ar a aghaidh. Bhéarfadh sí rud maith ach é bheith
de mhisneach aici éirí agus dul trasna chuige agus
a cheann a chuachadh isteach lena hucht. Ach ní
dhearna sí riamh é. D'éirigh Seoirse iontach neamh-

spleách tar éis dó dul ar scoil. Mhothaigh sí, ar ndóigh, go raibh iarsmaí a naíontachta ann a bhí ag glaoch uirthi agus a d'fháilteodh roimh a barróig; ach thuig sí comh maith go raibh céad-bhorradh na fearúlachta ann cheana a bhéarfadh air tiontó uaithi agus diúltú don laige náireach úd. Ní dhéanadh sí, mar sin, ach a fhiafraí go stuama de: "An dtiocfadh liomsa cuidiú leat, a mhic?" Dá mba é a chuid áirimh a bheadh ag cur as do Sheoirse, deireadh sí leis: "Cuir ceist ar d'athair." Bhí ceann maith do fhigiúirí ag Dáibhidh. Más litriú focail a bhí i gceist, áfach, sé rud a d'éiríodh sí go dtugadh sí isteach ón pharlús an Bíobla mór fána chlúdach de shean-leathar scríobtha a thug sí léi ó Phort an Bhogaigh nuair a hadhlacadh a hathair. Is beag eile a raibh aici le laethe a hóige ina baile dúchais a chur i gcuimhne di: an tsean-chuilt bhreac a rinne a máthair agus a bronnadh uirthi nuair a pósadh í, dhá liathróid de ghloine ghlas-bhán den tsórt a úsáideas iascairí leis na líonta a choinneáil ar snámh, agus an Bíobla. Leagadh sí ar bhord na cistine é. "Anois, cad é an focal atá ag déanamh mearáin duit, a Sheoirse?" a deireadh sí, agus í ag cur uirthi a spéaclaí. Má bhí an focal céanna sa Bhíobla in aon chor, d'aimsíodh sí gan dua é. "Léigh an Leabhar Naofa go minic, a mhic," a deireadh sí go cathréimeach, "agus ní bheidh tú caillte a choíche dhíobháil litriúchán!"

Nuair a bhí Seoirse fásta comh mór sin nach raibh de abhar buartha aige ach a chuid cúpon peile, ní fhéadfadh Eistir cabhrú a thuilleadh leis. Ach ba mhór an tógáil croí fós di a fheiceáil ansin ag an tábla. Anois agus arís, ar son diabhlaíochta, d'iarradh Seoirse comhairle a athar. "Caidé do mheas, a Dheaid, fá sheans Newcastle United in

éadan Arsenal?" D'íslíodh Dáibhidh an *Telegraph*
agus chuireadh cuma bhreithiúnach air féin. "Fan
go bhfeice mé. Nach amhlaidh atá Ailic a-Leithéid-
Seo ag imirt ar son Arsenal?" a deireadh sé, agus
é ag ainmniú Ultaigh éigin a d'imreadh tráth ar son
fhoireann Pháirc an Lín. "Má tá Ailic s'againne
ina n-aghaidh," a deireadh sé, "buafar cinnte ar na
Geordies." Bhí meas millteanach ag Dáibhidh ar
na "Goirm." Dálta go leor eile dá chineál i mBéal
Feirste, shíl Dáibhidh gur chrann cosanta an chreid-
imh Phrotastúnaigh agus na Corónach gach imreoir
deiridh Sacair de chuid Pháirc an Lín, díreach mar
a mhaíodh na Caitilicigh as éachta fhoireann na
gCeilteach amhail is dá mba bhuille ar son na Pob-
lachta agus ar son an Phápa gach báire dá gcuir-
eadh gaiscígh na foirne céanna. Is annamh a
chuimhnigh ceachtar den dá thaobh go raibh Cait-
ilicigh mhí-dhílse imeasc na nGorm, agus Protas-
túnaigh dhílse imeasc na gCeilteach, agus gur ar
son an airgid agus ar son an chluiche féin a bhíodh
siad uilig ag imirt. Bhí Seoirse Mac Giolla Dhuibh
lán comh dílis do Pháirc an Lín agus bhí a athair.
Bhíodh sé sa láthair comh minic agus béidir, nuair
a theagmhaíodh an dá fhoirinn le chéile ar réileán
Pháirc Grosvenor, imeasc an tslua ar Spion Kop ag
canadh "The Sash" agus "The Lily" comh dú-
shlánach le cách, agus ag dreasú na nGorm ins na
"Taidg bhradacha." Ach, ní hionann is Dáibhidh,
bhí Seoirse sásta a admháil nár dhia beag gach fear
dar imir riamh ar son Pháirc an Lín, agus go raibh
peileadóirí imeasc na gCeilteach, agus Sasanaigh
féin a bhí ionchomortais le scoth na nGorm.

Is ar éigin a luaigh Dáibhidh Páirc an Lín nó na
Ceiltigh nó éinní eile a bhain le cúrsaí Sacair, fá
chreataí a thí féin, ó cailleadh a mhac, ach amháin

D

an chorr-uair a thigeadh Ábraham Bléine isteach a
dh'airneál. Níor mhór a raibh de shuim ag Ábraham
i gcluiche peile ar bith, ach bé an ola ar a chroí é
gach uair dá bhfaigheadh Páirc an Lín bua na
gCeilteach. Is i gcúrsaí polaitíochta is mó a bhí spéis
aigesean, agus is mar bhua pholaitíochta a dhearc
seisean ar gach éacht den chineál. Smaointigh
Eistir, uair nó dhó, go mba dheas an rud é dá
ndéanadh Liam cúrsaí peile a tharraing air mar
scéal, agus é ina shuí ansin ag an tábla. Ba bhreá
léi an sean-sholas a fheiceáil á lasadh i súile
Dháibhidh agus é ag leagan uaidh an *Tele* le dul
a chonspóid leis an fhear óg fá fheabhas na ndea-
Ultach a bhí ag imirt ar son foirne Sasanaí éigin.
Bheadh sé beagnach mar bheadh siad tar éis dul
siar deich mblian, beagnach mar bheadh Seoirse ar-
ais acu dáiríre.

Go dtí go dtáinig Liam a chónaí sa tigh bhíodh
gach uile chuimhne dá raibh aici ar a mac ina habhar
crá ag Eistir, siúd is nár bheo di a beo in éag-
mais na gcuimhní céanna is a rá nach raibh fágtha
aici de Sheoirse ach iad; thaiscigh sí ina croí iad
agus iad á céasadh i rith an ama. Ach de réir a
chéile bhí Liam ag glacadh ionad Sheoirse ina croí,
nó béidir go mba chórtha a rá go raibh sí, gan fhios
di féin, ag brú chuimhne Sheoirse siar, claon, le
háit a fhágáil do Liam ann. Aon uair dá n-amhar-
cadh sí anois, agus í ina haonar, ar ghrianghraf
Sheoirse os ceann na tine, ní mar chorpán criath-
raithe ag lobhadh san uaigh a bhíodh sí ag smaoin-
eamh air, ach beagnach mar dhearcfadh máthair ar
shean-phictiúir dá mac a tarraingeadh agus é ina
leanbh, mothú cumha uirthi, cumha i ndiaidh na
sean-laethe aoibhne nuair a bhíodh sé ag cleitear-
naigh fána cosa ar urlár na cistine—agus í san am

chéanna ag fanacht lena mac filleadh, agus é anois
ina fhear fhásta, óna chuid oibre. Nuair a bhíodh
Liam sa láthair agus a d'amarcadh sí ar an phictiúir
úd bhí sé beagnach mar bheadh sí ag cur na beirte
i gcomparáid le chéile, a fheiceáil cad é an t-athrú a
tháinig ar an mhac seo aici i rith an deich mblian ó
liostáil sé san Arm. Ar an dóigh chéanna a ba
ghnáth léi cuimhniú, agus mothú cumha uirthi, ar
an ghasúr scoile, agus í ag coimhéad an phrintísigh
óig ag líonadh isteach a chuid cúpon. Bhí sí anois
ag crothnú na gconspóidí beaga fá chúrsaí Sacair,
díreach mar chrothnaíodh sí, an t-am úd, na hócáide-
acha a bhféadfadh sí an Bíobla a thabhairt isteach
go gcabhraíodh sí leis an ghasúr a chuid litriúchán
a dhéanamh. Gan aon amhras, bhí sé beagnach mar
bheadh Seoirse sa bhaile arais ach é i ndiaidh stad
de bheith ag cur spéise i gcúpoin peile agus cromadh
ar an léitheoireacht ina ionad . . .

Bhí Liam comh minic sin istigh sa tsiopa i
bPáirc an Ghabhann gur ghairid go raibh aithne
súl ag fear an tsiopa air. Ansin tharla tráthnóna
Sathairn áirithe gur theip ar Liam leabhar oiriúnach
ar bith a aimsiú sa tsiopa. D'iarr sé sa deireadh ar
an tsiopadóir theacht i dtarrtháil air.

— Nach bhfuil a dhath ar bith eile agat is fiú
a léamh? a d'fhiafraigh sé.

Thug an fear aniar úrscéilín éigin a raibh
pictiúir péacach ar a chlúdach—straoille fhionn-bhuí
a ba chóir bheith fionn-fhuar comh maith, bhí a
laghad sin cneaséadaigh ag cumhdach a colla, í ina
suí ar a leabaidh, agus fear dubh, a bhí fá chulaith
tráthnóna agus a raibh aoibh dhrúisiúil fána
chroiméal, ag sleamhnú an doras isteach ar a cúl.

— Aistriúchán ón Fhraincis, a dhuine uasail!
Dhiúltaigh Liam go giorraisc é, agus tar éis

tamall machnaimh a dhéanamh thairg an siopadóir feolmhar dó leabhar toirtiúil a bhain, de réir an teidil, le Nósanna Suirí is Pósta na dTreabh Allta. Chroith Liam a cheann go mífhoighdeach.

Bhí fear an tsiopa i sáinn. Ansin bhuail smaoineamh tobann é. Chuir sé a lámh isteach fán chúntar.

— Béidir go mba mhaith leat dornán grianghraf a cheannach, a dhuine uasail, arsa seisean agus é ag caochadh shúile marbhánta ar Liam. Tá siad iontach " te," a dhuine uasail. Coinním do dhea-chuistiméirí amháin iad. Seo sampla duit, a dhuine uasail.

Thug Liam spléachadh ar an phictiúir a sháith an fear eile isteach fána shróin, agus tháinig fonn orla air. Bhí cathú air an leamh-gháire lobhrach úd a bhaint de bhéal an tsiopadóra le buille da dhorn. Ansin fuair sé breith ar a stuaim.

— Féadaidh tú do chuid pictiúirí salacha a chur fá chónaí, arsa seisean go searbh. Thiocfadh liom fuil agus feoil a cheannach ar leath a luacha sin—mura bhfaighinn in aisce féin iad!

Agus shiúil sé amach as an tsiopa.

Shíothlaigh sé de réir a chéile, agus é ag siúl thart tríd an mhargadh. Níor chóir dó, dar leis, bheith ina dhiaidh ar an mhangaire salachair úd. An ghairsiúlacht agus an ghraostacht na gnáth-earraí a bhí le díol aige, agus bhí Liam áirmhithe aige ar na " dea-chuistiméirí " a bhí aige. Chuaigh sé thar an chéasaigh lena chuid grianghraf, ar ndóigh, ach ní raibh sa mhéid sin ach botún den chineál a dhéanann gach siopadóir uair éigin i rith a shaoil, nuair a leagann sé earraí den cháilíocht mhícheart os comhair chuistiméara thoighisigh. Bhí Liam ionraice go leor lena admháil go nglacfadh

sé go fonnmhar le ceachtar den dá leabhar a thairg
an fear dó, ach iad bheith dea-scríofa agus clú na
litríochta orthu. Béidir nárbh olc an rud Coinsias
Neamhaontach bheith ag duine, i ndiaidh an iom-
láin. Béidir go mba é a bhí ag bacaint dó seal a
bhaint as Shirley, an clóscríobhaí, mar a bhain beirt
ar a laghad dá raibh ag obair do Mhuintir Uí
Chríocháin a seal féin aisti, má ba ionchreidte a
gcomhrá. Béidir gur mhithid dó dul a chuartu abhar
léitheoireachta a ba fholláine ná é siúd.

Bhí leabhar eile fána ascaill ag Liam, ag
filleadh chun an bhaile dó: " Betsy Gray, or Hearts
of Down."

CAIBIDIL 12.

Ní go héasca a bhainfeá amach Sráid Eglinton ó
bhall cheapáirithe ar bith i Sráid an Bhardais,
atá leath bealaigh idir an Teach Custam agus
stáisiún an iarnróid L.M.S. Bé nós Liam, agus é
ag teacht chun an bhaile ón oifig, dul leis an tram
fhad le Clog Cuimhneacháin Albert agus suas an
tSráid Ard go dtí Alt an Chaisleáin. De réir mar a
bhí sé ag éirí ní ba eolaí ar an chathair, áfach, agus
de réir mar a bhí biseach ag teacht ar an aimsir, is
amhlaidh a bhí sé ag tosnú ar a athrach de bhealach
chun an bhaile a ghnáthú. Théadh sé de shiúl a
chos suas Sráid Énrí, trasna Sráid Eabhroc, agus
tré Shráid Fheardorcha agus Sráid na Ríona,
Thuaidh, go Sráid Clifton. Ní ar son na siúlóide
nó le luach ticéid ar an tram a choigilt a dhéanadh
sé amhlaidh, ach ar an abhar go mbíodh Shirley
Clóscríobhaí leis an tram go dtí Alt an Chaisleáin
ina chuideachta. Bhí Shirley comh tógtha sin leis

an Eoghanach ard dubh gur minic a sciordadh sí
amach as an oifig agus gan an deargán béil ach
smeartha ar a beola agus gan uaimeanna a stocaí
dírithe ar chor ar bith aici, le Liam a leanúint agus
bheith ar an tram chéanna agus fiú ar an tsuíochán
chéanna leis dá mbéidir é. Gheibheadh Liam
sámhas airithe ó theagmháil a leise boige lena leis
féin, agus ón chuireadh a bhíodh go follasach ina
glór nuair a deireadh sí leis i modh comhrá go raibh
árasán aici ag Páirc na Saileán, i gcomhar le beirt
chailín eile, agus go mbíodh siadsan amuigh gach
oíche. Ach ní dheachaigh sé riamh níos faide ná
Alt an Chaisleáin le Shirley.

Is minic a smaointigh sé gurbh amaideach an
mhaise dó bheith ag diúltú di. Bhí thar fhios aige
cad é an chomhairle a bhéarfadh Seonaí Arbuckle
dó: " Glac a bhfaigheann tú, cibé áit a bhfaigheann
tú é, agus bí buíoch beannachtach ar a shon!" Ar
ndóigh, d'fhóir an fhealsúnacht sin do Sheonaí, ach
ní raibh Liam cinnte gur fhóir sí dó féin. Bhí sé
ró-stuama ar fad. Bhí faitíos air glacadh le rud ar
bith go mbeadh sé cinnte go mbfhiú a ghlacadh.
Seonaí Arbuckle féin, rinne sé botúin de thairbhe
na fealsúnachta sin. An mionnán gabhair úd a
bhronn sean-Roibeard Huiteacháin air agus é ina
ghasúr bheag iomlatach; bhí sé lán-chinnte go
mbeadh neart bainne aige ar ball, ach ní bhfuair sé
as ach léabairt teangadh óna mháthair as pocán gan
mhaith a thabhairt chun an bhaile leis, agus léabairt
de chineál eile óna athair maidin lá tharna bhárach
toisc gur chaith an bhrúid an oíche uilig ina
sheasamh ag méiligh ar bharr an chlaí agus chuir
a chodladh de dhíobháil air. Agus an bhean úd a
b'éigean do Sheonaí a pósadh ar an abhar go raibh
sí ag iompar clainne dó—agus gan é sásta ina aigne

ar chor ar bith gur ghin dá chuid-sean a bhí ina broinn.

I dtaca le Shirley de, ní raibh á tairgsint aici do Liam ach a colann mhí-stiúrtha, agus gan an méid sin féin ach ar iasacht. Agus chonaic Íosóg Ó Críocháin i gcuideachta a chéile ar an tram iad, cupla uair. Níor dhúirt sé rud ar bith le Liam ina taobh, tar éis dó an lid úd a thabhairt dó nuair a tháinig sé a dh'obair san oifig ag tús na bliana, ach dar le Liam go dtáinig dreach aisteach ar a shean-aghaidh. Béidir nach raibh ann ach go ndearna sé draothadh aorach gáire fána chromóig éin chreiche, nó béidir go raibh sé ag dúr-mhalaíocht agus ag smaoineamh go drochmheasúil nár chreidiúint ar bith dá athair fhiúntach an fear óg, i ndiaidh an iomláin. Ghoillfeadh ceachtar acu ar Liam, nó bhí Íosóg iontach cineálta foighdeach leis. Agus comh maith leis sin bhí a Choinsias cigilteach á crá arís. Shirley, mar sin, a thug air dul i muinín na coisíochta. Murbh é sin, béidir go mbeadh sé níos faide fós sul a gcastaí ar Phádraig Ó Préith arís é, nó bhí obair shealadach ag Pádraig fán am seo i ngaráiste bheag i gcúl-shráid de Shráid Eabhroc, ag sean-fhear Protastúnach a raibh aithne aige ar mháthair Phádraig nuair a bhíodh an tábhairne aici agus a raibh meas aige uirthi.

Tharla tráthnóna amháin, agus Liam ag tarraing ar an bhaile, gur chuala sé duine éigin ag glaoch air ina ainm. Thug sé thart a cheann agus d'aithin Pádraig ina dhiaidh. Rinne sé moill, agus tháinig an fear eile aníos leis agus gaiseá ann.

— Damnú ort, 'Liam, tá tú seachantach go maith. Seo an tríú huair a chonaic mé uaim thú, ach is ar bharr tram a bhí mé gach uair, agus bhí tú caillte agam sul ar éirigh liom teacht anuas. Dé tháinig ort ar scor ar bith? Níor nocht tú do ghnúis mhíofar 'tigh s'againne le breis is mí.

— Shíl mise go bhfaca sibh bhur sáith di mar ghnúis. Níor mhaith liom bheith i gcónaí ag teacht sa díobháil oraibh.

— G'amach as sin, a shean-bhealastáin! Bíonn fáilte i gcónaí romhat 'tigh s'againne. Tar aníos chugainn tráthnóna Domhnaigh, nach dtiocfaidh? Tá mo mháthair ina suí, bíodh a fhios agat, agus tá sí i bhfáth le haithne a chur ort.

Bhreathnaigh Liam uaidh go meabhrach. Is minic a smaointigh sé go mba mhaith leis a fheiceáil cá leis a raibh máthair Shíle cosúil. Aigh, Síle! An dtiocfadh leis bheith cinnte gur fonn fiosrachta leis an tsean-bhean a fheiceáil a bhí ag cur cathuithe air . . .

— Agus bhí Síle 'd'fhiafraí, arsa Pádraig.

Thug Liam spléachadh géar air, ach níor léir dó éinní ar a aghaidh-sean.

— An raibh, anois?

— Bhí, leoga.

— Agus Máire? Fáilte ar dóigh a chuirfeas sise romham, is dócha!

Rinne Pádraig gáire.

— Och, a dhuine, ná tabhair aird ar bith ar Mháire bhoicht! — Ach tiocfaidh tú aníos Dé Domhnaigh fá choinne tae?

— Bhail, tiocfaidh má tá tú cinnte nach mbeidh mé ag cur isteach oraibh.

— Maith an fear!

Chuir Liam lena ghealltanas. Shroich sé an teach i Sráid Tennyson i dtrátha an cheathair. Síle a d'fhoscail an doras dó.

— Tháinig tú, arsa sise. Shíl mé go mbéidir nach dtiocfadh.

Stán Liam uirthi. Dar leis go dtáinig athrú éigin uirthi ó scar sé léi ag an doras seo i ndiaidh na cuairte úd ar an Chaisleán. Bhí sí níos dathúla ar dhóigh éigin, níos aibí, ach má bhí, bhí sí níos ciúine, níos stuama, níos foirmeálta.

— Aigh, tháinig mé.

Níor canadh a thuilleadh eatarthu an t-am sin, nó tháinig Pádraig amach as an pharlús.

— Tóg ort isteach chun a' pharlúis, a Liam, arsa seisean. Buíochas do Dhia nár fheall tú orainn i ndiaidh a ndearnadh de fhuinteoireacht agus de choiriú gruaige 's de phúdaráil srónach!

Rinne Liam leamh-gháire agus thiontaigh chuig Síle le focal éigin grinn a chanstan. Ach bhí a droim leis, agus í ag dúnadh an dorais.

— Tá mo mháthair istigh anseo, arsa Pádraig agus é á sheoladh isteach go dtí an parlús.

Bhí bean bheag mhílítheach, a raibh a haghaidh níos sine ná a guth, ina suí sa chathaoir uillinn, agus seál fána slinneáin. Chuir sí fáilte chineálta roimh Liam agus shín a lámh ions air, ach gan féacháil le héirí ina seasamh. Bhí an lámh chéanna comh tana sin go raibh sé mar bheadh taibhse ag leagan a láimhe ar mhéara Liam agus na méara sin ag drod ar láimh nach raibh inti dáiríre ach gal toite.

Shuigh Liam síos ar chathaoir os a coinne anonn, agus shocraigh Pádraig é féin ar an tolg.

—Chuala mé an dubh-rud fá dtaobh díot, arsa an tsean-bhean.

—Agus gan mórán ar bith de a bhí moltach, is dócha!

Bhreathnaigh Liam í. Dar leis, tá sí iontach cosúil le Síle, an dóigh a gclaonann sí a ceann ar leataoibh, na súile glinne glasa, na ceannaighthe.

Bhí sí dathúil tráth, déarfainn. Is dócha go mbeidh Síle mar sin, lá éigin. Agus chuir an smaoineamh mothú cumha air.

— Creidim go ndearn tú gar dó, a Liam, an t-am a raibh sé go mór ina fheidhm, arsan mháthair.

Chroith Liam a cheann, ag cur ina héadan.

— Is ag Dia atá fhios caidé tharlodh do mo mhac ach go dtáinig tusa i dtarrtháil air, arsan tsean-bhean.

— 'Dhath ar bith níos measa ná an slaghdán a fuair sé as! arsa Liam.

Chuir Pádraig a ladar sa scéal.

— Slaghdán a rachadh i bhfadálacht ionam sa Churrach, dá mbaininn amach an taobh thall i gcuideachta na beirte eile, nó i bPríosún Doire dá bhfaigheadh an dream abhus a gcrúba orm!

D'amharc an tsean-bhean go géar orthu.

— Innis domh fá dtaobh de, a Liam. Ní bhfuair mé fírinne an scéil go fóill. Sé rud a shíl na páistí go ndéanfadh sé dochar éigin domh. Ag déanamh go mbeadh an fhírinne lom fá mhíle de bheith comh creathnach leis na huafáis a shamhlaigh mé féin ina héagmais! a chríochnaigh sí go searbh.

D'amharc an bheirt fhear ar a chéile. Bhí Pádraig neomat idir dhá chomhairle. Ansin sméid sé a cheann ar Liam.

— Innis leat, a Liam.

— Bhail, níl a fhios agam caidé mar ba chóir toiseacht, a Bhean Uí Phréith. Níl mórán ar bith le hinse agam. Is amhlaidh a bhí mé ag siúl ar bhóthar iarainn Dhún na nGall isteach go dtí an Srath Bán ón Chladach, tráthnóna áirithe, nuair— och, bain thusa an ceann den scéal, a Pháidí!

— Páid s'againne? arsa an tsean-bhean. D'innis an cleasaí céanna a oiread sin bréag nach bhfuil dul aige féin aithne idir an fhírinne agus an chum-raíocht!

— Sí an fhírinne a gheobhas tú an iarraidh seo, a Mhaim, arsa Pádraig, ó tharla Liam anseo le mo bhréagnú! Is cuimhin leat an geimhreadh cruaidh a d'imigh mé gan fhios?

— Sin geimhreadh nach ndéanaim dearmad de go dté ordóg an bháis ar mo shúile!

— Bhail, is amhlaidh a bhí an tóir orm féin agus ar bheirt eile de na buachaillí ar fuaid Thír Eoghain —is cuma cad chuige. Cibé ar bith, dar linn go mba é ár leas an Saorstát a bhaint amach an dá luas 's béidir. Fhóbair go mbeirfí orainn in Oghmhagh, ach d'éirigh linn ár mbealach a dhéanamh fhad leis an tSrath Bán. Bhí a fhios againn go mbeadh siad 'nár n-airicis ag an Teorainn, ach dar linn go mbéidir go rachadh againn éaló trasna. D'fhéachamar na droichid, ach b'fhollasach go mb'ionann is ár lámha a chur in airde agus géillstin, iarraidh a thabhairt ansin. Chinneamar ar ghabháil ar an tsnámh san Fhinn leath bealaigh idir an Srath Bán agus an Cladach. D'fhágamar an gluaisteán i ndíg ar Bhóthar Urnaidhe, agus scaip soir siar, gach duine ag déanamh as dó féin. Bhí mé díreach ag baint na mbróg díom féin lena gceangal fá mo mhuinéal nuair a chuala mé duine éigin ag tarraing orm. " Ó, Tiber, Father Tiber, to whom the Romans pray !" arsa mise, agus isteach liom thar mullach mo chinn. Ach ní raibh thar cupla bang snámha déanta agam nuair tháinig crambaí orm.

— 'Íosa, a Mhuire 's a Iosef! arsa a mháthair fá uafás.

— Tóg go bog é, a Mhaim. Tháinig mé as, mar tchí tú! Tá, d'éirigh liom an bruach a bhaint amach arais, ach ní ligfeadh an eagla domh theacht amach

as an abhainn. Chrom mé síos ansin agus gan dé
scáth agam ach an dorchadas agus dos siolastair 's
luachra, agus mé ag guí Dia nach bhfaca an fear sin
a bhí chugam mé, nó má chonaic, gur duine den
tsórt cheart a bhí ann. Bhí sé gearr-dhorcha, ar
ndóigh, ach d'aimsigh sé go furasta mé, nó sheasaigh
sé comhgarach don áit a raibh mise ag ligean orm
nach raibh ionam ach bual-lile. Ansin, arsa seisean
fána anáil : " Fan socair go dtuga mé an lid duit
theacht amach." Cupla bomaite ina dhiaidh chuala
mé glórthaí fear agus shíl mé cinnte go raibh an boc
seo ag deanamh scéil orm. Bheinn lán-chinnte de
dá bhfeicinn ag labhairt leis na B-fhir udaí é !

— Agus ní dhearna, arsa a mhathair, a raibh
an dubh-spéis aici san insint.

— Ní dhearna, maise. Cé bhí ann, do bharúil,
ach mo Liam cóir anseo !

Chuaigh Liam arais sa scéal lena thaobh féin
de imeachta na hoíche úd a aithris.

— Chonaic mé na síothmhaoir ag faire an
droichid ag an Chladach, an dtuigeann tú, a Bhean Uí
Phréith, agus ansin nuair a chonaic mé an duine seo
ag iarraidh gabháil i bhfolach fá bhruach na
habhann, thomhais mé gur Poblachtóir ar a sheach-
nadh a bhí ann. Bhí raidfil ag na constáblaí ar an
droichead, agus ní thabharfadh siad amach na raidh-
fil le dornán smuigléirí a cheapadh. Cibé ar bith,
sé an fáth ar dhúirt mé leis a cheann a chur faoi,
go bhfaca mé beirt Speisialtach ag teacht isteach
thar gheata ó Bhóthar Urnaidhe. Is amhlaidh a bhí
siad i ndiaidh theacht ar an ghluaisteán tréigthe.
D'fhiafraigh siad díom an bhfaca mé duine ar bith
ar an líne idir sin agus an Cladach. Dúirt mé nach
bhfaca agus d'imigh siad leo soir a chuartú feadh
bhruach na Finne. Choimhéad mé as amharc iad

sul a dtug mé le fios do Pháidí go raibh an bealach
réitithe roimhe.

— Ghlac siad comh réidh sin le d'fhocal! arsan
tsean-bhean go hiontach.

— Aigh, ach bhí aithne againn ar a chéile le
fiche bliain roimhe, an dtuigeann tú.

— Ó!

— Agus ansin, chríochnaigh Pádraig, chuidigh
sé liom theacht aníos as an abhainn—agus creid
uaimse é, a mháthair, sin lámh cuidithe a bhí go géar
de dhíobháil orm, nó bhí an fuacht i ndiaidh ghabháil
go smior ionam—agus threoraigh sé go dtí teach
fhir iontaofa mé. Taobh istigh de fiche bomaite
bhí mé slán sábháilte, tirim teolaí agus béile te 'mo
ghoile.

Chroith a mháthair a ceann go cráite.

— Dá mbeadh a fhios agam!

— Bhail, a mháthair, arsa Pádraig. Ní bheadh
beo ort go gcluinfeá an scéal. Ba cheart go mbeadh
suaimhneas intinne agat feasta.

D'amharc Liam aníos agus fuair Síle ina seas-
amh ag an doras agus í ag stanadh go haisteach air.
Las sí suas nuair a thóg sé a cheann, agus d'amharc
sí ar shiúl.

— Tá an tae réidh, a Mhaim. An dtabharfaidh
mé isteach anseo é? Tá na soithigh leagtha amach
ar an tábla istigh, ach smaointigh Máire go mbeifeá
níos teo anseo.

— Ná bac leis, a 'níon. Rachaidh mé arais chun
mo leapa, agus béidir go dtabharfá thusa nó Mallaí
cupa tae aníos chugam ar ball.—Caithfidh mé slán
a fhágáil agat, a Liam. Bhí lúcháir orm aithne a
chur ort. Agus go gcúití Dia leat an meid a rinne
tú mar mhaithe leis an chnapán amadáin atá mar
mhac agam!

Chaoch Pádraig ar Liam, agus d'éirigh ina seasamh.

— Seo, a mháthair, bhéarfaidh mé suas an staighre thú.

— Tá sé ceart go leor, 'Pháid, arsa Síle. Dhéanfaidh mé féin é. Fan thusa anseo le Liam.

— Dheamhan mo chos 'fhanfas. Ach fan thusa a choinneáil cuideachta leis an chuairteoir!

Fágadh Síle ina haonar le Liam. Níor canadh siolla. Ní raibh ceachtar acu ar a shuaimhneas. Tháinig Síle aniar agus lig uirthi bheith ag coigilt na tine. Dar le Liam go raibh sí ag fanacht le focal uaidhsean. Dá mba rud é go raibh sí ag doicheall roimh an chomhluadar, d'fhéadfadh sí imeacht ón tseomra ar leathscéal éigin. Ach d'fhan sí.

— Béidir nár chóir domh a theacht inniu. Shíl mé féin go mb'fhearr fanacht ar shiúl, ach nár mhaith liom diúltú a thabhairt do Pháidí.

— Níl a fhios agam caidé bheadh ort gan a theacht, a Liam. Bíonn fáilte i gcónaí romhat.

Ach is fuar-bhéasach a dúirt sí é.

— Tá tú millteanach fuar-aigeantach anocht, a Shíle, cibé rud atá cearr.

Is teasaí go leor a thug Shíle freagra air.

— Bhfuil, anois? Bhail, tá brón orm. Ach fuar-aigeantach go leor a bhí tusa nuair a scaramar lena chéile an oíche dheireannach, cibé rud a bhí cearr leatsa! Agus fada go leor a d'fhan tú ar shiúl!

D'amharc Liam fá iontas uirthi.

— Is dócha go bhfuil an ceart agat, a Shíle. Ach is amhlaidh a bhain mé an chiall chontráilte as rud áirithe a dúirt tú an oíche udaí.

— Caidé rud é?

— Inseodh mé duit am éigin eile, mura miste

leat. Is leor anois a rá go n-iarraim ort gach cineál
a mhaitheamh domh.

D'fhan Síle ciúin socair ag stanadh isteach i
gcraos na tine agus an tlú ina láimh aici. Ansin
d'amharc sí isteach idir an dá shúil air.

— Tá athas orm go dtáinig tú inniu, a Liam,
arsa sise.

CAIBIDIL 13.

MAIDIN Lá Fhéile Pádraig d'fhógair Dáibhidh
Mac Giolla Dhuibh go raibh rún daingean
aige gan corrú as a leabaidh go dtí i ndiaidh an dó
dhéag.

— Gidhea, tá scíste tuillte ag an chréatúir, arsa
Eistir agus í ag giollacht a chéad phroinne do Liam.
Is annamh a gheibh Dáibhidh s'agamsa faoiseamh
ón obair, ach ag saothrú leis ó dhubh go dubh,
Domhnach 's dálach. Ar ndóigh, ní hé a cheart
bheith ag briseadh na Sabóide mar sin, siúd 's go
n-admhaím go bhfuil an t-airgead maith. Bhí sé
inleathscéil le linn an Chogaidh nuair a bhí an Im-
pireacht i gcontúirt agus an Bhreatain i bhfíor-
chruachás. Ach tháinig sí as, a bhuíochas sin leis
an Tiarna, agus tá a athrach de scéal le haithris
anois.

Chroith sí a ceann go buartha.

Bhí Liam ag snasadh a bhróigíní sa chistin,
agus a leathchos in airde ar chathaoir. Cupla uair
tháinig sé chun an bhéil ag Eistir a rá leis, idir
shúgradh is dáiríre, mar adeireadh sí le Seoirse sa
tsean-am: "Tóg ort amach chun a' chlóis, a
ruifínigh shalaigh!" ach nach raibh sí cinnte an
nglacfadh sé ina ghreann é.

— Bhíodh an Domhnach saor ag d'fhear céile, is dócha, ins na laethe reamh-chogaidh? arsa Liam.

— Aigh, agus d'fhanadh sé 'na leabaidh, agus bheirinn a bhricfeasta suas chuige sul a dtéinn amach chun an teampaill, agus luíodh sé ansin 's an *News Of The World* á léamh aige go dtí go mbeadh an dinnéar réidh. Agus b'fhiú dinnéar a ghlaoch air an t-am sin—rósta deas súmhar 's prátaí bácailte, nó leis bhlasta uaineola agus pís nach dtáinig as stán, nó béidir giota muiceola. Bhíodh dúil mhór ag Seoirse s'againne i gcraiceann bhriosc na muiceola, ón chéad lá riamh a chuaigh feoil isteach 'na bhéal. Thaitin sé leis bheith ag diúl stiall den chraiceann fiú sul ar stad sé de chaitheamh naipcín naíonáin.

D'fhan sí ciúin ar feadh neomait, an ghabhlóg crochta os ceann ispín. Ansin chuimhnigh sí uirthi féin, agus thug sonc nimhneach don ispín.

— Tháinig athrú ar mhuin athruithe! Samh-dógaí nach bhfuil iontu ach poñairí soya, agus bágún nár fhás riamh ar mhuic ar bith, geallaim duit—giota de shean-rhinoceros nó ainmhí coimhthíoch éigin den chineál, comh dócha lena athrach! Aigh, na sean-laethe! Théimís uilig amach i gcuideachta a chéile go dtí an teampall Modhach ag an Siorcas. Ach sin tamall maith de bhlianta ó shoin, ar ndóigh. Aigh, Dáibhidh 's mé féin go sciobtha scuabtha fánár n-éadaí Domhnaigh, agus Seoirse beag ag rith romhainn agus é go hinneallta fána chulaith bhig mhairnéalaigh a raibh cnaipí práis uirthi agus ancaire beag ar an uile cheann acu. Fiche uair taobh istigh de chéad slat bhíodh orm a ordú amach as na guitéir mar a mbíodh sé ag bailiú sean-ticéadaí tram. Aigh . . . Is dócha go dtig na sean-chuimhní arais chugat fein, corr-uair, a Liam, fá na maidneacha Domhnaigh a théifeá amach chun an teampaill i

gcuideachta do thuismitheoirí féin, agus gan tú níos
sine ná Earnán beag Mac Uidhlidh . . .

Bhí Liam crom os ceann a bhróigíní. Thug
caint Eistir air smaoineamh ar na maidneacha
Domhnaigh, nach raibh anois ach mar bheadh
cuimhne ar shean-chuimhní, a bheireadh a mhathair
ar ghreim láimhe léi isteach sa teach pobail Caitili-
ceach Rómhánach é. Níor chuimhneach leis anois
ach gur shíl an páiste udaí go raibh an díon comh
hard le flaitheas Dé, agus nach raibh an sagart uasal
a tháinig amach fána róbaí órshnáitheacha ar an
altóir ar dhóigh ar bith cosúil leis an sagart a chíodh
sé ar an bhóthar, le seanóir sin na mbróg salach a
ligeadh don tsnaoisín titim anuas ar bhrollach a
bheiste agus a chaitheadh hata meirgeach a scan-
ródh gach préachán fá mhíle dó . . . Dar le Liam,
caidé déarfadh Eistir dá mbeadh a fhios aici gurb é
rud a d'fhágadh a athair ag doras an tseipéil Chaiti-
licigh Rómhánaigh iad agus go dtiomáineadh sé féin
i gcarr bheag na roth mór, agus Daisy
an ghlas reamhar, ar sodar, go dtí an teampall
Preisbitreach?

— Caithfidh sé gur ceantar iontach cráifeach é
seo, a Bhean Mhic Giolla Dhuibh, adúirt sé sa deir-
eadh, más comhartha ar bith an méid teampall atá
idir an Siorcas agus an Ascal Ríoga.

— Bhail, ó deir tú é, a Liam, tá neart. Fan go
bhfeice mé. Tá Teampall Cuimhneacháin Carlisle
abhus ag an tSiorcas, agus Teampall Naomh Enoch
ar an taobh thall, agus Teampall Naomh Aindriú
ag na Preisbitrigh Albanacha, agus an seipéal
Caitiliceach Rómhánach—.

— Teampall Naomh Pádraig, atá tú a rá?

— Aigh, ach tá seipéal beag thart an coirnéal i
Sráid na Ríona Thuaidh, fosta. Teampall Preis-

bitreach a bhíodh ansin na blianta ó shoin, ach se
rud a cheannaigh na Caitilicigh Rómhánacha uathu
é agus bhaist as Naomh Caoimhín é—cibe é féin.
Sin an t-am ar éirigh Ábraham Bléine as an Eaglais
Phreisbitrigh.   Dúirt sé go raibh siad ag díol a
n-oidhreachta leis an Róimh. Tá a fhios agat féin
comh tógtha 's éiríos Ábraham fána leithéidí. Is go
dtí an Halla Soiscéalaíochta ar Bhóthar an tSean-
Lóiste a théid sé anois, nuair a théid sé áit ar bith.

    — Aigh, arsa Liam. Tá fir i ndúthaigh
s'againne a d'éireodh lan comh tógtha dá ndíoltaí
feirm Phrotastúnach le Caitiliceach Rómhánach.

    Chroith Eistir a ceann.

    — Tá sin ag gabháil thar a' chéasaigh! arsa
sise, agus í ag aistriú bhricfeasta Liam ón fhrioch-
tán go dtí an pláta agus á chur isteach sa tsorn lena
choinneáil te go mbeadh an t-arán práta agus an
t-arán cruithneachta agus an t-arán sóid friochta
aici fosta. Caithfidh Caitilicigh Rómhánacha bheith
beo comh maith le Protastúnaigh, tá a fhios agat.
Ach nuair a éiríos Ábraham Bléine tógtha ní bheadh
a fhios agat caidé dhéanfadh sé. Is cuimhin liom
go mbíodh Ábraham i gcónaí ar thús cadhanaíochta
nuair a bhí an tóir á chur ar na Caitilicigh Rómhán-
acha amach as na sráideanna idir seo agus Cnoc na
Carraige. Bhíodh sé ag iarraidh Dáibhidh a ghríosú
fosta, ach tá Dáibhidh s'agamsa ró-stuama don obair
sin. Go dearfa, nuair a chuir siad tine leis an tábh-
airne abhus i Sráid na Críche Thuaidh, is amhlaidh
a chuir sé fá dhein na bpéas. Chuir siad amach carr
armúrtha as Beairic Chearnóg Brún. Chuaigh sé
suas Bóthar an tSean-Lóiste, ach nuair a chonaic na
péas an slua a bhí cruinn is amhlaidh a thug siad
thart an carr ag Sráid na Cúirte agus tháinig arais
'na beairice.

— Ba chladhartha an mhaise dóbhtha é, arsa Liam.

— Ní cladhartha go díreach a bhí siad. Protastúnaigh a bhí iontu, an dtuigeann tú. Ní fhéadfá bheith ag dúil go scaoilfeadh siad fána muintir féin, agus ní loicfeadh an slua udaí i Sráid na Críche Thuaidh rompu. Níl ann ach gur aithin siad nár ghar dóbhtha a ladar a chur sa scéal. Agus ba bhocht an scéal é, ar ndóigh. Mharófaí an tábhairneoir gránna ach gur éirigh le Séimí Wilson as Sráid Carlisle agus Dáibhidh s'agamsa agus beirt nó triúr eile baint fúthu. Ach ˉcreidim go raibh an tábhairneoir céanna—agus fear fiúntach a bhí ann, má ba Chaitiliceach Rómhánach féin é—tamall maith idir bás 's beatha san Ospidéal Mater sul a dtáinig sé as. Níor dhóigh siad an tábhairne i ndiaidh an iomláin, siúd 's go ndearna siad tine chnámh i lár an bhóthair dá raibh de thrioc sa tigh. An méid a chan Séimí Wilson a chuir náire orthu, is dócha.

— Caidé dúirt seisean?

— Chuala mise ó Dháibhidh é. Sé adúirt Séimí Wilson: "Níor mhiste le duine ar bith agaibh é bheith 'na Phápaisteach an t-am a raibh na deochanna á ndáileadh amach saor in aisce aige!" — Protastúnach a bhí i mbun an tábhairne 'na dhiaidh, ach ní raibh aon rath air. Scriosadh an áit agus maraíodh é féin agus a mhuirín uilig le linn na n-aerruathar.—Níl a fhios agam nach é lámh an Tiarna a leagadh orainn. Agus tchí Dia gur trom a leagadh ar mhuintir an cheantair seo í. Ar ndóigh, b'iad na Caitilicigh Rómhánacha a chuir tús leis an iaróig, ag scaoileadh fán mhórshiúl agus é ag pilleadh ón Pháirc. I 1935 a tharla na huafáis sin uilig. Ní bheifeá féin ach 'do bhuachaill óg an t-am sin. Bhí Seoirse s'againne féin díreach ar tí an scoil a fhág-

áil, is cuimhin liom ... Nach bhfuil snas do sháith
curtha ar na bróigíní sin agat go fóill, a Liam? Tá
do bhricfeasta ag fanacht leat. An amhlaidh atá tú
ag gabháil amach le cailín beag inniu? Ní fhaca
ıné riamh Seoirse s'againne ag cur a oiread sin ama
amú ag glanadh a bhróg, go dtí gur thóg sé a shúil
le cailín éigin. Cá bhfuil do thriall-sa inniu, ar scor
ar bith, mura miste domh fiafraí díot?

— Bhí mé ag cuimhniú ar chuairt a thabhairt
ar Gharraí na nAinmhithe ag Bellevue.

— I d'aonar?

Chuir Liam an clár go cúramach arais ar bhosca
an tsnasáin sul ar fhreagair sé í.

— Sé, arsa seisean, i m'aonar.

Ghoill sé air bheith ag inse bréag don tsean-
bhean chineálta. Ach conas d'fheadfadh sé a rá léi,
i ndiaidh ar aithris sí an mhaidin sin, gur le cailín
beag Caitiliceach Rómhánach a thóg sé a shúil féin!

*　　　*　　　*

Bhí Síle ar Aifreann luath ag Cluain Iorraird agus
bhí sé de uain aici filleadh abhaile lena céadphroinn
a chaitheamh agus lámh chuidithe a thabhairt do
Mháire le hobair an tí, agus ansin bheith in airicis
Liam ag Alt an Chaisleáin agus mála beag léi ina
raibh ceapairí don lón. Bhí sí iontach tógtha agus
claon beag imníoch lena chois. Dálta bhunús na
gcailíní a oiltear i gclochair bhí Síle rómásach ina
smaointe fá chúrsaí grá agus suirí. D'fhoghlaim si
cuid mhór ó tháinig sí amach sa tsaol arais. Go
dearfa, d'fhoghlaim sí beagán roimhe sin féin. Bhí
dalta lae a cuireadh ar shiúl toisc í bheith ag suirí
oícheanta le saighdiúir. Fán am seo bhí Síle i bhfad
níos eolaí agus gan faic níos mó de chéill cheannaigh
aici. Bhí dúil aici i Liam Seaghach ón chéad uair

a leag sí súil air, Lá Coille. Bhí ciall don ghreann aige, díreach mar bhí aici féin. Ní raibh a fhios aici go fóill féin cad a thug uirthi dul amach leis an oíche úd go dtí an Caisleán, ach bhí áthas uirthi go ndeachaigh. Fuair sí aithne cheart air an oíche sin, dar léi. Bhí draíocht san oíche chéanna, cinnte. Bhí sé díreach mar tharlódh i bhfinnscéal éigin, dar léi— an caislean, an ghealach, ciuineas na coille. Shíl sí, an uair sin a sheasaigh sí agus a cúl le crann agus a tháinig Liam comhgarach di, go raibh sé ar tí a pógadh. Agus tháinig eagla uirthi, ní eagla roimhe-sean, ach eagla roimpi féin. Ní bheadh a fhios ag duine cad é dheanfadh sí an oíche sin ach gur thiontaigh Liam uaithi agus chuaigh a lorg an chosáin. Bhí sí buíoch dó, agus bhí meas méadaithe aici air; fear nach nglacfadh buntáiste ar chailín, fiú nuair a baineadh dá cosaint í. Ina luí ina leabaidh an oíche úd, d'admhaigh sí di féin go raibh sí i ngrá le Liam Seaghach. Agus gach lá dar fhan sé amach uaithi is amhlaidh a bhí sí ag éirí níos ceanúla air. Níor thuig sí fós cad é ba chúis dó fanacht comh fada sin ar shiúl, agus ba chuma léi. Bhí siad mór le chéile aris, ar dhóigh nach raibh roimhe. Ní raibh Síle ag breathnú roimpi, ach oiread. Ba chuma cad é tharlódh sa todhchaí. Ba leor léi an lá agus an nuaíocht a bhí ag baint leis an mhothú aoibhnis a bhí ina croí.

Thit an croí céanna nuair a shroich sí an tAlt agus a d'aithin nach raibh Liam ann roimpi. Dúradh léi riamh gurb é ceart an chailín bheith mall do choinne le fear. Nuair a chonaic sí, mar sin, de réir an chloig ar Halla na Cathrach go raibh sise díreach in am is amhlaidh a chuaigh sí a spaisteoireacht ar a suaimhneas siar Plás Dún na nGall agus í ag deanamh fadála ag corr-fhuinneog siopa.

Chaith sí cúig neomat ag breathnú fhuinneog
Robinson & Cleaver, agus ansin d'fhill ar a coiscéim.
Nuair a chonaic sí uaithi é, ag deifriú trasna na
sráide go dtí an t-ionad coinne ag siopa tobac Leahy,
Kelly & Leahy, léim a croí ag fáiltiú roimhe.

CAIBIDIL 14.

BUÍOCHAS do Dhia ar son na dea-aimsire,
arsa Síle, comh luath agus bhí sí socair san
tsuíochán. Is mór an gar go dtig Lá Fhéile
Pádraig le linn an Chorgais. Ar ndóigh, bíonn sé
millteanach deacair toiseacht as an úire 'na dhiaidh,
má bhí tú ag déanamh corgais ar mhilseáin nó ar
thoitíní roimhe. Is cuma do Pháid s'againne.
Bíonn rún daingean aigesean, gach Corgas dá dtig,
na toitíní a thabhairt suas, ach is annamh a mhair-
eas sé thar coicíos. Ach nuair a chuimhníos duine
air, níl mórán fágtha againn le corgas a dhéanamh
air. Bíonn achan lá 'na Aoine, tigh s'againne, nó
gheibh Páid bunús a mbíonn d'fheoil sa chiondáil.
Rinne mé féin corgas ar an tsiucra anuraidh, agus
d'fhág sé comh caol folláin sin mé gur sheachain
mé riamh ó shoin é. Agus ar scor ar bith, is amh-
laidh a chuir an tae milseánta samhnas orm nuair
a d'fhéach mé arís é—agus sin i ndiaidh mé bheith
ag dúil go mífhoighdeach le Lá Fhéile Pádraig go
bhfaighinn cupa tae a mbeadh siúcra air! Chonac-
thas domh é bheith millteanach milis ach an gráin-
nín beag ba lú a chonaic tú riamh bheith 'na luí i
dtón an chupa. Mallaí an duine is géar-chráifí uilig
againn. Téann sise amach chun Aifrinn gach uile
mhaidin i rith an Chorgais, ach béidir nach mór ar
fad an tairbhe di é i ndiaidh a gcuireann Páid de

mhallachta uirthi as a mhuscailt go luath lena trup-
áil suas staighre 's síos staighre! Ceart go leor, ní
fhéadfá gan gáire a dhéanamh fá Mhallaí s'againne,
arsa Síle agus í ag tabhairt fá dear go raibh aoibh
ar Liam.

— Maise, ní Mallaí an t-abhar gáire ach tú
féin.

Rinne Síle féin gáire.

— Ó tharla go n-abair tú é, ní dheachaigh drod
ar mo bhéal ó bhordáil muid an bus! Agus, ní do
bhriseadh an scéil é—níl seamróg ar bith á caith-
eamh agat. 'Ach béidir nach gcleachtann sibhse
seamróga a chaitheamh Lá Fhéile Pádraig.

— Leis an fhírinne a dhéanamh, níor bhac
muidinne mórán le seamróga sa bhaile. Ach níl a
dhath agam 'na n-éadan.

— Roinnfidh mé mo chuid féin leat, más mian
leat. Tá dos breá anseo agam. Caithfidh tú é?

Choimhéad sé le ruball a shúile í agus í ag
baint na seamróg dá brollach.

— Caithfidh, cinnte. Siúd 's nach seamróg
cheart ar chor ar bith é.

— Anois, tá tú i gceann do chuid deismireachta
arís! Tá mise ag éisteacht leis an phort cheanann
chéanna gach Lá Fhéile Pádraig ó tháinig an chead
mhear-chuimhne chugam. Ba chuma caidé'n cineál
a chaithfinn sa chlochar bhíodh cailín éigin eile i
gcónaí ann lena chur ar mo shúile domh nach raibh
ann ach sean-sheamar gan mhaith agus gur aicise
amháin a bhí an fhíor-sheamróg!

— Chreidfinn sin. Níl na heolaithe féin ar aon
intinn fá cad is seamróg ann. Cibé ar bith, ní hé
seo a chaitear i gceantar s'againne. Seamar choille
a bheir muidinne ar seo. Bíonn duilleog i bhfad
níos mó ná seo ar ár gcuid seamróg féin.

— Is cuma céacu, arsa Síle, agus í ag socrú fuílleach na seamróg arais i mbrollach a culaithirte de ollain rí-ghoirm. Seamar nó seamróg, is suaitheantas Phádraig Naofa i gcónaí é, fhad 's tá sé trídhuilleach—comhartha na Trionóide Naofa.

D'amharc Liam síos ar an lus ghlas a bhí ina luí i gcroí a bhoise. Dar leis, an ar an abhar sin a chaitheas Caitilicigh Rómhánacha an tseamróg? Comhartha na Trionóide?

—Shíl mise gur chomhartha na hÉireann é! arsa seisean idir shúgradh is dáiríre.

— Cinnte, ós é Pádraig Naofa a thug dúinn é agus gurb é Earlamh na hÉireann é, agus gur Críostaithe uilig muid dá thairbhe-sean. Éireannaigh uilig muid inniu.

Chuir Liam an dos seamróg isteach ina lúbóig. Dar leis, tá cuid den fhirinne ansin. Níor chuimhnigh an Rialtas seo againne riamh ar an Dara Lá Déag a fhógairt ina lá saoire banc in ionad nó le cois na Féile Pádraig. Ach comhartha na Trionóide mar shuaitheantas ag daoine nár chreid inti, ag daoine a shíl go mba ionann le hildéitheachas é, creideamh sa Trionóid! Caidé déarfadh Wolfe Tone don mhéid sin? Comhartha na haondachta? Protastúnach, Caitiliceach, agus Neamh-aontach— Liberté, Égalité, Fraternité! Béidir nárbh olc an suaitheantas náisiúnta i ndiaidh an iomláin é. . . .

Tá Garraí Ainmhithe Bhéal Feirste leagtha amach go hálainn ar fharragáin a gearradh amach as sleasa íochtaracha Bheann Mhadagáin. Tá sé roinnte ina dhá chuid, agus tuath-dhroichead eatarthu thar an oll-staighre leathan cloiche a shíneas suas ó Bhóthar Aondroma go dtí clár-mhagh bheag os ceann Gharraí na nAinmhithe, áit a bhfuil seomraí tae agus eile. Sheasaigh Liam ar an chéim íochtair agus a cheann caite siar aige ag stánadh suas an staighre maorga idir ráillí cloiche, agus cuacha móra cloiche i gceann gach aon tamaill agus bláthanna ag fás iontu.

— M'anam, arsa seisean, tá sé cosúil le rud a chífeá i scannán! An dtéann sé suas go barr a' chnoic?

— Bíodh splanc céille agat! arsa Síle. - Ní théann sé áit ar bith, dáiríre. Níl a dhath iontach ar bith ann nuair a bhaineas tú amach barr an staighre.

— Is mairg sin. Staighre curtha amú é, mar sin. Ba chóir go mbeadh pálás nó ar a laghad ard-eaglais ag barr a leithéid de staighre!

Chaith siad cupla uair ag breathnu na n-ainmhí sui ar shroich siad an farragán uachtair den Gharraí. Sheasaigh siad os comhair chás ina raibh mandril. Stán an t-ápa madrúil go fuafar orthu fána mhalacha ísle agus nocht a stairrfhiacla ag drannadh leo.

— Sean-chara liom féin é seo! arsa Síle.

— Tá dúil agam nach é do gnáth-chuideachta é!

— Is cuimhin liom an chuairt dheireannach a thug mé ar an áit seo—i rith saoire an tsamhraidh bliain amháin nuair a bhí Páid ar Scoil na mBráthar. Bhí Páid liom agus is cuimhin lom gur " Seán Buí " a bhaist sé ar an duine uasal seo.

— 'Dhia, arsa Liam, ní raibh sé ró-gheallmhar ar Sheán bhocht an t-am sin féin! Déarfainn féin gur fearr a d'fhóirfeadh an leasainm do cheann de na leoin chlaimheacha ocracha thall udaí!

—Ach ní thuigeann tú cad chuige ar bhaist sé an t-ainm sin ar ár gcara anseo. Ní thomhasfá a choíche é!

— Cad chuige, mar sin?

— As a shoc bheith dearg, bán 's gorm, ar ndóigh!

Shuigh siad síos ar bhínse idir an ápa agus na leóin, a dhéanamh a gcoda. Bhí rua-bhoc, corrghlas, Aifriceach agus cupla cearc phéacóige os a gcoinne amach, agus ar a gcúl sin bhí Loch Laoigh le feiceáil agus é ina luí thíos sa lagán míle nó dhó uathu.

Ghlac Síle an mála ó Liam agus d'fhoscail amach é.

— Tá uibh ins na ceapairí seo, arsa sise, agus dátaí ins na cinn seo. Tá cupla borróg a rinne mé féin istigh anseo sa naipcín páipéir; is dócha go bhfuil siad comh cruaidh le clocha. Agus sin na húllaí.

— "And a werry good notion of a lunch it is," mar a dúirt Sam Weller.

— Cé hé Sam Weller?

— "Pickwick," tá a fhios agat. Ná habair liom nach bhfuil Dickens léite agat?

— Níor tugadh Dickens dúinn sa chlochar, arsa Síle. Tá tae sa chorn. Ní chaithim-se siúcra, ar ndóigh, ach tá gráinnín duitse sa mhála páipéir sin.

Bhain Liam greim as ceapaire agus bhreathnaigh go sómasach fá dtaobh de.

— An bhfeiceann tú an trá dheas ghainmhe thíos ansin ar imeall an locha?

D'amharc Síle an treo sin.

— Trá ghainmhe? Bhí do Mhóraí ina Dochartach! Trá chlábair a ba chórtha a rá. Sin an Caisleán Glas, mar a ndórtann camraí na cathrach a gcuid chaidheachais amach san fharraige. Ní rachfá a shnámh ansin, a Liam! Gan fiú nach bhfuil fógraí ann ag tabhairt rabhaidh duit gan iasc sligeach ar bith dá dtógtar as an Lóch a ithe.

— Agus 'na dhiaidh sin, tá aithne agamsa ar fhear a théadh a shnamh ann, tá caoga bliain ó shoin agus a d'ith ruacáin beo beathach as na blaosca, comh dócha lena athrach.

— Ní bheadh lá iontais orm. Ach d'fhás Béal Feirste le caoga bliain.

— Bhail, tá an radharc millte agat orm, a Shíle! Shíl mé cinnte gur trá ghainmhe a bhí ann. —Caidé dhéanfas muid nuair a bheas an lón caite againn? Níl a fhios agam caidé do bharúil féin, ach measaim go bhfactha muid ár sáith ainmhithe don aon lá amháin.

— Ceart go leor, bíonn cuma comh bodhraithe sin orthu go n-éiríonn tú féin bodhraithe ó bheith ag amharc orthu. Is dóigh liom gur aicid thógálach é meanfach udaí na leon! Caidé ba mhaith leat féin a dhéanamh? Bhíodh siamsaí éagsúla ann nuair a thigimís anseo sa tsean-am—an Mion-Iarnród, Halla na Scáthán, agus Traen na dTaibhsí. Agus chuir siad suas " Roicéad Chun na Gealaí " tamall de bhlianta ó shoin. Mheall mé Máire s'againne isteach ann uair amháin. Lig sí aon ghuldar amháin aisti nuair a thoisigh sé a chruinniú siúil, agus mhair ag screadaigh " Lig amach mé!" go dtáinig sé fá chónaí. Dúirt sí go raibh a ceann ina roth ar feadh seachtaine ina dhiaidh.

— B'fhiú Máire a fheiceáil i Roicéad Chun na Gealaí, déarfainn!

— Bhail, ní fheicfidh. Beidh ort cuimhniú ar chaitheamh aimsire de shórt éigin eile.

Rinne Liam tamall machnaimh.

— Bhfuil a fhios agat cá bhfuil Cosán na gCaorach?

— Tá, leoga.

— Nach bhféadfaimís gabháil suas an cosán

sin go dtí Dún Mhic Airt? Creidim gurb é sin an
bealach a chuaigh Wolfe Tone agus Tomás Ruiséal
agus an chuid eile.

— Níor mheas mé go mbeadh an t-eolas sin
agat, a Liam, ach is fíor duit—más fíor do Pháid.
Ach tá Cosán na gCaorach millteanach rite. Ní
fhéadfainn-se dreapadh suas an Cnoc an bealach
sin, agus na bróigíní seo orm. Más mian leat cuairt
a thabhairt ar Dhún Mhic Airt, áfach, d'fhéadfaimís
gabháil suas bealach nach mbeadh comh maslach
sin. Tá cosán, ar ndóigh, díreach ar ár gcul agus
muid 'nár suí anseo.

— Bainimís triail as an chosán chéanna, mar
sin, más ionann an cás duitse, a Shíle.

Chuaigh siad i gceann an aistir. Shín an cosán
cas suas tríd an choill os ceann Bellevue. Nuair a
tháinig siad amach ar an réiteach arís bhí féar righin
giortach an tsléibhe fána gcosa. Agus sa deireadh,
i ndiaidh an iomad mullóg glas a chur díobh agus
greim láimhe acu ar a chéile, sheasaigh Liam agus
Síle ar an fhraoch ag Dún Mhic Airt.

Mhair siad tamall ag stánadh amach thar Bhéal
Feirste agus gan focal astu. Ansin tháinig roiste
gaoithe a thug ar Shíle druidim go tapaidh siar.

— Gaoth Mhárta, arsa sise, d'fhéadfadh sí duine
a chur le faill!

Ní thug Liam freagra uirthi, nó níor amharc sé
uirthi, ach labhair sé, mar bheadh duine ag caint tríd
a chodladh.

— Bhfuil a fhios agat, a Shíle, sórt oilithreachta
agam an chuairt seo ar Dhún Mhic Airt. Tá tusa
ró-chleachtaithe leis, is dócha. Ní thuigfeá i gceart
an mothú a chuireas sé i gcroí mo leithéid-se. Ar
dhóigh éigin, agus mé 'mo sheasamh anseo, an áit
ar sheasaigh Tone nuair a gheall sé féin 's a chom-

AN DÁ THRÁ

rádaí gan staonadh go mbeadh Éire saor—céad go
leith bliain ó shoin, a Shíle—is fusa liom a chreid-
bheail go mbeidh toradh fónta ar a theagasc 's ar
a íbirt.

D'amharc Síle go fiosrach air.

— Nach bhfuil toradh orthu cheana féin? Níl
mise comh heolach ar stair na hÉireann 's ba chóir
domh a bheith, ach nach iontach an toradh a tháinig
cheana féin? Tá aithne faighte ar fuaid an domhain
ag Poblacht na hÉireann, agus is cinnte go gcuirfear
an Teora ar ceal am éigin. Céad go leith bliain,
adúirt tú. Ach níl teagasc Wolfe Tone dearmadta
i mBéal Feirste féin. Dá mbeifeá anseo nuair a bhí
cuimhne Nócha a hOcht á comóradh i 1948!
Tháinig slua aníos go Dún Mhic Airt anseo, agus
thug an mhóid chéanna 's thug seisean rompu.
Agus bhí Béal Feirste, an áit ar bunaíodh an chéad
chumann Poblachtach in Éirinn, uilig fá bhratacha.
Is ar éigin a bhí teach nó siopa ón Ard Scoil suas
go dtí Páirc Ó Corragáin nach raibh Trídhathach
amuigh aige!

Shuigh Liam síos ar an fhraoch lena taobh.

— Aigh, Bóthar na bhFál! Éist liom, a Shíle,
nach é do bharúil go bhfuil teagasc Tone curtha
bun os ceann againn? Bé a ba mhian leis Protas-
túnach, Caitiliceach agus Neamh-aontach a thabhairt
le chéile le saoirse a bhaint amach d'Éirinn. Ina
ionad sin, sé rud atá na Caitilicigh Rómhánacha ag
troid ar son saoirse le céad bliain anuas. Anois,
agus saoirse acu i dhá dtrian den tír, is amhlaidh atá
siad ag iarraidh saoirse a bhaint amach do lucht a
gcomh-chreidimh sa trian eile. Síleann siad, cinnte,
go mbeidh siad in inmhe, nuair a bheas Éire uilig
saor, Protastúnach, Caitiliceach agus Neamh-aontach
a thabhart le chéile mar Éireannaigh. Béidir go

n-éireodh leo. Ach ní hé sin teagasc Tone.

— Ní hiad na Caitilicigh is ciontach le sin, a
Liam, ach na Protastúnaigh a rinne dearmad glan
de Nócha a hOcht agus de na hÉireannaigh Aon-
taithe. Is ó Wolfe Tone a fuair an Piarsach a
theagasc. Siad na Protastúnaigh a rinne dearmad
de stair na hÉireann.

— Ní dóigh liom é. Cé hé seo adúirt nach fíor
go bhfuil stair na hÉireann dearmadta ag muintir
Bhéal Feirste ach gurb é rud nach iad na codanna
céanna di a chreideas siad araon? Ní shílim gur
fíor go bhfuil Nócha a hOcht dearmadta ag Protas-
túnaigh Chúige Uladh. Tá meas acu ar na hÉirean-
naigh Aontaithe, ach sé rud a chreideas siad gur
cheannairc Phrotastúnach a bhí ann, go bunúsach,
agus níl mé cinnte nach bhfuil an ceart acu. Caith-
fidh tú admháil gur fheall na Caitilicigh orthu i 1798.

—Ní admhaím éinní den tsórt! Rinneadh an
troid a b'fhearr den iomlán i Loch Garman 's i gCill
Mhantáin, tá a fhios agat.

— Ní dhearna na Caitilicigh troid ar bith gur
dódh teach pobail Bhuaile Mhaodhóg, a Shíle, agus
bhí sé ró-mhall ansin. Troid ar son an chreidimh
Chaitilicigh a bhí ansin. D'fhan an chuid eile go
ciúin cladhartha sa bhaile.

— Ach bhíomar comh fada sin fá smacht, a
Liam.

— Bhí muintir na Fraince fá ghéarsmacht mar
an gcéanna, ach d'éirigh siad amach. Níl mé á rá
nach ndearna na Caitilicigh Rómhánacha éachtanna
iontacha ó shoin. Ach bhí sé ró-mhall, a Shíle.
Níor fhóghlaim sibh, dáiríre, ó Wolfe Tone, ach
gunnaí a úsáid in éadan na Sasanach, ach is ar son
náisiúin Chaitilicigh a d'úsáid sibh iad.

Bhí dreach buartha ar Shíle.

— Sílim go bhfuil tú san éagóir orainn. Níl a
fhios agam caidé mar is féidir ár lochtú má
tá muidinne 'nár Náisiúntóirí agus bunús na bProtas-
túnach 'na nAondachtóirí.

— Níl mé bhur lochtú as bheith i bhur Náisiún-
tóirí, ach as bheith ag taispeáint gach lá den tseach-
tain, le bhur gcuid bolscaireachta, go gcreideann sibh
gurb iad Protastúnaigh an Tuaiscirt an namhaid
agus gurb ionann bheith 'do Chaitiliceach agus
bheith 'do Náisiúntóir.

— Caidé'n dóigh?

— Nach mbíonn sibh i gcónaí a mhaíomh go
gcaithfear theacht i dtarrtháil ar Chaitilicigh an
Tuaiscirt a bhfuil " géarleanúint " á déanamh orthu?
Nach mbíonn na " Náisiúntóirí " agus " Poblacht-
óirí " móra abhus ag síor-ghearán fán leathcheal a
rinneadh ar a leithéid seo nó a leithéid siúd de shean-
shaighdiúir Chaitiliceach nach dtabharfaí teach dó
ar an abhar gur " Náisiúntóir " é? Nach " Náisiún-
tóir " a bheir sibh ar gach óganach Chaitiliceach dar
throid fán Union Jack i rith an Chogaidh?

Leag Síle a lámh ar a sciathán.

— A Liam, nach ligfeá di mar pholaitíocht.
Seo Lá na Féile Pádraig, agus seo Dún Mhic Airt.
Tá thar fhios agamsa agus ag Páid nach ionann
bheith 'do Chaitiliceach agus bheith 'do Náisiúntóir,
agus tá tú féin agam mar chruthú nach ionann
bheith 'do Phrotastúnach agus bheith i d'Aondach-
tóir. Ná bímis ag conspóid. Nach Éireannaigh
Aontaithe muidinne?

D'amharc Liam uirthi, agus rinne leamh-gháire.

— Tá an ceart ar fad agat, a Shíle. Tá mé ag
seanmóineacht anseo amhail 's dá gcreidinn gur mé
féin agus ní m'athrach slánaitheoir na hÉireann!

*   *   *

Bhí sé ag cailleadh an tsolais nuair a d'éirigh siad chun imeachta. Bhí ceo ina luí ar an chathair, agus bhí baill solais le feiceáil thall agus abhus cheana.

—Tá mé conáilte, a Liam, arsa Síle. Rithimis síos an fhána an áit nach bhfuil sí ró-rite.

Bhí siad leath bealaigh síos an cnoc, seal ag rith, seal ag sleamhnú, agus seal ag siúl ar a bhfaichill, nuair a sheasaigh Síle ar an chosán chúng idir na crainn, agus labhair tharna gualainn le Liam.

— Tá crann leagtha anseo áit éigin, arsa sise. An cuimhin leat a fheiceáil ar an bhealach aníos? Suímis ansin a dhéanamh ár scíste. Tá mé te suas go maith.

B'éigean dóibh dosaon slat eile a chur díobh sul a dtáinig siad ar an chrann leagtha. Thug Liam amach paicéad toitíní. Ghlac Síle ceann uaidh agus dhearg sé di é. Bhí sé díreach ar tí a thoitín féin a dheargadh nuair a chuala sé rud éigin ag corrú sa chaschoill. Thug sé thart a cheann agus chonaic ansin fear ag luí le bean. Thóg an fear a cheann agus fuair Liam spléachadh gasta, sul ar dhóigh an lasán a mhéara, ar aghaidh óig, agus í ata lasta, fá hata Anthony Eden.

Léim Liam den chrann agus tharraing Síle ina seasamh.

— Caithfidh muid deifir a dhéanamh. Tá sé ró-dhorcha agus ró-fhuar lena chois le fanacht 'nár suí anseo.

Tháinig Síle leis, ach ba in éadan a tola é.

— M'anam, arsa sise, go míshásta. Nach tusa an fear tobann tallannach! Shílfeadh duine gurb é rud atá eagla ort bheith fágtha istigh i gcoill 'mo chuideachta-sa!

AN DÁ THRÁ

CAIBIDIL 15.

AGUS í ag teacht amach as teach pobail Chluain
Iorraird, tar éis di an chros a phógadh Aoine an
Chéasta, chuir duine éigin forán ar Shíle. Ailís Nic
Naois a bhí ann, cailín a raibh aithne ag Síle uirthi
ón am a mbíodh sí ag bailiú airgid do na príosún-
aigh, sul ar bunaíodh Ciste na Croise Glaise. Bhí
Ailís ag tarraing ar an dachad fán am seo, agus í
leath ar mire fós le Poblachtachas agus le tírghrá
neamh-mheasartha. Bhí a muintir ina bPoblacht-
óirí ó d'éirigh sé faiseanta bheith i do Phoblachtóir
tar éis toghchán na bliana 1918. Bhí a hathair ins
na hÓglaigh an t-am a raibh an troid ar siúl, agus
bhí sé páirteach i níos mó ná luíochán amháin a
cuireadh roimh an B-Chonstáblacht Speisialta i
gceantar na bhFál. Chaith sé tamall ina bhraigh-
deanach ar bord an "Argenta" i gCuan Latharna,
agus d'éag den eitinn go gearr tar éis do na húdar-
áis cead cos a thabhairt dó. D'fhág sé beirt mhac
ina dhiaidh—agus Ailís.

Bhí Seán agus Seosamh Mac Naois ag útamáil
thart ar imeall na gluaiseachta Poblachtaí ó tháinig
ann dóibh. Théadh Seán thart fá hata ghlas-uaine
agus chóta trinse, siúl stráiceach saighdiúrtha faoi
agus a smig sáite go dúshlánach amach roimhe.
Bhí sean-phiostal Luger aige a bhí comh cúramach
aige leis an tsúil a bhí ina cheann. Nuair a bhí sé ní
ba óige bhí sé de chlú air gur chleacht sé casúr trom
a iompar i bpóca ascaille a chóta le hiúl na gcailíní
a tharraing air féin. Níl rud ar bith is mó a shás-
aíodh é ná bheith ag suirí ag coirnéal na sráide le
"bábóg bheag" éigin agus ise a lámh a leagan go
heolach ar bhrollach a chóta agus fiafraí cad a bhí

129

E

istigh ansin aige. Níos faide anonn, nuair a tharla
an piostal ina sheilbh, ba ghnáth leis dul chuig bean
tí éigin i gcomharsanacht Lána an Phunta agus
iarraidh uirthi a choimeád dó ar feadh na hoíche.
Ní fhágadh sé níos faide ná an t-aon oíche amháin
ag bean ar bith é. Thagadh sé thart lá tharna
bhárach agus d'iarradh arais é. "Beidh feidhm
agam leis anocht!" adeireadh sé fána anáil, tríd a
fhiacla agus as cúinne a bhéil. Bé a thoradh sin
gur ghairid go raibh gach gníomh gaiscíochta nó
fornirt dá ndéanfaí i ngiorracht fiche míle den
chathair á chur i leith Sheáinín Mhic Naois. Ní
raibh banc dar creachadh nó síothmhaor dar lámh-
aíodh nó brathadóir dar ceangladh de lampa sráide
nach raibh sean-bhean éigin a bhí in ann a rá i modh
rúin lena cuallaí gurb é rud a thóg Seáinín Mac
Naois an gunna a bhí sí a choinneáil dó, díreach
roimhe. Dúradh gurb eisean a dhóigh an stóras
bídh thíos ag na duganna, gurb eisean a thug ruaig
ar Champa Bhaile an Choinnleora agus d'ardaigh
leis na céadta raidhfeal as fá shróin na saighdiúirí
Sasanacha agus d'fhág nóta sotalach greamaithe do
dhoras na harmlainne:

The I.R.A. was far away

In Johnson's motor-car!

Dúradh freisin gurbh eisean a chabhraigh le Aodh
Mac an tSaoir agus a chomrádaí éaló as Príosún
Bhóthar na Croimghlinne. Beireadh air agus ceist-
íodh go géar é cupla uair sul ar aithin na síothmhaoir
nach raibh ann ach amadán mórtasach ar mhaith
leis bheith i mbéal an phobail ach nach ligfí
isteach san Arm Phoblachtach é. I ndeireadh na
dála chaill Seáinín a Luger le linn ruaige a thug an

C.R.U. ar an cheantar. Fuair buachaill óg den lucht
tí príosúntacht cheithre mblian nuair d'admhaigh sé,
lena mháthair a shábháil, gur leis féin an gunna.
Dar le Seáinín Mac Naois go raibh cineálacha ag
éirí ró-the ar fad. D'imigh sé go Sasain a dh'obair
i monarchain armlóin, phós cailín Sasanach, agus
maraíodh iad beirt in aer-ruathar.

Gidh gur chaith Seosamh Mac Naois
seal ins na Fianna, agus go raibh sé ina dhiaidh sin
ins na hÓglaigh, bhí sé beagnach comh holc lena
dhearthair. Bhí sé comh béalscaoilte sin go raibh
ordú ag oifigigh a chomplachta a neamhiontas a
thabhairt dó má bhí aon rud a ba throime tábhacht
ná droileáil le déanamh. Cuireadh amach uair
amháin é le buicéad aoil agus scuaibín, a dhathú
sluaghártha ar bheanna tithe, ach shílfeá ón dóigh
ar éalaigh sé leis tríd na sráideanna gur bhuicéad
níotró-ghliosairín a bhí aige agus gur ar a bhealach
go Stormont a bhí sé le Teach na Parlaiminte a
shiabadh san aer ; ní raibh sé i bhfad go raibh aithne
ag gach constábla idir Shráid Chichester agus Baile
Raghnaill air. Ní ligeadh na hÓglaigh dó bheith ag
faire ag coirnéal sráide, fiú, le linn cruinniú bheith
ar siúl, óir bhí sé de nós aige teacht isteach sa mhul-
lach orthu agus a anál i mbéal a ghoib leis a dh'inse
dóibh go raibh " na péas iontach gníomhach i Sráid
a Leithéid Seo !" Bé abhar a chorraí, de ghnáth,
beirt chonstábla ag leifteanacht go suaimhneach
síochánta aníos an bóthar agus iad ag comhrá go
falsa le chéile mar a dhéanadh siad gach lá den
tseachtain. I gceann gach aon tamaill gheibheadh
buachaill ordú gan codladh sa bhaile má bhí na
síothmhaoir á lorg. Thosnaigh scéalta a theacht
isteach i dtaobh Sheosaimh Mhic Naois, go raibh sé
ag dul thart ag inse do na comharsain go raibh an

tóir air ar fuaid na Sé gContae. Is iomaí ban a raibh
dáimh aici leis " na buachaillí " a thug isteach é agus
a choinnigh bia leis go ceann seachtaine. Bé a
dheireadh gurbh éigean do chaptaen a chom-
plachta beirt fhear armtha a chur amach lena
ghabháil agus a chomóradh chun an bhaile agus
bagairt air gan aon oíche feasta a chaitheamh i
leabaidh ar bith seachas a leabaidh féin. Thóg na
síothmhaoir é oíche amháin a bhí teanntú ar siúl acu
sa cheantar. Cuireadh isteach i mbraighdeanas é, ach
níor lig sé mí thairis gur shínigh sé cáipéis ag dear-
bhú nach mbeadh roinn nó páirt aige feasta le cum-
ann réabhlóideach ar bith. Nuair a scaoileadh saor
é chuaigh sé go Baile Átha Cliath agus liostáil san
Arm Náisiúnta agus fuair cead, den chéad uair, arm
tine a láimhseáil.

Deireadh na hÓglaigh gurbh í Ailís an t-aon
fhear amháin den teaghlach sin. Níor dhearmad sí
riamh gur mharaigh Rialtas Stormont a hathair, agus
bhí fuath nimhneach aici do " na Plandóirí," do " na
fealltóirí suas an tír," agus do na Sasanaigh. Bhí sí
go hard i gcomhairlí Chumann na mBan, agus chaith
sí cupla bliain fá ghlas i rith an Chogaidh. Ghoill
locadh a beirt dhearbráir go mór uirthi, comh mór
sin go séanfadh sí Seosamh sa tsráid dá gcastaí ar
a chéile iad. Níor bhréag a rá go raibh Seosamh
bocht curtha le liosta naimhde na Poblachta aici.
Nuair a tháinig sí amach as an phríosún fuair sí
formhór a sean-chomrádaí agus iad pósta agus bréan
den Chúis agus de gach ar bhain léi. D'fhan sí féin
dílis, áfach, do chonamar fuílligh na gluaiseachta,
i pósta le Cúis nach raibh sliocht air nó aon dúil le
sliocht aige agus í ag éirí níos seirbhe níos seirge in
aghaidh na míosa. Chíodh Síle ar an Aifreann í
anois agus arís, ach níor casadh i gcuideachta a

chéile iad ón oíche a chuaigh siad amach ag iarraidh
ar dhaoine a n-ainmneacha a chur le hiarratas ar son
Poblachtóra éigin a bhí le bású i mBaile Átha Cliath,
an oíche a dhiúltaigh bean áirithe an t-iarratas a
shíniú ar an abhar go raibh an fear daortha i gcoinne
De Valera agus gur " dea-Chaitiliceach é De Valera
—éisteann sé Aifreann gach maidin ó cheann ceann
na bliana."

Nuair a bheannaigh Ailís Nic Naois ar Shíle,
Aoine an Chéasta, bhí tuairim ag an chailín a ba oige
den bheirt go raibh an bhean eile ar ti a mealladh
chun rud éigin a dhéanamh ar son na Cúise a ba
ansa léi. Ní raibh aon dul amú uirthi. Ní raibh siad
thar cupla neomat ag comhrá le chéile gur iarr Ailís
uirthi roinnt Lilí Cásca a ghlacadh agus a dhíol lena
cairde agus a lucht aitheantais.

— Ní eagla atá ort? arsa Ailís go droch-
mheasúil nuair a rinne Síle moill leis an fhreagra.
Nó an amhlaidh atá tusa ar an dream seo a d'fheall
ar Éirinn as siocair poblacht bhréige bheith i mBaile
Átha Cliath ag Seán Mac Giolla Bhríde?

—— Glacfaidh mé dosaon, arsa Síle.

— Ní bhfaighidh tú bás luath ag díol Lilí Cásca,
arsan bhean eile go tormasach, ach thug sí i leat-
aoibh í, tharraing aníos beann a sciorta agus thug
na lilí beaga páipéir amach as béal a stoca. D'fhol-
aigh Síle ina leabhar urnaí iad.

— Tabhair chugam an t-airgead am ar bith i
rith na seachtaine, arsa Ailís Nic Naois. Tá a fhios
agat cá bhfuil cónaí orm.

Ar an bhealach chun an bhaile tháinig aithre-
achas ar Shíle as na Lilí a ghlacadh uaithi. Bheadh
Ailís sa tóir uirthi feasta, gach uair a bheadh obair
den tsórt le déanamh. Dar léi, bhéarfaidh mé ar
Pháid agus ar Mhallaí Lilí a cheannach, ceannóidh

mé féin ceann, agus caithfidh mé an fuílleach isteach
sa tine, agus cuirfidh mé cupla scilling tríd an phost
chuig Ailís. Bhí coinne aici le Liam Domhnach
Cásca, agus chuimhnigh sí ar feadh neomait ar iar-
raidh airsean ceann a ghlacadh, ach rinne sí ath-
chomhairle. Níor bhac na síothmhaoir le blianta
beaga anuas le héinne a chaith Líle Cásca i gceantar
Chaitiliceach, ach ní cheadódh siad do dhuine siúl
tríd lár na cathrach agus Lile ina bhrollach. Agus,
ansin, bhí Liam ar lóistín i dtigh Phrotastúnach i
gceantar dhubh-Phrotastúnach. B'fhearr di gan
ceann a thairgsint dó . . . Ach gan fhios di féin, is
ar an abhar gur Phrotastúnach é Liam féin a ba leisc
léi Lile Cásca a thairgsint dó. Thuig sí riamh gur
chomhartha Caitiliceach Líle na Cásca, díreach mar
ba chomhartha Protastúnach an Lile Buí. Bhí sé
ceangailte ina hintinn le hAifreann Domhnach na
Cásca, agus leis an mhothú iontais agus áthais a
bhain leis an mhaidin sin comh fada siar leis an sean-
laethe fadó nuair a bé abhar a lúcháire na huibheacha
seaclaide a gheibheadh siad de chois na leapa ar
mhuscailt dóibh, agus ainm gach páiste acu scríofa
le reothán bhán ar a uibh féin fá seach, mothú ion-
tais agus áthais a bhíodh ina croí nuair a chíodh sí
an altóir maisithe le lilí maorga geala a cheiliúradh
mhíorúilt na hAiséirí. Agus níos faide anonn, i
ndiaidh di scéal 1916 a chloisint ó Phádraig, bhíodh
Aiséirí Mhac Dé agus Aiséirí na hÉireann agus Lile
na Cásca mar nasc eatarthu agus í i láthair an
Aifrinn Naofa Domhnach Cásca.

Nuair a d'iarr Síle ar Mháire an oíche chéanna
Lile Cásca a cheannach sé rud a thóg sise raic.

— Mairg nach ndearcfá ort féin, a amaid bheag!
Caidé'n boc mire a thug ort na rudaí sin a thabhairt
isteach chugainn? Na—nach mbeadh beo ort gan

na péas a thabhairt arais 's bás do mháthara a thabh-
airt lena linn? Nó an amhlaidh atá tú ag iarraidh
Páid a chur ar bhealach a aimhleasa arís i ndiaidh
comh ciúin céillí 's bhí sé ar na mallaibh?

— Ní bhrisfeadh scilling thú, a shuaracháin!
Níl mé ag iarraidh ort a chaitheamh. Cead agat a
chur isteach sa tine má tá eagla ort go gcuirfí isteach
i bpríosún thú.

— Ní hé an scilling atá ag cur as domh, agus is
maith atá a fhios agat sin. Ach ní raibh sé ceart
déanta agat na rudaí sin a ghlacadh le díol.

Bhí siad ag conspóid fós nuair a tháinig Pádraig
isteach.

— Ceannaigh Lile Cásca, a dhuine uasail!
Scilling an ceann—ach ní dhiúltóinn leathchoróin!

Rinne Pádraig gáire.

— Caidé seo ar chor ar bith, a Shíle?

— Sé rud a fuair Ailís Nic Naois greim orm
taobh amuigh den teach pobail, agus bhain sí geall-
tanas asam go ndíolfainn dosaon acu seo. Leath-
choróin, a Pháid, in ainm na déirce, nó is cosúil go
mbeidh ormsa an t-iomlán a cheannach domh féin.

Chroith Pádraig a cheann.

— Ba mhaith liom rud a dhéanamh ort, a Shíle,
ach ní fhéadfainn é.

— An abair tú liom go bhfuil tú ar an bhlár
fholamh cheana féin, oíche Aoine!

— Och, ní hé sin é, ach nach mian liom Lile a
cheannach.

D'amharc Máire go cathréimeach tríd a spéaclaí
ar a deirfiúir.

— Maith an fear! Tá áthas orm a fheiceáil
gur thit tú ar do chéill.

— Bhail, arsa Síle go díomách, nach bhféadfá
an t-airgead a thabhairt domh agus gan Lile

a ghlacadh?

— Is eagal liom go bhfuil prionsabal i gceist, a
Shíle.

Bhain Pádraig de a chóta agus chaith trasna
dhroim cathaoireach é. Theann Máire a beola go
míshásta ar a chéile agus thug an cóta amach go dtí
an crochán sa halla.

Shuigh Pádraig síos agus dhearg toitín go
meabhrach. Ansin mhothaigh sé súil Shíle ar an
toitín agus chuir sé aoibh leath-náireach air féin.

— Tá a fhios agam—níl an Corgas thart go
fóill! Dhearg mé gan smaointiu é. Ach tá sé
comh maith agam a admháil go bhfuil mé á gcaith-
eamh fá rún le cupla seachtain anuas leisc droch-
shampla a thabhairt díbh.

— Níor chuir tú an dallamullóg ar dhuine ar
bith, a Pháid. Dá gcluinfeá Mallaí ag cur thairsti
fá na buna toitín 's na cipíní dóite a gheibh sí ina
luí thart gach maidin!

— An cuimhin leat an dóigh a mbíodh Mallaí ag
ransú tríd gach prios a's tarraiceán sa tigh, gach
uair a gheibheadh sí cúl Mhaim léi, le seachtain
roimh an Cháisc, ag iarraidh theacht ar na huibheacha
Cásca?

— Cuireann sin i gcuimhne domh é. Caidé fán
Líle Cásca seo?

— Is dócha go síleann tú gur saoithiúil an rud é
ag mo leithéid-se a fhógairt go mbeadh sé in éadan
a chuid prionsabal Líle Cásca a chaitheamh, ach sin
mar atá an scéal, a Shíle.   Ba bhuí bocht liom
bheith in inmhe gabháil siar deich mbliana agus an
Líle a chaitheamh comh bródúil 's dhéanainn an tráth
sin. Beidh mé ag éad, claon, leis na buachaillí óga a
bheas á chaitheamh i rith na seachtaine seo chugainn.
Ach seo mar atá—tá mé réidh leis an Arm, agus ó

tharla nach bhfuil mé sásta gabháil iomlán an bheal-
aigh leo ní thabharfaidh mé pingin rua dóibh a
chuideodh leo siúl coiscéim amháin eile ar bhealach
nach siúlfainn féin.

— Rinne tú do scair féin, a Pháid, arsa Síle.
Seo, glac an Lile agus íocfaidh mé féin as.

D'amharc Pádraig ar an ghiota páipéir a shín sí
amach chuige.

— Ní fhéadfainn a chaitheamh, a Shíle. Bheadh
sin seacht n-uaire níos measa, bheith ag ligean orm
i láthair an phobail go raibh mé ag tabhairt tacaíochta
dóibh.

— Nach i gcuimhne na bhfear a fuair bás
Seachtain na Cásca a bheifeá á chaitheamh?

Chuala Máire an méid sin agus í ag teacht arais
chun na cistine le tráill a thug sí anuas ó sheomra a
máthara.

— Ní rachaidh sean-bhláth páipéir ar sochar do
dhuine ar bith, arsa sise. Má tá a oiread sin measa
agaibh ar Phádraig Mac Piarais agus an dream sin,
cad chuige nach n-abair sibh paidir ar a son agus a
fhágáil ag sin?

Luigh Pádraig tamall maith gan suan an oíche
chéanna. D'fhág an Lile Cásca úd fá chumha é,
cumha i ndiaidh na sean-díograise agus na sean-
aislinge. Dar leis, bhí an ceart ag Mallaí. Guífidh
mé ar a son. Béidir, fosta, go rachainn suas go dtí
Reilig Bhaile an Mhuilinn, Dé Domhnaigh. Tá dea-
Éireannaigh ina luí ansin a dhéanfadh éacht comh
gaisciúil le hÉirí-Amach na Cásca féin, ach nár
tugadh an seans riamh dóibh . . .

CAIBIDIL 16.

BHÍ athrú tagtha ar imeachta Dhomhnach Cásca
ag Reilig Bhaile an Mhuilinn, ó dheireadh an
Chogaidh. Sa tsean-am bhíodh na síothmhaoir ina
sluaite ann, idir lorgairí agus constáblaí fá éide, iad
scaipthe ar fuaid na reilige agus thart uirthi,
le daoine a chosc ó chruinniú ag na huaigheanna i
bPlota na bPoblachtóirí. Gach Cáisc, go rialta,
d'éiríodh le duine éigin éaló isteach thar an bhalla
agus bláthfhleasc a leagan ann in ainm Óglaigh na
hÉireann. Bhí corr-chonstábla le feiceáil ag
Pádraig Ó Préith nuair a tháinig sé ar amharc na
reilge ag barr Bhóthar na bhFál maidin Domhnach
Cásca, ach bhí a fhios aige nach bhféachfadh siad
le cur isteach ar chomóradh an Éirí-Amach. Go
dearfa, shílfeadh duine le hamharc orthu, gurb
amhlaidh a bhí siad ag iarraidh cur i gcéill gur de
thaisme a casadh san ionad sin iad.

Bhí slua measartha cruinn ag Plota na bPoblach-
tóirí. D'aithin Pádraig fir go leor a bhí ins na
hÓglaigh tráth. Bhí cuid a d'aithin sé agus gan é in
inmhe a n-ainmneacha a thabhairt chun a chuimhne;
bhí a thuilleadh nach raibh ach aithne shúl riamh
aige orthu toisc gur cuireadh isteach i bpríosún iad
sul a raibh sé fada go leor ins na hÓglaigh le aithne
cheart a chur orthu. Bhí go leor, fosta, a bheann-
aigh go soilbhir dó agus a rachadh chun cainte leis,
ach ní dhearna sé ach " Bhail, a Mhicí!" nó " 'Dé'n
bhail atá ort, a Tharlaigh!" a rá leo agus siúl as a
mbealach. Dar leis, tá scaipeadh chlann an mhad-
aidh orainn! Cuid againn i gClann na Poblachta,
cuid a chuaigh leis na Poblachtóirí Sóisialacha, cuid
a chuaigh siar chuig Sinn Féin ag iarraidh anál na

beatha a shéideadh isteach i ngaosáin an chorpáin sin ar rannadh a chnámha ar a chéile beagnach triocha bliain ó shoin, cuid ag tabhairt a dtacaíochta don Chumann Fhrith-Chríchdheighilteach. Na céadta, agus mé féin ina measc, nach bhfuil baint acu le dream ar bith nó muinín acu as dream ar bith. Agus an beagán beag a d'fhan ins na hÓglaigh, ag tosnú as an nua ar an tsíor-dhroileáil a bhí ar siúl leis na blianta fada, ag ullmhú don lá nach dtiocfadh a choíche, agus gan ach fíor-chorr-dhuine ina measc a ba chomh-dhíreach urchar leis an té a ba fhiar-shúilí ar bith de na B-Fhir féin . . .

Tháinig buíon fear ag mairseáil ina rancanna trasna an léana, an Trídhathach á iompar rompu agus gasraí fiosracha ag rith lena ruaig-dheireadh. Tá, an Trídhathach, bratach na Poblachta, bratach Sheachtain na Cásca. Ach ba úire an ghlas-uaíne an t-am sin, ba ghile an bán, agus ba dath fearúil a chuirfeadh Tone agus Dáibhis agus Mistéil i gcuimhne duit an flann-bhuí. D'fheoigh na dath-anna ó shoin, dar le Pádraig. Tharraing dhá ghlúin de thírghráthóirí tríd lábán na polaitíochta iad . . . *"The flag that Joe McKelvey loved is good enough for me."* Dar le Pádraig, an bhfuil sé de cheart agam bheith anseo ar chor ar bith, ag tabhairt le fios gur duine díobh féin mé agus a fhios agam im chroí istigh nach é cuimhne 1916 a thug anseo iad, dáiríre, ach cuimhne 1922 agus 1932 agus 1942, cuimhne na bhfear atá adhlactha anseo, cuimhne na nUltach a fuair bás de dheascaibh Éire bheith críchdheighilte . . .

Nuair a chuaigh siad ar a nglúine a rá deichniúir den Phaidrín, chuimhnigh Pádraig ar an amhrán úd a scríobh Seamus Ó Crualaoich fán áit seo:

To a lonely Belfast graveyard I strayed one autumn night,
Around a grave a crowd I saw in the evening's fading light,
From men and boys and womenfolk who knelt that grave
around
Came the Paters and the Aves in a soft-toned Gaelic sound . .

Bhí Seosamh Mac an Chalbhaigh san amhrán sin,
fosta, Joe Mac an Chalbhaigh a raibh a aghaidh óg
fheolmhar ar bhalla na cistine i ngach dara teach
Caitiliceach ar Bhóthar na bhFál, Joe Mac an
Chalbaigh a tugadh amach i gcuideachta Liam Uí
Mhaoilíosa agus na beirte eile le seasamh os comh-
air scuad lámhaigh de chuid an tSaorstáit. Caidé
tharlódh dá mbeadh na hÓglaigh gan dúshlán
Mhíchil Uí Choileáin a thabhairt? An déanfadh
an Coileánach arm láidir a threalmhú agus a oiliúint
agus a aghaidh a thabhairt ar an tuaisceart fiche
bliain ó shoin? An bhfógródh seisean poblacht na
Sé gContae Fichead mar a rinne a lucht leanúna
anuraidh agus iad i gcomhar le fir den dream is
maille a bhí i ndeabhaidh lainne le Rialtas Bhaile
Átha Cliath? An Coileánach, De Valera, Seán Mac
Giolla Bhríde, chuaigh siad as déis a chéile isteach sa
Dáil úd a bhí le bheith ina clochán chun na Pob-
lachta. Triocha bliain, agus an Teora níos daingne
ná bhí riamh! Agus an méid Ultach a fuair bás i
rith na tréimhse céanna agus de bharr na Teorann
céanna!

    . . . Ar son Sheáin Uí Cheallaigh 's Chathail
Mhic Eachmharcaigh, a maraíodh i '38 leis an
mhianach talaimh a bhí le bothán Custaim a shiabadh
agus ar chuala mé a n-oidheadh tigh Chonaill Mhic
Dhaeid . . .

    . . . Ar son Sheáin Mhic Giolla Mhártain as an
Trá Ghearr, a chumhdaigh granád láimhe lena chorp
go bhfaigheadh na buachaillí óga éaló as an chistin

udaí sul a bpléascadh sé . . .

. . . Ar son Sheáin Mhic Gamhna, ar chlis an croí air agus é fá haistí ar bord an " Al Rawdah," agus a thit ina chorpán amach as a ámóig . . .

. . . Ar son Sheáin Uí Dhubhláin as Cathair Dhoire, ar son Énrí Uí Chatháin as Baile na Scríne, ar son Sheáin Mhic Fhionnlaoich, agus ar son an iomaid eile a dtug an príosún a mbás . . .

. . . Ar son " Rocky " Uí Bhroin an fhocal grinn agus chroí na féile, a d'éalaigh leis an dream udaí tríd an tollán as Príosún Doire agus a ndearna lorggairí Stormont criathar de ar an tsráid anseo i mBéal Feirste . . . ar son Ghearóid Uí Cheallacháin a timpealladh agus a maraíodh ag Baile Mhic Aindriú . . .

. . . Ar son Thomáis Mhic Airt as Lurgan, a throid cath éagothrom le lorgairí Chaisleán Bhaile Átha Cliath agus a sheasaigh 'na dhiaidh le taoibh Pháidí Mhic Chraith go ndearna scuad lámhaigh fá éide na hÉireann criathar díobhtha araon, ar son Sheáin Mhic Eachaidh a fuair bás ar stailc ocrais . . .

. . . Ar son " Boko " Uí Cheallacháin, ar son Sheosaimh Uí Annaidh, ar son Dhomhnaill Mhic Thoirdealbhaigh, ar son gach uile dhuine, idir chiontach 's neamhchiontach dar básaíodh mar bhrathadóir de dheasca Éire bheith roinnte . . .

. . . Ar son Thomáis Mhic Liam, " Caoimhín Barra " Bhéal Feirste . . .

. . . Ar son an Chonstábla Ó Murchú, ar son an Bhardóra Walker, ar son gach duine dá bhfuair bás agus éide na Sasana air agus a bheadh fá éide na hÉireann ach go ndearnadh a críchdheighilt . . .

. . . Ar son gach duine dar maraíodh riamh in aimsir iaróige nó aer-ruathair de bharr na Sé Contaethe bheith fán Union Jack . . .

. . . Mar a bhí ó thús, mar atá anois, agus mar
bheas le saol na saol. Amen.

* * *

Bhí Pádraig ar na céad dhaoine a d'imigh nuair
a bhí deireadh leis an deasghnáth. Ní raibh ró-fhonn
air dul chun cainte le héinne dá shean-chomrádaí.
Ar imeall an phlodaidh, thug fear beag dubh spléach-
adh géar air. Dar le Pádraig gur aithin sé an aghaidh
mhoncaí a bhí air. Chaith siad sméideog ar a chéile.
Bhí fiche slat siúlta ag Pádraig sul ar bhuail sé
isteach ina cheann cérbh é an fear beag. Thug sé
sraic-fhéachaint siar tharna ghualainn, agus fuair an
fear eile ag stánadh ina dhiaidh amhail is dá mbeadh
sé in amhras fós an raibh aithne aige ar an fhear
mhór dhonn-rua nó nach raibh. Chlis sé i dtobainne
agus bhrostaigh i ndiaidh Phádraig.

— Scrios Dé air, arsan fear dubh nuair a tháinig
sé aníos leis, murb é Páidí Mór Ó Préith 'na steille-
bheatha é!

Chroith Pádraig lámh go croíúil leis.

— Lord Haw-haw na hÉireann, dar Dia!
Dheamhan ar aithin mé díot, a Chumhaí. Agus cé'n
poll ar shnámh tusa as? Shíl mise nach ligfeadh an
náire duit éirí amach a choíche i lúib chruinnithe, i
ndiaidh ar innis tú de bhréaga dúinn i rith an Chog-
aidh! Caithfidh sé go bhfuil muinéal práis ort!

Rinne an fear beag draothadh gáire.

— Ós ar mhuinéil a tharraing tú an scéal, a
Pháidí, tá tusa ag tógail feoil mháis 's mhuinéil!

— Ní fhéadfainn an rud céanna a rá fútsa. Ní
raibh oiread ar do chnámha an lá a b'fhearr a bhí tú
's dhéanfadh leath-mhás do phocán gabhair!

Chaith an fear beag suas a lámha.

— *Kamerad*!

— Cá raibh tú i bhfolach, ar scor ar bith, a Chumhaí? Níor leag mé súil ort ón lá a beireadh ort. '43, nárbh ea?

— Deireadh '42, a Pháidí. Choinnigh siad sé mhí i ndiaidh thitim na Seapáine mé. Is amhlaidh a d'airigh siad mé ar an dream udaí ar bhaist Mac Giolla Mhearnóig " An Croíochán Cruaidh " orthu. Scrios, bhí mé bogtha go maith fán am sin dá mbeadh a fhios sin ag Aire Gnóthaí Baile an stáitín seo!

— Agus caidé tá tú a dhéanamh leat féin ó shoin?

— Dheamhan mórán de chineál ar bith, agus méid áirithe den uile chineál. Bhí mé cupla mí i Sasain. Nuair a tháinig mé amach as Óstán a Mhórachta is amhlaidh a cheannaigh m'uncal — sin an sagart paróiste, tá a fhios agat—leabhar árachais domh, agus chaith mé tamall ag bogadaigh thart tríd Chontae Aondroma ag bailliú na bpingneach agus ag éisteacht leis na leathscéalta. Ach tá croí róbhog agam dá leithéid. B'éigean domh an leabhar a dhíol le m'árachas féin a íoc! Och, d'fhéach mé mo lámh le achan tsórt. Gan fiú nach ndeachaigh mé ar feadh cupla seachtain le ceird na n-iarphríosúnach Poblachtach.

— Caidé tá tú a mhaoimh?

— Ag iompar brící ar chrann ualaigh, ar ndóigh? Agus caidé fútsa, a Pháidí?

— Bhí mé tamall ar mo sheachnadh i dTír Chonaill, tá a fhios agat. Bhí mé tamall ag tiomáint bus i ndiaidh theacht 'na bhaile domh, tamall eile díomhaoin, agus anois tá mé ag ní gluaisteán i ngaráiste i Sráid Eabhroc.

Chlaon an fear beag a cheann go tuigseach, agus shiúil siad go tostach ag tarraing ar gheata na

reilge. Dar le Pádraig, ní bheimís caillte ins na
sean-laethe de dhíobháil abhar comhrá. Nuair a
chastar le chéile anois muid, áfach, ní dhéan muid
ach fiafraí den fhear eile cá bhfuil sé ag obair nó
an bhfuil sé ag obair chor ar bith. An Chúis an
t-abhar cainte a ba choitianta againn, agus tá sin
curtha de dhíth orainn. Níor fhiafraigh mise de
dhuine ar bith de na buachaillí dar casadh orm le
cúig bliana anuas an raibh seisean san Arm ar fad,
nó níor chuir éinne acu an cheist chéanna ormsa.
Ar ndóigh, an méid atá ann, tá a fhios acu nach
bhfuil mise ann; agus an méid nach bhfuil ann,
tuigeann siad go bhfuil a fhios agam sin má tá mé
féin ann. An fear nach bhfuil ann bíonn eagla air,
béidir, go measfaí gur ag spíodóireacht atá sé má
fhiafraíonn sé de dhuine eile an bhfuil baint aige
leis an Arm. Is leisc linn cearthaigh nó corraí a
chur ar a chéile. Agus ar scor ar bith, ní féidir linn
bheith cinnte nach bhfuil an fear eile ag ceilt na
fírinne. Mar sin bímid seachantach le chéile . . .

D'amharc Pádraig le ruball a shúile ar an fhear
bheag dhubh. An raibh Aodh Ó Cianáin ins na
hÓglaigh go fóill? Ba dheacair a rá. Ní inseodh
an aghaidh mhoncaí sin aon dath duit. Na súile
soinneanta sin san aghaidh chéanna agus an leamh-
gháire a bhí de shíor fán bhéal leathan, chuir siad
cluain go minic ar na síothmhaoir. Agus bhí sé comh
cúramach sin. Bhí Pádraig tamall maith ar fhoirinn
Chathán Bhéal Feirste de Cheannasaíocht an
Tuaiscirt, ach níor chuala sé riamh cá raibh bunáit
" Radio Phoblacht na hÉireann." Bhí a fhios ag
na hoifigigh gurbh é an Cianánach beag Stiúrthóir
agus Priomh-Bholscaire an rún-stáisiúin ghearr-
thoinne sin. Chíodh siad go minic ag cruinnithe é.
Chuireadh siad chuige orduithe, agus abhar craolta

—forógraí do mhuintir na hÉireann, nuacht fá im-
eachtaí an Airm. Sholáthraíodh Aodh féin na
léachta gairide staire, na cainteanna silteagaisc agus
eile. Ach is tríd theach aitheantais a théadh gach
teachtaireacht. Chreid Pádraig riamh gur dhuine
é siúd nach locfadh a choíche. Ba dheacair do
choimhthíoch Aodh Ó Cianáin a shamhailt ina
réabhlóidí. Ba dheacair do Phádraig Ó Préith é
shamhailt agus gan é ina réabhlóidí. Dar leis, cibé
nach bhfuil san Arm, tá Cumhaí ann . . .

— Caidé thug anseo inniu thú, a Pháidí?
d'fhiafraigh an fear beag.

— D'fhéadfainn an cheist chéanna a chur ortsa.

— Ach gur mise a chuir ortsa an chéad uair
í! Bhí mé 'do choimheád. Déarfainn nach cuimhne
Sheachtain na Cásca ar fad a bhí ar d'intinn.

Las Pádraig suas claon.

— Béidir gur chumha i ndiaidh na sean-laethe
a mheall anseo mé. Béidir nach iad laochraí 1916
amháin a bhí mé a chaoi, ach gach aiméar nár freas-
taladh agus gach aisling a truaillíodh.

— An ndéanfá arís é, a Pháidí?

— Caidé rud?

— Och, gabháil isteach ins na hÓglaigh a
throid ar son Róisín Duibh agus í ní amháin saor
ach Gaelach comh maith—go bhfóire Dia orainn!

Níor fhreagair Pádraig go ceann tamaill.

— Béidir—dá mbeadh a fhios agam go mbeadh
toradh éigin air seachas dornán eile mairtíreach
curtha leis an liosta.

— Nach raibh Acht na Poblachta anuraidh mar
thoradh air?

— Aigh, an Phoblacht, Poblacht na Sé gContae
Fichead! Bhail, ar scor ar bith, chruthaigh Mac
Giolla Bhríde gurbh é abhar na brúine uilig caidé'n

t-ainm a bhéarfaí ar na Sé Contaethe Fichead! Nó
caidé'n phoblacht seo atá acu? An Phoblacht a
bunaíodh i 1916 agus nár díbhunaíodh riamh ó
shoin, má b'fhíor dúinne—ainneoin gur roinn na
Státóirí 's na hAondachtóirí eatarthu í agus ain-
neoin go dtug a hUachtarán, a Rialtas agus a hArm
droim a láimhe léi? Nó an Phoblacht a thug De
Valera fá choim dúinn ach nach dtabharfadh sé
amach as an fhoclóir í? Nó Poblacht a Trí, a fuar-
thas anuraidh, gan urchar a scaoileadh?

Bhí siad ag teacht comhgarach don gheata, mar
a raibh baicle bheag síothmhaor fós. Thost Pádraig.
Líon Cumhaí an bhearna le deilín éigin agus dreach
comh truamhéileach sin ar a aghaidh mhoncaí go dtug
sé a sháith do Phádraig gan dul ins na trithí gáire.

— . . . Aigh, arsa mise lem mháthair: " Sin
casachtach reilge atá ar an tsean-chnámharlach,'
arsa mise. "Ní bheidh sí i bhfad eile ag cur cluana
ar an bhás," arsa mise. " Bíodh splaideog chéille
agat," arsa sise, " níl a dhath uirthi nach leigheas-
fadh buidéal cogais é." Agus féach, nach agamsa
a bhí an ceart . . . Móra na maidne dhuit, a Shair-
sint! —Aigh, d'aithin mise go raibh na sean-chosa
ag tabhairt suas uirthi . . .

— Cé tá muid a chaoi, cibé ar bith? d'fhiaf-
raigh Pádraig, comh luath agus bhí siad as éist-
eacht na síothmhaor. Agus cérbh é an Sairsint ar
bheannaigh tú dó?

— An tSean-Bhean Bhocht atá curtha i gcré
againn! Níl a fhios agam cé hé an Sairsint udaí,
ach bím i gcónaí múinte le sairsintí. Ní bhaineann
an múineadh a dhath as do phóca. —Ach lean ort
fán Phoblacht seo, a Pháidí!

Chroith Pádraig a cheann.

—Caidé'n mhaith? Nach cuma céacu Poblacht

a hAon, a Dó nó a Trí atá ann? Níl inti nuair atá
deireadh ráite ach Poblacht na Sé gContae Fich-
ead, " Éire " an Nua-Bhunreachta, Saorstát Éireann
1922! Tabhair do rogha ainme uirthi.

— " Saorstát " is rogha liom féin, a Pháidí.

— Sé is rogha lenár mbunús abhus. Nó béidir
nach bhfuil ann ach go bhfuil muid cleachtaithe
leis. " Tá mé ag gabháil suas chun a' tSaorstáit "
adeir muid, idir Chaitilicigh 's Protastúnaigh.

— Sin an fáth ar rogha liomsa é. Admhaíonn
an tOráisteach, gach uair dá mbaineann sé feidhm
as an téarma, gur Daor-stát atá ins na Sé Contaethe.
Rinne an Bunreacht Nua praiseach ceart den iomlán.
An cuimhin leat an rann udaí a bhí ag gabháil an
t-am sin:

> Mise Éire,
> Baisteadh mé ag De Valera.
> Bhí Éire ann, ach anois tá péire!

— Aigh, is cuimhin liom nuair a bhí mé ar saoire
i nGaeltacht Thír Chonaill i '46. B'éigean domh
gabháil síos go dtí beairic na nGardaí a fháil chárta
sealadach ciondála. Thug an Garda orm foirm a
líonadh. Ar na ceisteanna a bhí le freagairt bhí
ceann a d'fhiafraigh cén uair a tháinig mé go hÉir-
inn. Mhínigh mé, ar ndóigh, gur chaith mé iomlán
mo shaoil in Éirinn. Ansin mhínigh an Garda,
comh soiléir 's d'fhéadfadh Ciarraíoch a mhíniú do
fhear a d'fhoghlaim a chuid Ghaeilge abhus san
Ard Scoil, gurbh ionann " Éire " agus na Sé Con-
taethe Fichead!

— Sin é, a Pháidí. " Poblacht na hÉireann "
a bheir siad anois air, ach is ionann an cás.

Chuir Pádraig aoibh shearbh air féin.

— Agus na buachaillí bochta atá ina luí thuas, fuair siadsan bás ar son focail!

— Ní bhfuair, a Pháidí. Fuair siadsan bás ar son aondacht na hÉireann. Ní leor focal a athrú leis an tír a aontú. Ghlacfadh sé troid, a Pháidí.

— Agus cé tá leis an troid a dhéanamh? Ní dhéanfaidh Rialtas Bhaile Átha Cliath é, agus ní fhéadfadh na hÓglaigh a dhéanamh gan gabháil in achrann arís leis na húdaráis suas an tír. Ar ndóigh, d'fhéadfadh an dream abhus racán a thógáil, ach ní bheadh ann ach racán. Is dócha gur mó an t-eolas atá agatsa ná agamsa fá stáid na nÓglach, ach mheasfainn féin nach raibh siad riamh ní ba laige ná tá fá láthair.

Rug an fear beag greim sciatháin air.

— Ach dá mbéidir troid fhiúntach a dhéanamh, a Pháidí, arsa seisean fána anáil, an mbeifeá féin sásta buille a bhualadh?

— Má tá tú ag iarraidh mo mhealladh arais, a Cumhaí, tá sé fuar agat! Tá a fhios agam caidé mar a bheadh. Ag caitheamh ár ndícheall ag iarraidh eagraíocht a choinneáil le chéile, ag fanacht agus ag droileáil agus ag fanacht arís. Nach cuimhin leat caidé tharla do Óglaigh Énrí Grattan:

> They mustered and paraded
> Until their laurels faded—
> Thus died the Volunteers!

— Ní gnóithe den chineál sin atá i gceist agam, ach gníomh luath—agus Gníomh Mór!

— Ba mhaith an fear scéal thú!

— Tá mé lom dáiríre, a Pháidí. Seo, an mbeifeá sásta éisteacht a thabhairt domh dá mbuailinn isteach tigh s'agatsa oíche éigin a mhíniú an scéil?

— Ar do bhás, ná déan! Is iontach an dóigh a dtig le Mallaí s'againne boladh Phoblachtóra a chur! Ach dhéanfaidh mé coinne leat oíche éigin.

— Dhéanfaidh sin scoth gnóithe. Seo, bhéarfaidh mé duit mo sheoladh . . .

CAIBIDIL 17.

BHí Teach Pobail Chluain Iorraird plodaithe ó chúl go doras, mar ba ghnáth, nuair a bhuail Síle isteach ann trathnona Déardaoin amháin agus a hanál i mbarr a goib léi, i gcomhair na Nóibhéine do Mháthair na Síor-chabhrach ar a seacht.

Is ar éigin a fuair sí a coisreacadh féin agus an Paidrín Gorm a thabhairt amach as a máilín láimhe sul a ndeachaigh an sagart óg isteach sa chrannóig.

— A Mháthair na Síor-chabhrach guigh ar son do chlainne . . .

Ba ghnáth le Síle bheith i láthair ag an Noibhéin gach uile Dhéardaoin, ach lig sí tuairim is trí mhí thairsti ó bhí sí ann an uair dheiridh. Ní bheadh sí ann an Déardaoin seo i Mí Meithimh ach gur bhuail tallann í tar éis do Mháire goineog áirithe a thabhairt di.

Dar le Síle, is dócha nach mór an tairbhe domh an Nóibhéin seo, nó is ag diúnas ar Mhallaí a tháinig mé . . .

— Go mbeannaítear Giniúin Naofa gan Smál na Maighdine Muire ró-bheannaithe . . . Ár nAthair . . .

Is amhlaidh adúirt Síle, nuair tháinig sí isteach ag am tae, gur chuala sí daoine á rá thíos sa tsiopa go mbeadh Banríon Shasana ag teacht anall i Mí

Iúil agus go mbéidir go mbeadh daoine eile den Teaghlach Ríoga ina cosamar. Ní thug Máire freagra uirthi, ach thiontaigh sí a spéaclaí uirthi agus stán gan staonadh uirthi comh fada sin gur éirigh Síle míshuaimhneach. " Cad chuige a bhfuil tú ag gliúcaíocht tríd do ghloiní mar sin orm?" a d'fhiafraigh sí go goirgeach. " Bhí mé ag smaoineamh," adúirt Máire go nimhneach, " gur mó a bhfuil de spéis agat sa Teaghlach Ríoga ná sa Teaghlach Naofa le tamall anuas!" Shíl Síle ar tús gurb é rud a bhí Máire ag déanamh aithrise ar an tSiúir Columba, agus rinne sí gáire. Ach bhí Máire lom dáiríre. " Ní habhar gáire ar bith é," adúirt sí. " Ní féidir leat a shéanadh go bhfuil tú ag déanamh neamairt i do chreideamh ó tháinig Liam Seaghach go Béal Feirste." " Bréagach thú!" " C'fhad ó chuaigh tú chun Faoistine? C'fhad ó chuaigh tú amach go dtí an tSíor-Nóibhéin ag Cluain Iorraird? Agus an Bhliain Bheannaithe ann is uilig!" Ghoill an t-achasán comh mór sin ar Shíle, agus gan coinne dá laghad aici lena leithéid, gur fhág sí a cuid gan bhlaiseadh agus rith suas an staighre go dtí an seomra leapa. Is ansin a thosnaigh sí a smaoineamh go mbéidir go raibh abhar casaoide ag Máire i ndiaidh an iomláin. D'éirigh sí, ceart go leor, as dul amach go dtí an teach pobail gach Déardaoin, ach ba éagórach ar fad an mhaise do Mháire é, dar léi, a mhaíomh gurbh é Liam a ba chionta leis. Rachadh sí caol díreach amach go Cluain Iorraird anois. Bhéarfadh sí le fios do Mháire nach raibh droch-thionchar ar bith ag Liam uirthi!

— Déan eadarghuí ar ár son leis an Athair ar gineadh a Mhac uait . . .

Dar le Síle, níor cheart do Mhallaí an méid sin a rá fá Liam. Níl a fhios aige, fiú, go mbíonn

an Nóibhéin ann ar an Déardaoin, agus dá mbeadh
a fhios aige d'fhanfadh sé go bpillinn. Ní abróinn
nach dtiocfadh sé isteach i mo chuideachta dá
n-iarrainn air é. Bíonn neart Protastúnach i láthair
ag an Nóibhéin, deirtear. Orm féin atá an locht
uilig, más locht atá i gceist. D'fhéadfainn an fhírinne
a inse dó nuair a d'aithin mé gurb amhlaidh a
shíl sé gur amuigh ag suirí le buachaill éigin eile a
bhínn gach oíche Dhéardaoin. Ach thaitin sé liom
bheith ag smaoineamh go raibh éad air. Agus i
dtaca leis an Fhaoistin de, rinne mé m'Fhaoistin
roimh an Cháisc agus chuaigh mé chuig Comaoineacha
go minic i rith an Chorgais. Agus, ar ndóigh,
níl fiacha orm dul chuig an Nóibhéin. Tá mé cupla
bliain ag gabháil di, seal ag iarraidh achainí agus
seal ag tabhairt bhuíochais . . .

   Thosnaigh an sagart óg a léamh os ard liosta
de na hachainí a bhí á gcur i láthair Mháthair na
Síor-chabhrach, agus de na teachtaireachtaí buíochais
a scríobh creidmhigh, a bhí tar éis a n-iarraidh a
fháil tréna headarghuí, as lúcháir a gcroí.

   . . . Dar le Síle, tá mé anseo agus gan tuaithleas
beag dá laghad agam caidé tá mé a iarraidh—
murb é foighid é le cur suas le Mallaí 's gan a tachtadh
lá éigin! D'fhéadfainn guí ar son Mhamaí, ach
ar ndóigh, nach mbímse ag guí ar a son maidin 's
tráthnóna? Dúirt an Dr. Mac Néill gur de thairbhe
míorúilte a chuir sí thairsti an taom deireannach úd
ach tá biseach comh mór sin uirthi le tamall de mhíosa
anuas gur ar éigin atá Nóibhéin a dhíth uirthi ar
chor ar bith . . . Cibé ar bith, níl sé deas bheith i
gcónaí ag lorg na déirce. Máthair na Síor-chabhrach
agus Clann an Bhéil Bhoicht! "Perpetual Suckers"
a thug Páid orainn. Dúirt Mallaí gur dia-mhasla a
bhí ansin, ach, ar ndóigh, ní raibh sé ach ar son

grinn. Féach an dóigh a ndearna sé féin an
Nóibhéin, an t-am ar cuireadh de na busanna é, go
dtí go bhfuair sé obair eile. Is fíor gur stad sé féin
di ó shoin, ach ní raibh Mallaí ag gabháil dósan.
Leoga, ní dhearna sí ach gáire—an rud is annamh is
iontach!—nuair adúirt sé nár mhaith leis Naomh
Antoine a thréigbheáil ar fad, go háirithe ó bhí
scilling 's réal ag Antoine air . . .

Bhí an sagart ag tosnú ar urnaithe na Nóibhéine.

— A Mháthair na Síor-cabhrach, féach mise im
pheacach ainniseach ag do chosa . . . A Mháthair na
Trócaire bíodh truaigh agat domh . . .

Dar le Síle, an peacach ainniseach dáiríre mé?
Ní dhearna mé m'fhaoistin le breis is dhá mhí, agus
ní raibh mé ag an altóir ó Dhomhnach Cásca i leith.
Sean-chleachtadh is cionta leis. Bíonn an Fhaoistin
agus an Chomaoin Naofa comh dlúth-cheangailte
sin le chéile inár n-intinn nach gcuimhneodh duine
ar ghabháil chun na haltóra mura mbeadh a fhaoistin
déanta aige roimh-ré. An amhlaidh a d'éirigh mé
ró-scruballach ón am a chleachtainn Comaoin
laethúil? Ní bhacadh cupla mion-pheaca so-loghtha
domh an t-am sin ó Chomaoin Naofa a ghlacadh . . .

. . . Ó, a Mhuire, cuidigh liom, a Mháthair na
Síor-chabhrach, ná lig domh mo Dhia a chailliúint.
Amen . . . Sé do bheatha, a Mhuire, atá lán de
ghrásta . . .

D'aithin Síle i dtobainne nach raibh sí ach ag
iarraidh cluain a chur uirthi féin. Ní fheadfadh sí
a cheilt níos faide uirthi féin. Sé rud a bhí sí ag
fanacht amach ó na Sacraimintí le roinnt seachtain
anuas ar an abhar gurbh eagal léi go gcuirfeadh sí
isteach ina faoistin go raibh sí ag suirí le Protastún-
ach . . . Chuirfeadh an sagart ceisteanna uirthi,
cinnte, a chuirfeadh go mór tríd a chéile í. Níor

dhearmad sí riamh an lá uafásach úd a d'innis sí don tsean-shagart, agus gan inti ach girseach bheag shoineannta, go raibh sí tar éis " peacú in aghaidh na geanmnaíochta." Níor chuimhnigh sí riamh ó shoin ar na ceisteanna a chuir an sagart bocht uirthi gan an chuimhne lasadh náire agus déistine a bhaint aisti. Ar ndóigh, d'fhéadfadh sí a rá go fírinneach leis an tsagart nach ndearna Liam éinní riamh uirthi nó nár chan sé focal riamh ina láthair a dtiocfadh peaca a thabhairt air. Ach níorbh é sin é. Is cinnte go bhfiafródh an sagart ar rún di an Protastúnach seo a phósadh agus ar rún dósan tiontó ina Chaitiliceach. Agus caidé d'fhéadfadh sí a rá? Go raibh grá go fíor acu dá chéile ach nár phléigh siad riamh le chéile ceachtar acu cúrsaí creidimh nó cúrsaí pósta. Agus, ar ndóigh, ba ionann iad. Déarfadh an sagart, béidir, gur siocair pheaca é bheith ag suirí le Liam ar chor ar bith. Seans, fiú go n-abródh sé, gan fiacal a chur ann, gur pheaca marfa é agus gurbh é a dual-gas mar Chaitiliceach a chomhluadar sin a sheach-aint feasta. Agus caidé dhéanfadh sí ansin?

— Rinneadh díotsa dúinne, a Bhaintiarna, Dídean.

— Cabhraitheoir i riachtanas agus i dtrioblóid. Dar le Síle, tá sé iontach éagórach. Níl Liam ar iarraidh cur isteach ar mo chreideamh nó ar chleachtadh mo chreidimh. Níor labhair sé riamh focal fonóideach nó namhadach nó nimhneach fán Eaglais nó fán Phápa. Bunús an ama ní aithneofá óna chomhrá nach Caitiliceach é féin. Ar ndóigh, tá sé go mór in éadan na Náisiúntóirí sin a bhíos ag iarraidh ceist chreidimh a dhéanamh den Chrích-dheighilt, agus tá sé iontach bródúil as na Protas-túnaigh a d'éirigh amach i 1798. Ach tá Páid féin i bhfad níos nimhní in éadan na nOráisteach Caitilceach, mar a bheir sé orthu, agus tá an meas céanna aigesean ar Wolfe Tone agus an dream sin agus tá ag Liam . . .

Agus cad chuige, más mar sin a bhí an scéal, nach bhfuair Síle de mhisneach riamh ceist seo an éagsúlacht chreidimh a phlé le Liam? An amhlaidh a bhí eagla folaithe áit éigin ina hintinn, eagla a d'fholaigh sí uirthi féin, go mba é toradh a leithéid de chomhrá go dtaispeánfaí go soiléir di go raibh balla ard eatarthu, balla nárbh fhéidir le ceachtar acu a dhreapú bíodh is go dtiocfadh leo greim láimhe a bhreith ar a chéile tríd scoilt áirithe sa bhalla chéanna? Ach nach dtiocfadh léi dul sa tseans? Bheadh sí cinnte ansin, ar scor ar bith, conas mar bhí an scéal. Bheadh a fhios aici ansin an raibh sé comh ceanúil uirthi agus a shíl sí. Níor Phrotastúnach fearmadach é, agus an Protastúnach nach raibh fearmadach bhí sé leath ina Chaitiliceach cheana, dar léi.

An amhlaidh a bhí sí ag cur amú a saoil? Ní raibh! Dhiúltaigh sí go fíochmhar don smaoineamh. Fiú mura dtagadh sé coiscéim amháin ina hairicis maidir le cúrsaí creidimh de, níor chuir sí amú na laethe aoibhne a chaith sí ina chuideachta. Ach dá gcuireadh sé ceiliúr cleamhnais uirthi, caidé ansin? Dá n-iarraidh sí air tiontó ina Chaitiliceach le sásamh a thabhairt di, agus gan níos mó ná sin a iarraidh, an ndéanfadh sé rud uirthi? Ní bheadh sí ag iarraidh Caitiliceach díograiseach a dhéanamh de ar tús. Thiocfadh sin le himeacht aimsire. Bhéarfadh sí dea-shampla dó, bheadh sí féin ina Caitiliceach níos dílse mar mhaithe leis. Ni abródh sí focal dá bhfanadh sé ar shiúl ó na Sacraimintí, dá bhfanadh sé ar shiúl ón Aifreann maidneacha Domhnaigh, fiú. Níor cheart bheith ag súil leis an iomarca ar tús.

Ach de réir a chéile, bheadh tionchar éigin ag a creideamh féin air, agus lasfadh sí solas an chreidimh ina croí lena heisiompláir. Go dearfa, ní raibh an oiread sin difríochta idir a creideamh féin agus na rudaí ar chreid seisean iontu. Chreid sé inár dTiarna, agus nárbh é sin dúshraith na Críostaíochta? Bhéarfadh Dia agus Máthair na Síor-chabhrach de ghrásta di a thabhairt chun creidimh de réir a chéile. D'fhéadfadh sí an grá a bhí aige uirthi a úsáid lena thiontó agus le dea-Chaitiliceach a dhéanamh de ar ball.

Ach an raibh grá aige uirthi dáiríre? An iarrfadh sé a chóiche uirthi a phósadh? Agus dá ndéanadh, agus dá síleadh sé go raibh sí ag éileamh shaoirse a anama mar choinníoll sul a nglacadh sí leis, an amhlaidh a thiontódh sé go feargach meallta uaithi. Béidir go sílfeadh sé go mba chóir di bheith sásta lena ghrá. Agus dá n-éisteadh sé go foighdeach cineálta lena hiarratas agus ansin a mhíniú di nach bhféadfadh sé tiontó ina Chaitiliceach, caidé ansin? An mbeadh sise sásta dul ina airicis-sean agus a phósadh agus é ina Phrotastúnach ar fad? Béidir nach bhfaigheadh sí sagart lena bpósadh. Is minic a chuala sí na sagairt ag labhairt amach go tréan in éadan na bpóstaíocha measctha. Bhí sí féin ina n-éadan go dtí seo. Dúirt sí riamh, dá bpósadh fear Caitiliceach bean Phrotastúnach, go mbeadh creideamh na bpáistí ina gcnámh spairne eatarthu agus go mba laige creideamh an fhir de dheasca easpa chreidimh na mná. Agus dá bpósadh bean Chaitiliceach fear Protastúnach i ndiaidh dó geallúint go dtógfaí na páistí ina gCaitilicigh, is cinnte go loicfeadh sé, nó, ar a laghad, go ngoillfeadh sé air a chlann a fheiceáil ag éirí níos coimhthí gach uair dá rachadh siad chun Aifrinn lena máthair agus gach uair dá bhfoghlaimeodh siad alt eile den Teagasc Chríostaí.

Ar ndóigh, am ar bith ar smaointigh Síle ar an cheist, sul ar casadh ar Liam Seaghach í, is ar Phrotastúnaigh a bhí ina nOráistigh agus ina nAondachtóirí a bhíodh sí ag cuimhniú. Níor thuig sí, go dtí go dtáinig Liam an treo, go bhféadfadh Protastúnach bheith ina Phoblachtóir. Is fíor go raibh na hÉireannaigh Aontaithe agus Seán Mistéil ann, ach mhair siadsan comh fada sin ó shoin, agus tháinig athrú millteanach le céad bliain anuas. Protastúnaigh de chineál eile ar fad a bhí ann anois. D'fhéadfadh Protastúnaigh a raibh dearcadh náisiúnta acu bheith ann sa Deisceart. Ach in Ultaibh? Agus ina dhiaidh sin, bhí Liam ina Náisiúntóir. Níor lig sé dá chreideamh cur isteach ar a dhearcadh polaitíochta. Ní ligfeadh sé dó cur isteach ar an chumann geana a bhí eatarthu beirt. Bhí sé comh réasúnta sin fána leithéidí. Ach nach ansin, go díreach, a bhí an chontúirt—go measfadh sé gur mhíréasúnta an mhaise di ligean dá creideamh féin cur isteach ar an chumann chéanna? Béidir go smaoineodh sé: "Má tá mise toilteanach neamhiontas a dhéanamh den difríocht chreidimh atá eadrainn, cén fath nach ndéanfadh sise amhlaidh?"

Is minic a chuala Síle gurbh é sin an mana a bhí ag fiú an chuid a ba leithne aigne de na Protastúnaigh. Bhí an dearcadh sin coitianta ag na Sasanaigh go háirithe. Cén fáth, adéarfadh siad, nach dtiocfadh linn pósadh—is cuma liom, i dtaca le holc, cén áit—agus ansin ligean dá chéile ár gcreideamh féin ar leith a chleachtadh nó faillí a dhéanamh ann, ceachtar acu is mian linn? Ach ar phósadh fíor a leithéid? D'fhéadfadh sí féin agus Liam cupla uair sa tseachtain a chaitheamh i gcuid-

eachta a chéile agus gan an difríocht chreidimh
theacht eatarthu. Ach dá mbeadh siad pósta agus
ise pictiúir de Mháthair na Síor-chabhrach a chroch-
adh sa tseomra codlata, nó uisce coisreactha a
chrothadh thart air agus é ag dul amach ar maidin,
nach mbeadh an baol i gcónaí ann go sílfeadh seisean
go raibh sí ag iarraidh a creideamh féin a bhrú air?

Bhí siad ag guí anois ar son an Phápa. Caidé
sin a dúirt Mallaí ag am tae? "Agus an Bhliain
Bheannaithe ann 's uilig!" Is ar éigin a chuimhnigh
Síle ar an Bhliain Bheannaithe ó thug sí grá do
Liam Seaghach. Na sluaite síoraí ag tabhairt
aghaidh ar an Róimh i mbliana. Agus ise? Nach
amhlaidh a bhí sí ag imeacht go doicheallach fadál-
ach níos faide uaithi?

Canadh iomann: A Mhuire bíodh Síor-chabhair
mar fhreagra ar ár nguí . . .

Nuair a chuaigh Síle ar a glúine arís, thuig sí
cad é an achainí a ba dual di a iarraidh. Guigh sí
go tostach dúthrachtach.

— A Mháthair na Síor-chabhrach, déan eadar-
ghuí ar mo shon agus ar son Liam. Tabhair isteach
san Eaglais é, a Mháthair. Is cuma liom caidé'n
íbirt a chaithfeas mé a dhéanamh. Ach tabhair
isteach san Eaglais é, a Mháthair! Tiontaigh chun
an Fhíor-Chreidimh é, a Mháthair, i rith na Bliana
Beannaithe seo . . .

Shín an sagart óg amach a lámh dheas a thabh-
airt a bheannachta do na céadta de dhaoine breoite
a bhí sa láthair.

— Go raibh an Tiarna Íosa Críost i bhur measc,
do bhur gcosaint; istigh ionaibh, do bhur gcaomhnú;
romhaibh, do bhur dtreorú . . .

CAIBIDIL 18.

OÍCHE an 11ú Iúil, agus Liam díreach i ndiaidh theacht isteach ón oifig, buaileadh tailm mhillteanach den chnagaire ar dhoras na sráide. Bhí Liam ar a bhealach suas an staighre.

— Ná bac leis, a Bhean Mhic Giolla Dhuibh, a scairt sé thar an ráille le hEistir, a bhí sa níseomra agus í ag baint pí amach as an tsorn, a rinne sí le mairteoil stánaithe agus prátaí bruite in ionad taosráin mar chumhdach air. Fosclóidh mise an doras go bhfeice mé cé tá ann.

Buaileadh an tarna tailm sul ar shroich sé bun an staighre, tailm níos údarásaí fós. D'fhoscail sé an doras agus fuair gasúr beag fionn-rua ar an chéim, gasúr beag a bhí fá gheansaí dhúghorm agus bhríste corda-an-rí, stoca amháin tarraingthe aníos go glúin air agus an ceann eile fána mhurnán. Bhí sé comh beag bídeach sin gurbh éigean dó léimnigh in airde agus a sciathán sínte os a cheann, an baschrann a theilgean i dtreo na spéire le barra a mhéar, agus ligean dó titim anuas ina dhiaidh. Bhí sé ar tí an tríú léim a ghearradh nuair a foscladh an doras agus a nochtadh é agus é cruptha a chruinniú iomlán a chuid urraidh di. Bhí sean-tocht tuí ina luí ar an chosán taobh thiar de. D'amharc Liam go greannmhar air.

— Níor rún duit do mhuinéal a bhriseadh, a Earnáin !

— Cé tá ann, a Liam ? scairt Eistir ón chistin.

— Taistealaí tráchtála ag díol tocht !

— Ná tabhair aird air, a Bhean Mhic Giolla Dhuibh ! arsan gasúr, sean-ard a chinn. Mise atá ann. Tá mé ag bailiú connaidh don tine chnámh.

AN DÁ THRÁ

Tháinig Eistir amach go dtí an doras agus í ag cimilt a lámh dá naprún.

— M'anam, arsa sise, Earnán beag Mac Uidhlidh! Ba chóir go mbeadh a fhios agam! Caidé'n diabhlaíocht a bhfuil tú 'na ceann anois?

— Ní diabhlaíocht ar bith é an iarraidh seo, a Bhean Mhic Giolla Dhuibh. Séard atá muid ag bailiú sean-triuc don tine chnámh.

— Don donas libh féin 's bhur gcuid tinte cnámh! Scríos sibh na cúirtíní lása ar fhuinneoig an pharlúis orm anuraidh leis na dúlagáin, agus an bhliain roimhe sin loisc sibh an phéint ar dhoras tosaigh Bhean Mhic Thom. Tá na spuaiceanna le feiceáil go dtí an lá atá inniu ann.

— Ach, a Bhean Mhic Giolla Dhuibh, níl muid ag brath an tine a fhadú ar an tsráid i mbliana. Séard a rachas muid thart an coirnéal go dtí an réiteach.

— Och, bhail, ní thig Oíche an Dara Lá Déag ach uair sa bhliain, agus ní bhíonn duine óg ach an t-aon uair amháin. Tóg ort isteach 'na cistine, 'Earnáin. Ach glan do bhróga ar an mhata an chéad uair. Tá sean-tábla amuigh sa chlós agam agus cos amháin ar iarraidh. Bhíodh Seoirse s'againne i gcónaí á rá go ndéanfadh sé boirdín deas caife a sheiftiú fá choinne an pharlúis. Bhí sé iontach deas-lámhach mar Sheoirse, 's tá mé cinnte gur ball álainn troscáin a dhéanfadh sé de, nó tá scoith an mhahoganí sa tsean-tábla, agus is dócha nár chóir a ligean le hEarnán bheag. Ach ar dhóigh éigin, ní bhfuair sé riamh gabháil 'na cheann, a Liam, bhí a oiread sin eile le déanamh aige.

Lean sí Earnán trasna na cistine. Dar léi, aigh, a oiread sin eile le déanamh aige, agus a laghad sin, ama fána choinne! Is méanar duitse, a Earnáin bhig, 's gan ag cur caite ort ach tinte cnámh! Nár lige Dia go sciobfadh cogadh eile leis thusa, roimh d'am—tríd ár dTiarna 's ar Slánaitheoir Íosa Críost. Amen.

Chuidigh Liam leis an ghasúr an sean-bhord a thabhairt amach ar an tsráid.

— Caidé mar a gheobhas tú an t-ualach sin a thabhairt fhad leis an choirnéal, 'Earnáin?

— Bhail, tá barra rotha ag Dubhglas Bléine. Tá séisean ag bailiú fosta. Fuair sé carn mór mill-teanach sean-bhonnaí gluaisteán as Garáiste Mhic Chruim. Déanann bonnaí gluaisteán néalltaí breátha dubha toite.

Tháinig Eistir amach sa halla.

— Lig dúinn an doras a dhrod, mar dhéanfadh gasúr maith. Gabh thusa isteach 'na cistine, a Liam, agus déan do chuid sul a bhfuara sí ort.

— Fan bomaite, a Bhean Mhic Giolla Dhuibh, arsa Earnán. Ní bheadh sean-éadaí ar bith le spáráil agat, an mbeadh?

— Nach do-shásta an fear beag déirce thú, a leanbh! Agus níl a fhios agam caidé déarfadh do mháthair dá gcluineadh sí go raibh tú ag déanamh thuras na dtithe a dh'iarraidh sean-bhalcaisí!

— Níl dochar ar bith ann, a Bhean Mhic Giolla Dhuibh. Fá choinne Lundy atá siad.

— Lundy, arb ea?

— Aigh, dúirt Dubhglas go mbfhearr i bhfad an chuideachta a bheadh againn ach Lundy a dhéanamh dúinn féin agus a dhó sa tine chnámh anocht.

— Maise, tá sibh mall i mbliana le bhur sean-Lundy, a Earnáin!

— 'Bhfuil? Och, bhail, dóifidh muid Pápa na Róimhe 'na ionad.

— Nach dtiocfadh libh ligean don tsean-Phápa

bhocht, a Earnáin? Tá a bhun 's a chíoradh féin
air, mar Phápa, d'ainneoin a Bhliana Beannaithe 's
uilig. Féach ar tharla don Chairdinéal " Mac a'
tSionnaigh," nó cibé ainm atá air, san Ungáir. 'S
bíonn an droch-fhear udaí Stalin i gcónaí ag gabháil
dó. 'S níor chás sin i dtaca le holc, ach cuireann
sé gearleanúint comh maith ar dhea-Phrotastúnaigh
's ar achan duine a bheir Críostaí air féin. Sé
Stalin an tAinchríost, a Earnáin, agus dúirt mise
riamh gurbh amaideach an mhaise do Mr. Churchill
éirí ró-mhór leis i rith an Chogaidh. Agus chuaigh
sé chun diúnais orainn ó shoin, d'ainneoin ar thug-
amar de stocaí troma 's de chochaill Balaclava don
Chiste Cabhrach Don Rúis!

Bhí an páiste ina sheasamh ansin, a lámha saite
go doimhin i bpócaí stróctha a bhríste agus a shúile
sáite go hiontach in aghaidh Eistir.

— Tá, bhail, dhéanfaidh muid Stalin dúinn féin.
Ach an bhfuil sean-éadaí ar bith le spáráil agat, a
Bhean Mhic Giolla Dhuibh.

Chuimhnigh Eistir uirthi féin, agus rinne gáire.

— Bain as go fóillín, mar dhéanfadh gasur
maith, nó seo chugainn m'fhear cóir ag teacht aníos
an tsráid. Ach tar arais i gceann uair a chloig 's
béidir go mbeadh rud éigin fá réir agam duit.

D'imigh Eistir isteach chun na cistine. Chuir
an gasúr fionn-rua an sean-tábla bun os ceann, ar
an tocht agus d'imigh leis agus an t-iomlán á streach-
ailt ina dhiaidh aige. Bheannaigh Daibhidh ar a chois-
céim dó, agus bhuail smitín caradach sa tóin air.

— Hileo, 'Earnáin, ar chuir na báillí amach ar
an tsráid sibh, nó an amhlaidh atá sibh ag tabhairt
bhur gcónaí go dtí teach de chuid an Bhardais ar
an Chuar-bhóthar Thiar?

Bhí Liam leath bealaigh tríd an phíóig nuair a

tháinig Dáibhidh isteach.

— Beidh Dáibhidh ag siúl amárach, arsa Eistir, agus í ag leagan a dhinnéara os comhair a fir chéile.

— An mbeidh, a Dháibhidh?

— Aigh, den chéad uair le breis a's deich mbliain.

— Ní raibh mórshiúl ar bith ann i rith an Chogaidh, arsa Eistir.

— Ní raibh, ar ndóigh. Ach d'éirigh mise as roimh an Chogadh. Thuirsigh mé de bheith ag gabháil amach go Fíodh an Achaidh gach Dara Lá Déag a dh'éisteacht leis na hóráideacha ceannann céanna a chuala mé an bhliain roimhe. Agus nuair a fuair an Tiarna Creagabhann bás chonacthas domh nárbh é an sean-Dara Lá Déag ní b'fhaide é.

— Chuir a bhás sin críoch le ré thábhachtach i stair Chúige Uladh, arsa Liam.

— Chuir, leoga. Agus níor thaitin sé liom 'na dhiaidh, an buille feille udaí a bhuail Sir Basil Brúc 's a mhuintir, sin ar Mhac Aindriú. Fear fiúntach 's dea-Phrotastúnach é Mac Aindriú. Eisean atá ina Ard-Mháistir Impiriúil ar an Ord anois, dá chomhartha sin féin. Agus ar scor ar bith, mheas mé gur leor duine amháin den líon tí bheith ag siúl, agus ó tharla Seoirse ann le m'áit a líonadh . . . .

Chuir Eistir isteach air.

— Déan do chuid sul a ndéana tú do chomhrá, a Dháibhidh! Tá a fhios agat go maith go gcuireann sé dó croí ort bheith ag geabairlíneacht le linn bídh.

Chaoch Dáibhidh a leathshúil ar Liam.

—Ní chuirfidh sí a dhath orm nach gcuirfeadh an bia féin! Cibé ar bith, b'fhurasta a leigheas le bolgam bláthaí 's lán spúnóige de shóid bhácála . . . Doirt amach an tae, a bhean seo . . . Aigh, a Liam, stad mé de ghabháil chuig cruinnithe an Lóiste, fiú.

Thug Eistir áladh feargach ar Goering, a raibh a cheann i gcrúiscín an bhainne aige. Rug sí greim ar bhac a mhuinéil reamhair, agus d'iompair é, agus é ag lúbarnaigh, amach go dtí an clós.

— Aigh, arsa sise tharna guala¹nn, bhí Dáibhidh ró-fhalsa le siúl suas go dtí'n Halla i Sráid Clifton. Go dearfa, is iomaí Dara Lá Déag a luigh sé 'na leabaidh agus an mórshiúl ag ullmhú chun gluaiseachta ag an tSíorcas thuas. Agus anois tá an seanbhealastán ag caint fá ghabháil de shiúl a chos an bealach uilig go Fíodh an Achaidh!

Rinne Dáibhidh draothadh gáire fána chroiméal.

— Ceart go leor, a Liam, sa tsean-am bhíodh traenacha fá leith lenár dtabhairt an bealach uilig ó Stáisiún Shráid Victoria Mhór go Fíodh an Achaidh. I mbliana beidh sé d'fhiachaibh orainn an uile choiscéim de a shiúl. Ach, ar ndóigh, má tá Ábraham Bléine ábalta dó ní bheidh sé le rá aige gur loic mise.

— Caidé chuir an fonn siúil ort i mbliana, cibé ar bith?

Rine Dáibhidh moill, agus an ghabhlóg leath bealaigh go dtí n-a bhéal.

— Och, ní fhéadfainn a rá i gceart. Ceart go leor, bhí Ábraham ag gabháil domh le mí anuas, ag iarraidh a chur 'na luí orm gurb é dualgas gach deaPhrotastúnaigh siúl ar an Dara Lá Déag. Ach ní dóigh liom go ngéillfinn dó murbh é gnoithe seo an Urramaigh Mac Meanma agus na pléascáin a chaith na Sinn-Féinithe leis na péas abhus sa chathair ar na mallaibh. Agus ansin na bréaga a cuireadh orainn le tamall anuas, agus an masla a tugadh do Sir Basil nuair a chualathas go raibh sé le cuairt a thabhairt ar na Stáit Aontaithe. Na Caitlicigh

Rómhánacha seo i Nua Eabhroc, agus na Sóisialaigh
thall i Londain! D'fhéadfaimís neamhiontas a
dhéanamh den mhuintir suas an tír ach nuair a
thoisíos Sasanaigh 's Poncánaigh ag iarraidh ár
saoirse a bhaint dínn, ní tráth suí níos faide dúinn é.

— Tráth siúil dúinn anois é, is dócha!

— G'amach as sin! Is réidh agat bheith ag
magadh fúm, a bhuachaill, ach tá mé á rá leat go
bhfuil an saol mór ag coimheád orainn agus gur dual
dúinn a thaispeáint dóbhtha go bhfuil muid comh
daingean 's bhí aimsir an Chúnaint féin . . .

Tháinig Eistir arais chun na cistine sul a raibh
a gcuid déanta acu, agus asclán éadaí léi.

—Caidé sin atá agat, 'Eistir? d'fhiafraigh
Dáibhidh.

— Sé rud a d'iarr Earnán beag Mac Uidhlidh
sean-bhalcaisí orm le cur ar an fhear bhréige atá le
dó sa tine chnámh anocht. Dar liom gur mhaith an
seans é fáil réitithe le cuid de na sean-éadaí seo nach
bhfuil ach ag tabhairt dídin 's cothuithe do na
leamáin.

— A dhálta sin, is dócha nár chuimhnigh tú ar
mo shean-Chrios a smúdáil? Is dóigh liom go bhfuil
sé sin 'na chriathar ag na diúlaigh chéanna fá seo.

Shín a bhainchéile mála páipéir chuige, gan focal
a rá. D'fhoscail Dáibhidh amach é agus fuair scabal
flannbhuí ann, den chineál a chleachtas Oráistigh a
chaitheamh fána muinéal in ionad an mhaoithchreasa
atá ag dul as stá le blianta beaga anuas.

— Heit, arsa Dáibhidh, caithfidh sé go raibh
bail níos measa ná shamhail mé ar an tsean-Chrios
udaí, má bhí ort airgead maith a chaitheamh ar
bhóna nua domh!

— Ní ceann nua ar bith é. Sin bóna Sheoirse
s'againne, bíodh a fhios agat. Shíl mé go mbfhearr

úsáid eigin a bhaint as ná ligean dó lobhadh thuas staighre sa tarraiceán.

Bhreathnaigh Dáibhidh an ribín leathan flann-bhuí idir a chrága móra mosacha. Ansin chorn sé suas go cúramach é, réitigh a scornach, agus d'amharc go hait ar Liam.

Bhí Eistir ag ransú go deifreach tríd an charn éadaí.

— Seo sean-sheaicéad nach fiú a choinneáil. Agus sílim go mbeadh sé comh maith agam an bríste seo a thabhairt dó fosta fá choinne an fhir bhréige.

— Heit, is mian leat a ghléasadh go galánta mar fhear bréige! arsa Dáibhidh. Sin bríste maith. Béidir go ndéanfadh sé mise go ceann tamaill.

— Thug sé a sheal, 'Dháibhidh. Tá an t-éadach lofa, agus tá tón an bhríste caite go dtí go bhfuil sé comh tana le duilleoig pháipéir. Bhí Seoirse s'againne iontach cruaidh ar bhrístí. Tón a bhríste agus sála a chuid ghiosán, sin a dtug sé de thrioblóid riamh domh.

Thainig cnag ar dhoras na sráide.

— Sin Earnán beag arais, arsa Liam. Ligfidh mise isteach é.

— Maith an fear. Abair leis bualadh ar a aghaidh isteach anseo. Ach ná lig thar an tairsigh é go nglana sé a bhróga.

D'fhoscail Liam an doras don ghasúr, agus chuaigh suas an staighre go bhfaigheadh sé leabhar agus bosca toitíní as a sheomra.

— 'Bhfuil sé ag cur fearthaine ar fad, 'Earnáin, d'fhiafraigh Dáibhidh.

— Aigh, ag taomadh atá sé. Ach is cuma. Thug an fear as an gharáiste sean-tarpól dúinn leis an stuif don tine chnámh a choinneáil tirim.

— Sibhse 's bhur dtine chnámh! Caidé fán

fhliuchadh a gheobhas mise amárach? Fágfaidh sé
creapallta go ceann seachtaine mé leis na scoilteacha.

— Bhail, deir an tsean-bhean go dtógfaidh sé
suas.

Chroith Eistir a ceann go haifearach.

— Ní hé sin an t-ainm is ceart duit a thabhairt
ar do mhamaí, 'Earnáin, a leanbh! Ach is dócha go
bhfuil an ceart aici. Bíonn aimsir mhaith i gcónaí
againn ar an Dara Lá Déag.

— Sin an focal fíor agat, arsa Daibhidh. Tá
Dia 'na dhea-Oráisteach, ar ndóigh!

Thaispeán Eistir an seaicéad agus an bríste don
ghasúr.

— An ndéanfaidh na rudaí seo do ghnoithe?

— Go hálainn, a Bhean Mhic Giolla Dhuibh. Go
raibh maith agat. Beidh fear bréige millteanach
againn! Rachaidh mé caol díreach suas chuig na
buachaillí leo.

— Bomaite, a Earnáin. Caidé'n briseadh ladh-
rach atá ort? An dtabharfaidh tú an beart seo ionsar
do mhamaí ar tús?

— Dhéanfaidh, a Bhean Mhic Giolla Dhuibh.

— Ní fhosclóidh tú é?

— Ní dhéanfaidh, a Bhean Mhic Giolla Dhuibh.

— Agus abair léi go bhfuil dúil agam nach
nglacann sí fearg liom. Níl feidhm agamsa leo a
thuilleadh, agus seans go dtiocfadh léi úsáid éigin a
bhaint astu. Dearfaidh tú sin léi, a Earnán?

— Déarfaidh, a Bhean Mhic Giolla Dhuibh.

— Sin an gasúr maith. Agus tá dúil agam nach
múchann an fhearthain bhur dtine chnámh oraibh.

— Nach dtiocfadh sibh féin amach á breathnú,
nuair a bheas sí fána líon-tséasúir? Tine chnámh
ar dóigh a bheas againn i mbliana!

Bhí Dáibhidh sa chathaoir uillinn fán am seo

agus é ag scaoileadh barriallacha a chuid bróg go gcuireadh sé air a shlipéidí.

— Bhail, arsa seisean, béidir go rachainn fhad leis an choirnéal, má bhíonn turadh ann, go bhfeice mé mo shean-sheaicéad ag gabháil suas i néall toite.

— Fanfaidh mise sa chistín, 'Earnáin, arsa Eistir agus aoibh an gháire uirthi. Ach beidh mé ag cuimhniú oraibh gach uair a chluinfeas mé innill na múchadóirí tine ag tarraingt orainn!

Tamall i ndiaidh imeacht do Earnán bheag, labhair Dáibhidh i gcúl an *Telegraph*.

— Caidé bhí sa bheart udaí a thug tú d'Earnán le tabhairt dá mháthair?

Sheasaigh Eistir agus a cúl leis. Bhí sí cupla neomat gan a fhreagairt.

— Culaith éadaí de chuid Sheoirse s'againne, arsa sise sa deireadh.

— Culaith de chuid Sheoirse! Caidé dhéanfadh Bean Mhic Uidhlidh le culaith fir agus í sé bhliain 'na baintrigh, 's gan duine ar bith de na páistí os ceann an trí déag!

— Ní culaith fir ar bith atá ann, a Dháibhidh. An cuimhin leat an t-am a ndeachaigh an chéad bhríste fada ar Sheoirse s'againne?

— Is cuimhin, ar ndóigh. Caidé fá dtaobh de?

— Nach cuimhin leat an chulaith Domhnaigh a bhí aige roimhe sin, an ceann dúghorm? Níor chaith sé thar cupla uair é go dtáinig sé 'na bhaile 's na deora lena shúile cionnas nach raibh buachaill ar bith eile dá aois nach raibh bríste fada air. Agus chuaigh mé caol díreach amach go dtí siopa Uí Dhonghaile ar Bhóthar na Seanchille agus cheannaigh bríste fada dó.

— Ná habair liom gur choinnigh tú an chulaith dhúghorm udaí an fad seo!

— Tá a fhios agam gurbh amaideach an mhaise

domh é. Dar liom anois gur leitheasach an mhaise
domh é, fosta. Bhuail an smaointiú mé anocht
díreach go mbéidir go rachadh ag máthair Earnáin
bhig an chulaith a athrú sa dóigh a bhfóirfeadh sé
dósan. Is iontach ar fad na rudaí is féidir léi a
dhéanamh leis an tsean-mhaisín fuála atá aici sa
pharlús.

— Tuigim . . . 'Eistir —.

Thiontaigh Eistir go fadálach.

— Sé, a Dháibhidh!

— Bean bheag mhaith atá ionat!

Las Eistir le tréan iontais agus pléisiúir. Leag
sí a lámh ar ghualainn Dháibhidh. Ansin thug
glúrascach an chláir scaoilte sa staighre rabhadh di go
raibh Liam ag teacht anuas, agus sciord sí amach go
dtí an níseomra.

CAIBIDIL 19.

— **B**ÍODH bhur mbagáiste ullamh agaibh i
gcomhair lucht Custam, más é bhur dtoil
é, arsan maor mná. Tá an traen ag teacht comh-
garach do Dhún Dealgan.

D'amharc an Fear Geabach ina diaidh.

— Sea, an Teora! arsa seisean go sollúnta.
Nach ait an rud é an Teora so! Ní féidir leat
í d'fheiscint, ach tá sí ann. Ní raibh an Teora ann
nuair do bhíos-sa óg, ach cé go bhfuil sí ann le beag-
nach triocha bliain ní fhacas riamh í. Cuireann sí i
gcuimhne dhom an ráiméis úd do bhíodh sna leabhair
scoile; " líne shamhalta a ritheann thart timpeall an
domhain " a thugaidís air. Dar fia, muna bhfuil sa
dTeorainn seo ach líne shamhalta, cad chuige an
chaint go léir? Is amhlaidh ná fuil aon Teora ann

in aon chor! Agus nach ait an dream sinn—de shíor ag argóint i dtaobh rud ná fuil ann in ao' chor, i dtaobh líne do-fheicthe! Taobh amháin ag mionnú 's ag móidiú nach ligfidh siad d'éinne aon orlach amháin do bhaint di, agus an taobh eile ag fógairt go gcaithfear deireadh do chur léi!

Dar le Pádraig Ó Préith, tá mála trom crochta thuas os ceann an tsean-bhealastáin reamhair seo. Ba mhór an grá Dé é dá dtiteadh sé anuas ar a chloigeann tiubh agus a chur ina thost go ceann tamaill! Níl a dhath is lú orm ná fear geabach i gcarbad traenach . . .

Shíl Pádraig go mbeadh air seasamh an bealach uilig go Baile Átha Cliath, ach fuair sé suíochán éasca go leor. Ní raibh an slua mór a raibh sé ag dreim leis ar thraen an tráthnóna, an 11ú lá de mhí Iúil. Dar leis, go searbh, amárach a thosnós sé, Mórshiúl an Dara Lá Déag. Oilithreacht na nOráisteach go Baile Átha Cliath a líonadh a bpéasáin . . .

— Cad é do thuairim féin i dtaobh na Teorann do-fheicthe seo, a chara? d'fhiafraigh an Fear Geabach. An gcreideann tusa go bhfuil aon Teora ann i ndáiríribh?

— Fhad 's tá na fir Custam lán-chinnte go bhfuil sí ann mar Theorainn, is cuma sa dubh-dhiabhal caidé'n bharúil dhíchreidmheach atá ag ár leithéidí! arsa Pádraig go tur.

Dar leis, caithfidh sé gur chan mé go maith é, nó siúd an cailín thall ag amharc aníos dá hirisleabhar fá dheireadh. Tá súile deasa ina ceann . . .

Ní raibh an Fear Geabach gan an t-aiméar seo a fhreastal.

— Cad é do thuairim-se, a chailín?

— Is deas an smaoineamh é, arsa sise, gur furasta an Teora seo a chur ar ceal le Gníomh Creidimh.

Níl le déanamh againn ach a rá nach bhfuil sí ann
agus siúd ar shiúl í an neomat ceannann céanna!
Ach sé an chuid is greannmhaire den scéal go dtuig-
imid uilig inár gcroí istigh nach bhfuil sí ann agus,
dá ainneoin sin, go gcaithfidh an dream nach maith
leo ann í admháil go bhfuil sí ann go dtí go mbíonn
an dream atá i bhfáth lena coinneáil ann a admháil
nach bhfuil sí ann!

— Dar fia, arsan Fear Geabach, agus é ag éad
léi, de réir chosúlachta. Dar fia, tá sin an-chliste!

Bhí fear tostach tuaithe ina shuí os coinne
Phádraig amach, fear lomchnámhach grian-daite, a
chaipín ar fiar ar a chloigeann chruinn, agus é ag
piocadh a fhiacal le himeall a thicéid. D'éirigh sé
go fadálach falsa ina sheasamh. D'fhoscail sé doras
an charbaid le dul amach sa phasáiste. Thug sé
thart a cheann agus labhair den chéad uair.

— Tá aithne agamsa ar fhear chóir a thiomáin
deich gcinn d'eallach trasna na Teorann an oíche
fá dheireadh. Caithfidh mé inse dó go bhfuil sibh
i ndiaidh deireadh a chur leis an Teorainn chéanna
ó shoin. Brisfidh sé a chroí, an duine gránna, a
chluinstin go bhfuil a ghléas beatha curtha de
dhíobháil air!

Stán an Fear Geabach go míshásta ina dhiaidh.

— Ní maith liom fear mar é sin bheith ag tais-
teal in éineacht liom, fear a fhanann ina thost ag
éisteacht le duine go dtagann an traen isteach go
dtí an stáisiún agus a éiríonn ansan agus a labhrann
abairt ghlic amháin agus a imíonn sara mbíonn seans
ag duine freagra cliste a cheapadh a chuirfeadh
ina thost é!

— Níl duine in áit bheith ag éileamh, arsa
Pádraig, má bhí an fear eile sásta cluas fhoighdeach
a thabhairt do dhuine go dtí sin.

Thug an Fear Geabach amharc amhrasach air. Shocraigh sé a mharóg ar a ghlúine.

— Is fearr liomsa duine atá toilteanach a chomhrá do dhéanamh go hoscailte, pé scéal é. An fear nach labhrann mórán, níl éinní le rá aige, sin, nó tá eagla air go ndéarfaidh sé an iomarca.

Sin goineog domhsa, arsa Pádraig istigh ina mheanmna. Ó thainig sé isteach ag Port an Dúnáin tá sé ag iarraidh eolas éigin a phiocadh asam fán áit arb as domh, fán ghléas beatha atá agam agus fá abhar mo chuairte go Baile Átha Cliath—" más ar Bhleá Cliath atá do thriall " . . .

Nocht an bhan-mhaor chucu arís:

— Éinne go bhfuil bagáiste sa bhaigín aige!

Tháinig na hoifigigh Custam ag trupáil anuas an pasáiste. Chuir fear acu a cheann isteach ar dhoras an charbaid.

— Bagáiste le bhur dtoil. Éinní iondleachta agat, a bhean uasal?

D'fhreagair an bhean sa chúinne a ba chomhgaraí don doras.

— Níl, níl ar chor ar bíth.

— Ar mhiste leat an mála san d'oscailt, a bhean uasal?

Lig sí grág iontais is uafáis aisti.

— Dúirt mé leat nach bhfuil éinní ann!

— Deireann siad go léir an rud céanna, a bhean uasal. Sin é an fáth go bhfuilim ag iarraidh ort an taobh istigh ded mhála do thaispeáint dom!

D'fhoscail sí an mála gan a thuilleadh iomarbha, gidh go raibh cuma mhísásta go leor uirthi.

— Ní shílim go bhfuil feidhm lena leath den amaidí seo, arsa sise le cibé duine a bhí toilteanach cluas a thabhairt di.

Chuir an t-oifígeach Custam comhartha cailce

ar an mhála.

— Sé ár ndualgas é, a bhean uasal.

— Is de bhur ndualgais, is cosúil, masla a thabhairt do mhná measúla!

Rinne sé neamhshuim den mhéid sin agus thosnaigh a chuartú mhála a fir chéile.

— Cé chuir tús leis na gnoithe seo, ar scor ar bith? d'fhiafraigh sí go tormasach.

Bhris ar an fhoighid ag an oifigeach Custam.

— Bheadh Lloyd George ábalta freagra sásúil do thabhairt ar an gceist sin, a bhean uasal.

Thainig aoibh bheag ar an chailín sa chúinne in aice na fuinneoige, agus chrom sí os ceann a hirisleabhair lena ceilt.

— 'Bhfuil éinní agaibhse? d'fhiafraigh an fear Custam.

Chlis an Fear Geabach. Ansin rinne sé draothadh gáire agus bhuail bos ar a mharóig.

— Níl an babhta so. Beidh last maith á thabhairt thar n-ais agam oíche Dhomhnaigh. Ach beidh taomaire goile ag teastáil uaibh chun é bhaint díom!

Rinne Padraig leath-fhoscailt ar a shíneáinín láimhe.

— Culaith leapa, rásúr, scuaibín fiacal . . .

— Tá coinsias glan agamsa, mar an gcéanna, arsan cailín.

I ndiaidh imeacht do na hoifigigh Custam, rinne an Fear Geabach malairt suíochán le Pádraig sa dóigh a dtiocfadh leis a leathchos a chur suas ar an tsuíochán fholamh. Leag sé a smig íochtair ar an áit ina mbeadh a bhrollach ach gur shleamhnaigh sé go mór, agus dhún a shúile. D'fhill an cailín sa chúinne ar a hirisleabhar, agus dhearg Pádraig toitín.

Bhí aghaidh dheas chliste ar an chailín seo os

a choinne amach. Dar le Pádraig, sin cailín arbh
fhiú aithne a chur uirthi, ach déarfainn nárbh fhur-
asta a dhéanamh. " Caidé'n creideamh a chleachtaíos
tú ?" Sin a chéad cheist a ba dual do Ultach ceart
a chur, go díreach nó go hindíreach, ar chailín
choimhthíoch ar bith a gcuirfeadh sé spéis inti. Ar
ndóigh, ní abródh sé comh lom-fhollas sin é, béidir,
ach sin an fhaisnéis a bheadh de dhíth air, faisnéis
a bhéarfadh le fios dó céacu ba indéanta aige caid-
reamh a chur uirthi nó a ba chóir dó deireadh dúile
a bhaint di agus dul a chuartú cailín dá mhuintir
féin . . .

Chuir an smaoineamh Liam Seaghach i gcuimhne
dó. Bhí sé beagán buartha fá Liam. Bhí sé freag-
rach ann, ar dhóigh, ós é a thug chun tí é. Béidir
go mba chóir dó labhairt le Síle. Bhí an dís sin ag
éirí iontach mór le cheile—ró-mhór, béidir. Ní thait-
neodh sé leis dá ndéanadh Síle amadán de Liam tré
ligean dó a chreidbheáil go raibh sí lom dáiríre.
Agus, ar ndóigh, bhí sé freagrach i Síle fosta. Bhí
an bheirt úd ró-mhinic agus ró-fhada i gcuideachta
a chéile. Ba bhreá amach an fear é Liam Seagh-
ach, ach ní bhíonn an dearcadh céanna fa chúrsaí
geanmnaíochta ag Protastúnaigh agus a bhíos ag
Caitilicigh . . . An cailín thall sa chúinne, ar Phrot-
astúnach ise ? Níorbh Aondachtóir ar bith í, má
bhí aon bharúil le baint as an mhéid a chan sí fán
Teorainn. Ina dhiaidh sin, ba Phrotastúnach é Liam,
agus é ina Phoblachtóir dá ainneoin sin. Ach déar-
fadh duine gur Chaitiliceach an cailín seo, ón dóigh
ar dhúirt sí " Gníomh Creidimh " . . . Aigh, an
Teora a chur ar ceal le Gníomh Creidimh—nó le
" Gníomh Mór !"

Sórt focal faire a bhí ansin, focal faire a raibh
gealltanas folaithe ann. Níor aithin sé an méid sin

nuair a chuala sé an chéad uair ag Cumhaí Ó Cian-
áin é, ach d'aithris Cumhaí comh minic sin é, le linn
an chomhrá a bhí aige leis ó shoin, gur chosúla le
rosc catha anois é. Is fíor nach dtug Cumhaí mórán
ar bith faisnéise dó fán Ghníomh a bhí á bheartú,
ach ba léir go raibh fear beag an aghaidh mhoncaí
lán-mhuiníneach as, gur chreid sé dáiríre go réiteodh
sé fadhb na Críchdheighilte " roimh dheireadh na
Bliana Beannaithe," mar adúirt sé féin. Dúirt sé go
leor eile i rith an chomhrá chéanna a chuirfeadh
fonn fiosrachta ar dhuine. Ní bheadh aon eagraí-
ocht ann, adúirt sé. Ní bheadh brathadóirí ar bith
ann. Ní bheadh duine ar bith fá cheangal. Ní
bheadh ann ach tú féin, ceannaire críonna le treoir
a thabhairt duit—agus ansin an Gníomh Mór. Caidé
bheadh ann? Éirí Amach i mBéal Feirste? 1916 úr
nua a mhusclódh Éire arís mar a mhuscail gníomh
an Phiarsaigh roimhe í? Nó sórt " Plota Púdair
Ghunna "? Ba deacair a rá. Chluinfeadh sé ar
ball. Ach an ceannaire? Sin ceist eile. Bhí lán-
mhuinín aige féin as an fhear ud, gidh nach bhfaca
sé riamh é. " An Ginearál," an fear iontach sin a
throid go cróga Seachtain na Cásca, a chruthaigh i
rith Chogadh na nDúchrónach go raibh cumas ion-
tach saighdiúireachta aige, a d'fhan go brónach sa
bhaile nuair a bhí Cogadh na mBráthar ar siúl, agus
a dhiúltaigh riamh ó shoin aon bhaint bheith aige le
cúrsaí polaitíochta, gidh gur tairgeadh dó, arís agus
arís eile, post tábhachtach san Arm nó sa Rialtas.
Bhí meas ag cách ar an Ghinearál, agus ní gan
fáth . . . Agus anois bhí Pádraig ar a bhealach go
Baile Átha Cliath le haithne a chur ar an fhear féin
agus le cloisint uaidhsean cad ba chiall don Ghníomh
Mhór seo . . .

Leag an cailín sa chúinne a hirisleabhar béal

faoi ar a 'glúin agus chuartaigh a máilín láimhe go
bhfuair sí toitín.

Bhuail Pádraig lasán di.

— Go raibh maith agat.

— Níl a fhios agam caidé'n tsiocair fadála, arsa
Pádraig.

— Nó agamsa ach oiread. Cuirtear moill orainn
i gcónaí ag Dún Dealgan, fiú i ndiaidh imeacht do
do na fir Custam.

D'amharc sí amach ar an fhuinneoig.

— Maidir leis an rud adúirt ár gcara anseo, arsan
cailin—agus bhagair sí a ceann ar an Fhear Gheab-
ach nach raibh geabach níos faide ach a bhí ag
srannfaigh go gearranálach. Is fíor nach féidir an
Teora a fheiceáil, ach ní luaithe thairsti thú ná
mothaíonn tú an t-athrú.

— Boladh na móna, an ea?

— Ní hea, ach mothú saoirse.

Dar le Pádraig, is leor sin mar fhreagra ar an
cheist udaí. Náisiúntóir í, agus is ionann sin is a rá
gur Caitiliceach í. Is iontach an cine muid mar
Éireannaigh, a bhfuil an creideamh in ionad na
polaitíochta ag ár leath agus an pholaitíocht in ionad
an chreidimh ag an leath eile!

— Más é atá i gceist agat, arsa seisean, is furasta
an t-athrú a shonrú. Bíonn cineálacha níos réidh-
chúisí abhus, agus níos amscaí dá réir. Na fir
Custam féin, mar shampla. Is cosúil le hAimiréal
Cabhlaigh, i gcomparáid leo, gach duine de lucht
Custam na Breataine fána gcuid órshnáithe 's cnaipí
práis. Agus an bhfeiceann tú an Garda Síochána
thall udaí? Cuir é sin i gcomórtas le fear den
C.R.U. Níl sé mórán níos saighdiúrtha ná tiománai
tram! Sa Tuaisceart bíonn cuma níos—níos—

— Níos Protastúnaí ar achan rud, a chríochnaigh

an cailín dó.

— Díreach.

Dar le Pádraig, sin mar a déarfadh mo mháthair é. Is millteanach mar thig ceist seo an dá chreideamh isteach i ngach comhrá . . .

Chuir sé mothú imní agus aithreachais air nuair a chuimhnigh sé ar a mháthair . . . Thug sé ceasadh di ó chuaigh sé isteach ins na hÓglaigh. Béidir go dtabharfadh sé a bás dáiríre an iarraidh seo. Béidir go dtabharfadh sé a bhás féin leis an Ghníomh Mhór seo. Nárbh é a leas socrú síos agus ligean do Éirinn déanamh as di féin? Cad chuige a raibh sé ar a bhealach go Baile Átha Cliath ag dul go húll na scornaí i gceannairc nuair a ba chórtha dó bheith amuigh ag suirí leis an chailín dubh thall sa chúinne nó lena macsamhail féin eile? An gealltanas úd, béidir, a thug sé na blianta ó shoin, go ndéanfadh sé a dhícheall chun aidhmeanna agus cuspóirí Óglaigh na hÉireann a chur chun cinn . . .

> " Saighdiúirí sinn
> Atá fé gheall ag Éirinn."

Sin mar a chanadh siad é. Ní ligeadh an t-uabhar dóibh " Sinne Fianna Fáil " a rá. Bhain an Piarsach feidhm as an ainm, agus bhí an " FF " ar shuaith-eantas an Airm seo a thosnaigh mar Arm an tSaorstáit, a bhí ansin mar Arm " Éire " agus a bhí anois mar Arm na Poblachta; ní chuireadh an t-ainm " Fianna Fáil " i gcuimhne dóibh ach drong pholaití-ochta Dev. Má ba saoithiúil an scéal é, ní bhíodh siad ag doicheall roimh an ainm eile " Óglaigh na hÉireann," gidh gurbh é sin teideal oifigiúil Arm úd an éide ghlais. Agus i rith an Chogaidh, bhí an dá " Óglaigh na hÉireann " in adharca a chéile. Béidir nár bhréag ar bith do Chumhaí Ó Cianáin é

nuair adúirt sé nárbh ionann cuspóir do na buachaillí
i mBaile Átha Cliath agus do na buachaillí i mBéal
Feirste, gurb amhlaidh a bhí Poblachtóirí an Deiscirt
ag leanúint don Chogadh Chathartha "a d'fhág
Dev mar oidhreacht acu nuair a thréig sé an
Phoblacht dhiamhrach udaí agus a chuaigh isteach
sa Dáil." Cogadh eile ar fad a bhí ar siúl sa Tuais-
ceart, adúirt Cumhaí, Cogadh Gael re Gall, an tsean-
troid a bhí ar siúl ó aimsir na Plandála. Bhail, bhí
poblacht acu anois, abhus ins na Sé Contaethe
Fichead. Ba chóir go gcuirfeadh an méid sin
deireadh leis an Chogadh Chathartha. Ba chóir go
mba leor triocha bliain le muintir an tSaorstait a chur
a dh'aonleith, sa dóigh a dtiocfadh leo tabhairt fá
ath-aonú na hÉireann comh maith—le Gniomh
Mór . . .

Thosnaigh an traen a chruinniú siúil . . .

CAIBIDIL 20.

NÍOS faide anonn san oíche chuir Dáibhidh lena
ghealltanas do Earnán bheag Mac Uidhlidh.
Chuir sé a bhróga arais air go dtéadh sé amach chun
cuairt a thabhairt ar an tine chnámh thart an coirnéal,
ar an réiteach mar a mbíodh tithe inar chónaigh
daoine dá lucht aitheantais go dtí gur scríos bombaí
Gearmánacha de aghaidh an tsaoil iad. Bhí slua
measartha cruinn thart ar an tine, agus bhí an chuid-
eachta comh maith sin gur fhan sé iomlán uaire ag
baint suilt as an chomhrá agus as an amhránaíocht
agus as an cheol.

— Thóg sé suas i ndiaidh an iomláin, arsa Eistir
le Liam, a bhí ag léamh ag an bhord.

— Is maith sin, a Bhean Mhic Giolla Dhuibh.

Ba mhairg dá bhfaigheadh Dáibhidh fliuchadh
amárach. Ach is dócha go ndéanfaidh sé lá maith.

— Ina dhiaidh sin, ní ceart duitse bheith ag éirí
amach gan cóta fearthaine agus an aimsir a bhí
againn le seachtain. Níl ceann agat, ar ndóigh?

— Níor chleacht mé riamh cóta fearthaine a
chaitheamh. Bíonn neart fearthaine i dTír Eoghain,
ar ndóigh, ach ní thugaimid mórán airde uirthi. Ar
dhóigh éigin ní fhliuchann sí duine mar a ní cuid
fearthaine Bhéal Feirste. Nó beidir gurb é a
thriomaíos sí níos gaiste díot amuigh fán tuaith.

— Bhail, a Liam, ná glac corraí liom as a thairg-
sint duit, ach tá cóta fearthaine de chuid Sheoirse
s'againne san fháithlios i do sheomra-sa. Tá sé in
eagar mhaith, de ainneoin é bheith tamall de bhlianta
gan úsáid. Níorbh fhéidir ar chor ar bith Dáibhidh
a dhingeadh isteach ann, agus mar sin bhí mé ag
smaointiú nár mhiste duitse a ghlacadh má fhóireann
sé duit.

— Tá mé thar a bheith buíoch duit, a Bhean
Mhic Giolla Dhuibh.

I gceann tamaill eile labhair Eistir arís, comh
faiteach céanna agus labhair an chéad uair.

— Is dócha go gcaithfidh tú an lá uilig as baile
amárach.

Dhruid Liam " The Woodcarver Of Olympus "
agus d'éirigh ina sheasamh a bhaint síneadh as a
ghéaga fada.

— Och, níl a fhios agam. Níl a dhath socair
agam don lá amárach. Má bhí tú féin ag cuimhniú
ar ghabháil amach ná bí 'do bhuaireamh féin fá na
béilí. Gheobhaidh mé greim áit éigin.

— Bhail, leis an fhírinne a dhéanamh, bhí mé ag
smaointiú ar ghabháil síos tráthnóna go dtí an tAscal
Ríoga a bhreathnú an mhórshiúil 's iad ag pilleadh

ón Pháirc. Is ansin a gheofá an radharc is fearr air.
Agus ba chóir go mbeadh sé ina fheic mhillteanach i
mbliana.

— Siocair Dáibhidh bheith ag siúl i mbliana?

Rinne Eistir gáire.

— Ní rachainn an fad sin, ach—caidé'n cheilt
atá agam air? Ní ligfinn orm le Dáibhidh é, an
dtuigeann tú, ach tá mé cineál bródúil as an tsean-
bhealastán! Níl tú ag gabháil fá chónaí cheana féin
an bhfuil, a Liam? Caidé fá do shuipéar?

— Ní bhacfaidh mé le suipéar ar bith anocht i
ndiaidh ar ith mé den phí bhreá udaí a sholáthraigh
tú dúinn.

Rinne sé moill ag an doras.

— Ar mhiste leat dá dtéinn síos go lár na cath-
rach 'do chosamar, a Bhean Mhic Giolla Dhuibh.

— Och, g'amach as sin! A rá's de go mbeifeá
sásta ligean do dhaoine d'fheiceáil i mo chuideachta-
sa amuigh ar an tsráid!

— Ní ag magadh atá mé, a Bhean Mhic Giolla
Dhuibh. Níl a dhath eile le déanamh agam
amárach, agus ba mhaith liom Dáibhidh a fheiceáil
sa mhórshiúl.

— Bheinn go mór fá chomaoin agat dá ndéanfá
mo chomóradh, a Liam. Scanraím roimh shluaite, an
dtuigeann tú? Agus d'fhéadfá bealach a réiteach
domh sa dóigh nach mbeadh orm bheith ag caochadh
isteach fá ascaill duine éigin le spléachadh a fháil
ar m'fhear céile féin. Ach bhfuil tú cinnte nár
mhiste leat daoine d'fheiceáil i gcuideachta mo
leithéid-se de shean-chailligh?

— Sílfidh siad gur tusa mo mháthair, a Bhean
Mhic Giolla Dhuibh. Bíodh sé 'na choinne, mar sin.

— Níl a fhios agam cérbh í do mháthair, a Liam,
ach tá mé cinnte gur bhean chineálta agus gur dhea-

Chríostaí í. Slán go gcodla tú, a Liam.

Bhí ceo ar shúile Eistir, agus b'éigean di éirí as bheith ag iarraidh baill a chur ar ghíosáin Dáibhidh. Sháith sí an tsnáthad cleithe isteach i gcárta na holla deisiúcháin. Dar léi, tá súil agam go bhfóirfidh an cóta fearthaine dó.

D'ardaigh sí a sean-shúile le hamharc suas ar ghrianghraf an tsaighdiúra óig ar an bhalla os ceann chlár na tine.

— Tá sé rud beag níos leithne sna slinneáin ná tú féin, a mhic, ach níl mórán uilig ann. Chuaigh tusa le d'athair. Tá áthas orm gur ghlac sé an cóta uaim. Agus tá áthas orm gur chuir mé an chulaith udaí ionsar Bhean Mhic Uidhlidh. Ní raibh sé ceart déanta agam a coinneáil an fad seo . . . Bhfuil tú ag iarraidh gabháil amach arís, 'Goering? Nach tusa an crá croí! Caithfidh sé gur chuala tú mé ag rá gur thóg sé suas . . .

Nuair a bhí sí ag dúnadh an dorais chúil sheasaigh sí tamaillín ag éisteacht le trup chosa an fhir óig ar an urlár os a ceann.

Sul a ndeachaigh sé a luí chuimhnigh Liam ar an chóta fearthaine ar thagair Eistir dó. Fuair sé san fháithlios é, díreach mar a dúirt sí. Bhí duilleoga móra de pháipéar donn á chlúdach agus gach uile orlach den éadach folaithe ag an pháipéar, a bhí greamaithe dó leis an iomad biorán. Thíos fán pháipéar donn bhí sean-nuachtáin, ciseal ar chiseal, a chosaint an chóta ar dheannach, ar dhúlagáin agus ar na leamáin. Stróc Liam den chóta iad agus nocht " Dexter " deas nach bhfuair caitheamh ar bith, de réir gach uile chosúlacht, agus a bhí i scoth eagair de ainneoin é bheith blianta fada gan éinne a bhaint dó.

Bhain Liam den chrochóig é agus sháith a lámha

isteach ins na muinchillí. Bhí líonáil bhog iontu.
Dar le Liam, caithfidh sé go raibh iarracht den
ghaigínteacht ag baint le Seoirse Mac Giolla Dhuibh.

D'fhóir an cóta maith go leor dó. Cheangail
sé na cnaipí agus d'amharc ar a scáil sa scáthán
scáinte ar dhoras an fháithleasa. Bhuail an smaoin-
eamh i dtobainne é gurb amhlaidh a sheasaigh fear
eile uair amháin, beagnach deich mbliana ó shoin,
san áit chéanna, agus an cóta céanna ar a mhuin,
ag amharc isteach sa scáthán chéanna. Thug sé
thart a cheann amhail is dá mbeadh sé ag dréim le
duine éigin a fheiceáil ina sheasamh ar a chúl. Bhain
sé an cóta go fadálach de. Chonacthas dó go raibh
boladh taibhsiúil tobac ag éaló aníos as an éadach,
tríd bholadh láidir an champra.

— 'Dhia, arsa seisean ina mheanmna. Bí ag
caint ar dhaoine a chaitheas bróga an mharbháin!
Seo anseo mé 'mo chónaí i seomra marbháin, ag
codladh i leabaidh mharbháin, agus anois ag caith-
eamh chóta marbháin. Agus géar-bharúil agam go
bhfuil mé ag glacadh ionad an mharbháin chéanna
i gcroí a mháthara féin!

Nuair a bhí sé ag cornadh suas an pháipéir thug
sé fá dear an dáta ar shean-chóip de *Ireland's Sat-
urday Night*. Dáta éigin i 1941 a bhí ann. De
réir chosúlachta chumhdaigh Eistir an cóta go muir-
neach le páipéar lena choinneáil glan, díreach i
ndiaidh imeacht a mic, agus chuir ar crochadh san
fháithlios é ag feitheamh leis an fhear óg nach
bhfillfeadh a choiche.

Dar le Liam, nach amhlaidh atá Eistir Mhic
Giolla Dhuibh ag glacadh ionad mo mháthara féin
im chroí-se mar an gcéanna?

"Níl a fhios agam cérbh í do mháthair, a Liam,
ach tá mé cinnte gur bhean chineálta agus gur dhea-

Chríostaí í." Sin é adúirt Eistir. Ar ndóigh, is ar
éigin a bhí a fhios aige féin cérbh í a mháthair nó
cá leis a raibh sí cosúil. Ransaigh sé a chuimhne
agus tharraing aníos aghaidh dhóighiúil dhearg-
leicneach agus miongháire déid-ghéal. Sé an tslí a
b'fhusa dó cuimhniú uirthi, smaoineamh uirthi agus
í ag fuineadh aráin sa chistin sa bhaile, agus ag
feadalaigh mar fhuiseoig i rith an ama. Ba chuimhin
leis blas an aráin tréicil nuair a thagadh sé caol dír-
each ón ghreideall go dtí an tábla, agus an t-im
leaighte ag sileadh anuas a smig agus a theanga
bheag sínte amach ag iarraidh a cheapadh sul a
dtiteadh sé ar a bhrollach. Ba chuimhin leis í ag
glaoch go feargach isteach air, an lá a fuair sé na
bróga nua agus a chuaigh a spágáil go bródúil tríd
na slodáin agus na srutháin a dheimhniú go raibh
siad comh díonmhar agus a mhaígh Bilí Gréasaí;
phill sé chun an bhaile agus na stocaí ar maos agus
an t-uisce ag plobarnaigh ins na bróga luachmhara
céanna . . . Ba chuimhin leis an dóigh a gcuireadh
sí groig uirthi féin nuair a dhéanadh sé iomlat nó
crostacht éigin, agus an dóigh a ruaigeadh fonn
gáire an groig sin agus a bhfóisceadh sí lena croí
é. Dar leis, ní furasta grá buan a thabhairt do
mharbhán, go háirithe nuair nár chaith tú ach cupla
bliain le linn do óige ina cuideachta; ní iontas ar
bith é má tá mé ag tabhairt do Bhean Mhic Giolla
Dhuibh cuid éigin den ghrá a bhéarfainn do mo
mháthair dá maireadh sise beo le bheith ina sean-
bhean.

Bhí an t-aoibhneas a chuir sé ar Eistir, nuair a
thairg sé dul a bhreathnú an mhórshiúil ina cosamar,
comh follasach sin gur chuir sé aoibhneas air féin
bheith ag cuimhniú air. Ansin smaointigh sé ar
Shíle. Caidé shílfeadh sí nuair a gheobhadh sí an

nóta a sheol sé chuici a dh'inse di nach mbeadh sé 'n
inmhe dul suas go Sráid Tennyson go dtí an Domh-
nach? Caidé, ar scor ar bith, a thug air an nóta a
chur chuici? Go dtí go ndearna sé an socrú seo le
bean an tí ní raibh éinní ag bacaint dó an lá saoire
a chaitheamh i gcuideachta Shíle. Agus bhí fonn
air an lá a chaitheamh ina cuideachta . . .

Thuas ag an tine chnámh bhí siad ag amhrán-
aíocht fós. Sheol an ghaoth an ceol anuas chuige.
Ní raibh dul aige na focla a dhéanamh amach. ach
d'aithin sé go raibh siad ag gabháil don " Sash ":

> An' on the Twalfth I love to walk
> In the Sash my father wore.

Bhuail smaoineamh é. Nárbh aisteach gur
bhronn Eistir Mhic Giolla Dhuibh an cóta fear-
thaine úd air ach nár chuimhnigh sí ar an bhóna
Oráisteach a thairgsint dó? Níor fiafraíodh riamh
de sa tigh seo an raibh baint aige leis an Ord Or-
áisteach. Ar aithin sí ar dhóigh éigin nárbh ionann
dearcadh dó féin agus do Sheoirse s'aicise? Nó an
amhlaidh nach raibh ann ach gur mhian léi Dáibh-
idh a fheiceáil ag mairseáil sa mhórshiúl ar an Dara
Lá Déag " in the Sash his dead son wore "?

CAIBIDIL 22.

BHÍ ceol le cloisint i gceantar Shíle fosta, an oíche
chéanna. Mhuscail sí i dtrátha an mheán-
oíche agus a croí amuigh ar a béal le neart scan-
raidh. Guth aonraic ag amhránaíocht amuigh ar an
tsráid tréigthe:

> For there's nat-a flower-in I-erlan'
> Lak' the Loy-yal O-range-Lil-ee-yo . . .!

Guth meisciúil mí-bhinn a bhí ann. Chuaigh sé in éag de réir a chéile go dtí nach raibh le cloisint ach monabhar dothuigthe. Ansin, uaill thobann mhire:

— Goitse amach, a Fhíníní! Goitse amach! Tost eile. Ansin:

D'ye think that we wud lat
An owl' Fenian gat
Destroy the life-uv the Lil-ee-yo?

— 'Mhallaí, 'Mhallaí, arsa Síle go faiteach, bhfuil tú muscailte?

Nuair nach bhfuair sí freagra óna deirfiúr bhain sí crothadh aisti. Chorraigh Máire fána láimh.

— 'Dé tá cearr?

— Éist!

D'éist siad araon. I gceann tamaill eile tháinig sé arís:

— Amach libh, a Fhíníní! Goitse amach! Shuigh Máire aniar.

— Sean-Roberts Armstrong, an t-amadán gan mhúineadh! Tiocfaidh sé thart go leathscéalach chugainn i gceann cupla lá a dh'iarraidh ár maithiúnais. Ach 'dé'n mhaith a dhéanfas sin má scanraíonn sé an t-anam as Maim anocht? Rachaidh mé isteach chuici.

Chuir sí plaincéad uimpi agus chuaigh isteach go dtí seomra a máthara.

— *For there's nat-a flower-in I-erlan'* . . .

Tharraing Síle an t-éadach leapa aníos fána smig. D'fhéadfadh sí a máthair bhocht a shamhailt ina luí ansin agus í ar bharr amháin creatha. Bheadh sí ag cuimhniú ar gach uafás dá dtáinig riamh de bharr an Dara Lá Déag ins an sean-laethe, agus ag dréim gach neomat le pábháil-chloich a theacht tríd

an fhuinneoig. Bheadh sí ag caoi toisc gan Páid
bheith sa bhaile leis na cailíní a chosaint, agus ag
tabhairt bhuíochais do Dhia san am chéanna toisc
Páid bheith slán sábháilte i mBaile Átha Cliath.
Bhí a máthair iontach imníoch fá Pháid ó caitheadh
na pléascáin sin leis na péas ar na mallaibh. Níor
dhúirt sí rud ar bith le Páid fá na gnoithe sin, ach
gach oíche dá mbeadh sé ag dul amach d'fhiafraíodh
sí de cá raibh a thriall. Agus go minic, nuair a
tharla Síle sa tseomra aici d'fhiafraíodh sí di cé
chaith na pléascáin úd, dar léi, agus arbh é a barúil
go raibh na buachaillí ag tosnú as an úire. Bhí
daoine á rá gurbh iad na Protastúnaigh a bhí ag
iarraidh iaróg a chur ina suí agus gurbh é sin an fáth
gur síothmhaoir Chaitiliceacha is mó ar tugadh
ionsaí orthu. An Sairsint Mac Suibhne, mar sham-
pla. Caitiliceach as Gaeltacht Thír Chonaill a bhí
ann, de réir mar adúirt Páid léi. Dúirt Páid léi,
freisin, nárbh iad na hÓglaigh a bhí ar obair.
D'innis sí an méid sin dá máthair, ach níor shásaigh
sin í. " Siad do mhuintir féin is measa ar bith,"
adúirt sí. " Nach raibh Caitilicigh ar na lorgairí a
tháinig anseo a chuartú Pháid i rith an Chogaidh?
Ag ligean orthu gur thrua leo mo chás—mar i ndúil
's go gcuirfeadh siad a chaint mé! Níl duine ar bith
acu iontaofa. Agus, a dhálta sin, mura bhfuil baint
éigin ag Páid leis na buachaillí, caidé mar a bheadh
a fhios aige nach iadsan atá ar obair?" Lig Síle
amach ar gháire é, ach ní raibh sí féin ró-chinnte
nach raibh Páid go húll na scornaí arís in obair na
Gluaiseachta. D'éirigh sé an-tostach meabhrach i
ndiaidh na Cásca . . .

— Goitse amach, a Fhíníní!

Chuala Síle fuinneog á foscailt, agus glór
Mháire.

AN DÁ THRÁ

— Ba chóir go mbeadh náire ort, a Roberts, ag
cur coiscridh fá dhaoine fiúntacha an tráth seo
d'oíche!

Bhí tost gairid ann. Ansin thosnaigh sé arís,
ach gan é comh cinnte de féin agus bhí roimhe:

—*D'ye think that we wud lat*—!

— Bain as, an gcluin tú mé, Nó cuirfidh mé fá
dhein na bpéas!

Tost eile. Ansin chuala sí an t-amhránaí ag
monabhar go míshásta meisciúil leis féin. I gceann
tamaillín chuala sí trup corrach a chos ag imeacht
soir an bóthar ag tarraing ar an bhaile.

Dar le Síle, maith an cailín, a Mhallaí! Ní
bheadh sé de mhisneach agamsa a leithéid a dhéan-
amh.

Is minic a rinne sí iontas den mheoin a bhí ag
Máire do Phrotastúnaigh. Ní chuirfeadh sé eagla
uirthi potaire de Phrotastúnach a chloisint ag fóg-
airt a fhuatha agus a fhearmaid i nduibheagán na
hoíche. Ní chuirfeadh sé fearg uirthi, fiú, é bheith
fuafar fearmadach. Ní chuirfeadh sé uirthi ach mí-
shásamh as é bheith de fhiacha uirthi éirí as a
leabaidh chlufair leis an tóir a chur air. Ní bhac-
fadh sé di labhairt go caradach leis ina dhiaidh.
Dhéanfadh sí a comhrá lena bhean an chéad uair
eile a chasfaí ar a chéile ar an tsráid iad. Bhí Máire
mór le bunús a raibh de Phrotastúnaigh ag lonnú i
Sráid Tennyson. An méid nach raibh sí mór leo,
is ar an abhar go raibh rud éigin pearsanta aici ina
n-éadan, díreach mar bhí aici in éadan cuid dá
gcomharsain Chaitiliceacha. Agus bhí meas ag mór-
chuid na bProtastúnach ar Mháire.

Dar le Síle, béidir nach bhfuil ann ach nach
bhfuil aon tuairimí polaitíochta fá leith ag Mallaí
agus go bhfuil sí sásta aontú le Protastúnach má

shíleann sí go bhfuil ciall lena chuid chainte, agus
nach bhfuil eagla uirthi a bhréagnú má shíleann sí
go bhfuil sé san earráid. Tá tuigbheáil ag Mallaí
dóibh mar Phrotastúnaigh. Tá ligean chuici agus
uaithi aici mar nach bhfuil agamsa—nó ag Páid,
fiú. Béidir go ndearna an cupla bliain bhreise a
chaith Mallaí i Sráid Eabhroc difear. Bhí mise ró-
óg le haithne cheart a chur ar na Protastúnaigh
ansin, agus ní fhaca mise ach an taobh a ba mheasa
díobh. Tuigeann Mallaí go bhfuil sé nádúrtha go
mbeadh olc ag Protastúnaigh dúinn, ó am go ham.
Nach é an t-iontas go deo é nár théigh sí riamh le
Liam, atá go maith dúinn . . .

D'éist Síle go codlatach leis na glórtha ísle sa
tseomra eile. De réir chosúlachta, d'iarr a máthair
ar Mháire an oíche a chaitheamh in aon-leabaidh léi.

Dar léi, tá súil agam nach bhfuil Páid ag dul
arais chuig na hÓglaigh. Tá rud éigin aisteach fán
chuairt seo go Baile Átha Cliath. Dá dtosnódh na
síothmhaoir ag tabhairt ruaig ar an tigh arís beidir
go bhfaigheadh siad greim ar Liam lá éigin agus go
millfeadh siad an t-iomlán orainn. Ar ndóigh, ní
rachadh Liam isteach ins na hÓglaigh. Ní fhéadfá
bheith ag súil leis agus an tógáil a fuair sé. Ach ní
bhacfadh sin dóibh a chur isteach i bpríosún dá
mbeadh siad in amhras air. A dhálta sin, cá bhfuil
Liam? An nóta sin a chuir sé chugam a rá nach
mbeadh sé ag teacht arais go dtí an Domhnach. A
Dhia, ní féidir go bhfuil sé ar shiúl go Baile Átha
Cliath i gcuideachta le Páid! Och, ní hé sin é. Rud
éigin eile atá á choinneáil ar shiúl. Ní féidir go
bhfuil sé ag tuirsiú díom! Ní hé, nó beidh sé arais
ar an Domhnach. Níl a fhios agam an bhfuil baint
éigin ag an Dara Lá Déag leis an scéal. Protas-
túnach é i ndiaidh an iomláin, agus féach an t-athrú

a thig ar na comharsain i dtrátha an Dara Lá Déag.
Éiríonn siad dúr coimhthíoch agus seachnann siad
duine mar nach ndéanfadh tráth ar bith eile i rith
na bliana. Ach, ar ndóigh, tá Liam ina Phoblach-
tóir cheart. Tá dearcadh na nÉireannach Aon-
taithe ag Liam. Is minic a chuala mé é ag labhairt
go bródúil fá Wolfe Tone agus Énrí Seoigh agus
an dream sin. Ach, ar ndóigh, ba Phrotastúnaigh
uilig iadsan. D'fhéadfadh duine bheith bródúil as
na hÉireannaigh Aontaithe agus bheith ina Aon-
dachtóir san am chéanna. Féach sean-Mhairéad
Chambers. An samhradh úd a bhí mé ar saoire ag
m'aintín, roimh an Chogadh, thaispeán Mairéad domh
sean-cheann meirgeach píce agus dúirt gur throid a
sin-sean-athair ag Tamhnach Naomh i Nócha a hOcht.
Agus bhí Mairéad Chambers ar na hOráistigh a ba
dhílse ar an bhaile. Ach níl Liam ina Oráisteach,
ar ndóigh. Níl iarsma féin den fhearmad fágtha
ann, is cuma caidé an teagasc a fuair sé le linn a
óige. Bheadh a fhios ag duine, ó bheith ag éist-
eacht leis, nach raibh. Níor chan sé riamh focal
maslach nó drochmheasúil fá na Caitilicigh. Nó ar
chan?

Chuimhnigh Síle i dtobainne ar an chomhrá úd
a bhí acu ag Dún Mhic Airt, Lá na Féile Pádraig
Dúirt Liam gurb amhlaidh a d'fheall na Caitilicigh
ar na Protastúnaigh i 1798. Dúirt sé nár fhoghlaim
na Caitilicigh ó Wolfe Tone ach gunnaí a úsáid
agus gur ar son an chreidimh Chaitilicigh a d'úsáid
siad ó shoin iad. Nach sin díreach mar chanfadh
Oráisteach é! Ach níor Oráisteach ar bith é mar
Liam. B'amaideach an smaoineamh é! Ach cá
bhfios di? Is iomaí Protastúnach i mBéal Feirste
nár chualathas riamh ag maslú na gCaitiliceach, sa
dóigh nach mbeadh a fhios agat gur Oráisteach é

go bhfeicfeá ag siúl ar an Dara Lá Déag é. Ach ní fhéadfadh duine bheith ina Oráisteach gan bheith ina Aondachtóir comh maith. Nó an bhféadfadh? Chuala sí Liam á rá uair amháin gur cumann Protastúnach é an tOrd Oráisteach agus nach cumann polaitíochta. Dúirt sé go mbeadh an tOrd ann fiú dá mbeadh deireadh le Sasain, leis an Rí agus leis an Impireacht. D'fhéadfadh Liam bheith ina Shaor-mhásúnach ar feadh a raibh de fhios aici. Caidé'n dóigh a dtiocfadh léi bheith cinnte nár Oráisteach comh maith é? Ní mar Phoblachtóir a tháinig sé chucu an chéad uair, ach mar fhear a rinne gar do Pháid. D'fhéadfadh Aondachtóir, nó fiú Sasanach féin an gar céanna a dhéanamh in ainm na daonnachta do fhear óg a bheadh i gcontúirt . . .

Las Síle an solas agus chuartaigh go bhfuair sí an nóta a chuir Liam chuici.

Nárbh ise an amaid bheag! Bheadh sé gnoitheach go ceann cupla lá, sin an méid. Ach—bhí sé ag obair do Phrotastúnach, agus caidé bheadh le déanamh aige ar an Dara Lá Déag? Dúirt sé féin go mbíodh an fear úd, Iosóg Ó Críocháin sa Lóiste Oráisteach chéanna le hathair Liam agus iad araon óg. Béidir gur mheall sé Liam isteach san Ord Oráisteach fosta. Nó béidir go raibh Liam ina Oráisteach sul a dtáinig sé go Béal Feirste ar chor ar bith. D'fhéadfadh sin bheith amhlaidh agus gur cheil sé uirthi é nuair a thosnaigh sé a chur spéise inti féin, ar eagla go gcoinneodh sí fad a sciatháin uaithi é dá dheasca. Ghoill an smaoineamh go millteanach ar Shíle. Ba chuma léi, i dtaca le holc é bheith ina Oráisteach. Ach ba chóir dó an t-iomlán a chur amach ar aghaidh a bhoise agus ligean di féin breith a thabhairt air dá réir agus fulang leis

nó an cumann a bhí eatarthu a bhriseadh, mar chomh-
airleodh a ceann nó a croí di a dhéanamh. Ach
lúbaireacht den chineál seo! Ag fanacht amach
uaithi go dtí go mbeadh seachtain an Dara Lá Déag
thart. D'fhéadfadh sé féin bheith ag siúl amach go
Fíodh an Achaidh i gcuideachta na cuideachta, gan
fhios di. Ba bheag a bhéarfadh uirthi dul síos
tráthnóna amárach go bhfeiceadh sí an raibh sé sa
mhórshiúl. Bheadh sí cinnte ansin. Ní fhéadfadh
sí fiafraí de Dé Domhnaigh, agus gan fianaise dá
laghad aici, an raibh sé amuigh leis na hOráistigh.
Nó an bhféadfadh? Nach dtiocfadh léi fiafraí, i
modh grinn, mar dhea: "Cá raibh tú ar an Dara
Lá Déag, a Liam? Amuigh ag an Pháirc leis na
Bráithre?" 'Ach dá n-abradh seisean, i modh grinn,
mar dhea, go raibh, caidé mar bheadh a fhios aicise
céacu bhí se ag magadh nó ag inse na fírinne?
B'fhearr, gan amhras, gabháil síos go lár na cath-
rach go bhfeiceadh sí an mórshiúl ag filleadh ó
Fhíodh an Achaidh. Ní bheadh suaimhneas intinne
aici go bhfaigheadh sí fios na fírinne . . .

CAIBIDIL 23.

AMACH ó chorr-chioth bhí maidin deas go leor
ann ar an Dara Lá Déag.
    — Is cosúil go ndéanfaidh sé lá maith, i ndiaidh
an iomláin, dúirt stócach scailleagánta le Séimidh
Ó hAoláin, agus iad araon istigh in oifig gheall-
ghlacadóireachta Mhic Dhuinnshléibhe i Sráid Ó
Beara.
    — Heit, go múna sé ar na gineacháin Bhuí!
d'fhreagair Séimidh.
Is ar Ábraham Bléine a bhí seisean ag cuimh-

niú, ar ndóigh.

— Breast thú, 'Shéimidh, ná bí ag guí droch-aimsire dúinn! Thitfeadh an mún ar na gineacháin Ghlasa i gcuideachta na cuideachta, agus bhí rún agam gabháil a dh'imirt chluiche Sacair i bPáirc na bhFál tráthnóna!

Cibé acu thug Dia cluas do Shéimidh Ó hAoláin nó nach dtug, d'éirigh sé níos fuaire i ndiaidh an mheán-lae, agus tháinig ceo-bháisteach ar ball. Mhair an fhearthain ag titim, beagnach gan stad, i rith an tráthnóna. Fliuchadh go craiceann na sluaite a bhí cruinn ag Fíodh an Achaidh, agus fágadh cuma bheag ghruama ar an chathair, de ainneoin a cuid Áirsí Oráisteacha agus Union Jackanna.

Bhí Síle ar na céad dhaoine a bhailigh san Ascal Ríoga ag feitheamh le filleadh an mhórshiúil. Chuaigh sí ar an bhus síos Bóthar na bhFál, thuirling i Sráid an Chaisleáin, agus chuaigh ar foscadh i bpóirse siopa. Ní raibh fonn ró-mhór ar dhaoine seal fada a chaitheamh ina seasamh fán fhearthain, agus bhí sé ag éirí mall sul ar thosnaigh siad a bhaint amach a n-ionad ar imeall an chosáin. Tháinig siad, áfach, de réir a chéile go dtí go raibh líne chaol ar dhá thaoibh an bhóthair, feadh an bhealaigh ó Chearnóig Dhún na nGall go dtí an áit a dtéann an tAscal Ríoga in uaim le Sráid Eabhroc. D'fhág an aimsir a lorg ar na daoine. Bhí na páistí gearánach guairneánach, na máithreacha cancrach confach, agus na haithreacha dorrtha duibhlionntach agus a lámha sáite go doimhin ina bpócaí agus bóna a gcóta tiontaithe aníos. Bhíog siad suas ar feadh tamaill nuair a tháinig constábla óg an bealach agus rópa leis. Glas-chonstábla cotúil ón tuaith a bhí ann. Bhí sé go mór tríd a chéile cheana as siocair súile an oiread sin daoine bheith sáite ann féin amháin.

Mhéadaigh go mór ar chearthaigh an duine ghránna
nuair a scairt fear éigin leis: "Ag gabháil 'do
chrochadh féin, a Chonstábla?" Tógadh sciotbhach
gáire agus is go dearg-chluasach a shnaidhm sé
ceann den rópa fá chrann sollais, a thrí nó a cheathair
de throithe den talamh, agus a thug leis an rópa gur
chuir sé cas fán chéad lampa eile agus fá gach lampa
sráide as déis a chéile feadh an bhealaigh. Nuair a
d'aithin an slua go raibh an rópa á chur suas leis an
phlodadh mhór daoine a choimeád ó bheith ag brú
a chéile amach ar an bhóthar, chuaigh siad a gháire
arís, bhí a laghad sin de chosúlacht ann go mbeadh
plodadh mór ar bith sa láthair an lá sin.

Fá dheireadh thiar thall, tháinig an mórshiúl.
Fuarthas cupla rabhadh bréige roimhe sin. An
chéad uair tháinig carr síothmhaor thart an coirnéal
ón Chearnóig, a réitigh an bhealaigh, agus an callaire
ag ordú gach gasúr dána agus gach madadh fánach
den bhóthar; agus tamall ina dhiaidh sin nocht buíon
bheag óigfhear chucu ón aird chéanna agus póstaerai
móra ar iompar acu, ach ní raibh iontu ach lucht sois-
céalaíochta ag freastal an aiméir chun a chur i
gcuimhne do mhuintir Bhéal Feirste go bhfuil Ríocht
Néimhe lámh linn agus gurb é an Bás tuarastal an
Pheaca. Agus ansin, agus corr-dhuine thall agus
abhus ag tosnú a chuimhniú ar imeacht chun an
bhaile, chualathas cian-cheol na bpíob, agus ar
thoradh moille chor na meirgirí agus lucht a gcom-
órtha isteach go dtí Plás Dún na nGall, agus ina
ndiaidh sin an carráiste agus na glais bheathaithe
faoi agus an tArd-Mháistir Contae agus Oráistigh
thábhachtacha nach é ina suí go stuama ann.

— Tá cuid de na bannaí go hiontach, arsa Liam
le hEistir. Go háirithe an ceann sin a raibh gach
píobaire acu fá fhilleadh beag bhuí agus ionar bhan-

ghorm.

— Aigh, Píob-Bhanna an Tiarna Montgomery —nach é sin a bhí ar thaobh an druma mhóir? Banna nua é sin, is cosúil. Bhí sé go galánta. Ach an bhfaca tú an banna sin as Glascú? Bhí sé iontach amscaoi, nach raibh, agus shílfeá go raibh cuid de na fir sin iomlán míosa gan uisce nó gallaoireach a chur lena n-aghaidh. Agus an cailín údaí a raibh fideog á seinnm aici agus a raibh bríste fir uirthi. Sin na hAlbanaigh duit, a Liam!

Bhí siad ag teacht go fóill, buíon i ndiaidh na buíne. Ní luaithe a thosnófá a smaoineamh go gcaithfidh sé gurb é seo a dheireadh, ná nochtfadh banna eile agus meirge eile agus Lóiste eile chugat thar an choirnéal.

— Tá áthas orm go dtug mé ar Dháibhidh bóna Sheoirse a chaitheamh, arsa Eistir. Níl ach fíor-chorr-sheanóir a chloígh leis an tsean-mhaoithchrios, agus níor mhaith liom go mbeadh daoine ag síilstin gur corr nó sean ach oiread atá Dáibhidh! Agus nach bhfuil sé i bhfad níos deismire mar bhóna?

—Is dócha go dtáinig athrú ó chonaic tú an mórshiúl an t-am deiridh, a Bhean Mhic Giolla Dhuibh.

— Féadaidh tú sin a rá, a Liam. Cá bhfuil na hataí cruaidhe uilig na laethe seo?

— Maise, arsa Liam, tá siad fairsing go leor i dTír Eoghain go fóill!

— Ach níl ach duine thall 's abhus den tsean-dream, fiú, atá sásta hata cruaidh a chaitheamh anois. Ar ndóigh, ní bheifeá 'na dhiaidh ar na buachaillí óga. Tá hataí cruaidhe as stá, gidh go gcaitheann Diúic Dhún Éadain ceann go minic, deir Bean Mhic Uidhlidh liom. Agus féach an praghas atá orthu ar na saoltaí deireannacha seo! Agus

bhéarfaidh sé a mbás, cinnte, bheith ag siúl ceann-
tarnocht lá mar sin. Ach nach álainn an radharc
iad, a Liam, agus gan oiread 's fear amháin 'na measc
a bhfuil rian an óil air. Bhíodh sé scannalach ins
na sean-laethe, na céadta acu ag pilleadh ón Pháirc
agus iad ar na stoic starrthacha ar meisce. Leis an
fhírinne a dhéanamh, ba mhór an faoiseamh domh
é, ar dhóigh, nuair a stad Dáibhidh de bheith ag
siúl ar an Dara Lá Déag. Ach tá athrú millteanach
ann. An bhfeiceann tú an méid meirgí a bhfuil
" Lóiste Lan-Staontha " orthu? Fir mheasúla agus
fir mheasartha uilig iad, agus gan fonn bruíne ar
bith orthu, gidh nach ligfeadh siad a gcnámh leis
an mhadadh, ach oiread . . .

Ghrinnigh Liam aighthe na bhfear a bhí ag
dul thar bráid, rang i ndiaidh ranga eile. Dar leis,
siad seo mo mhuintir féin, Ultaigh a bhfuil fuil
Éireannach agus fuil Albanach measctha ina gcuis-
leanna, agus corr-dheor den fhuil Shasanaigh mar
shnáthadh léi. An iomad Bilí Seaghach agus an
iomad Earnán Mac Uidhlidh agus iad fásta suas,
agus corr-Ábraham ró-dhíograiseach Bléine anseo
agus ansiúd ina measc. An sean-fhear sin a bhfuil
a ghruaig comh geal le sneachta na haon-oíche agus
atá crom go talamh, beagnach, fá ualach na mblian
agus iomad na suaitheantas miotail ar a mhaoith-
chrios chorcra; an gasúr beag a chuaigh amach ar
maidin i gcuideachta a athar agus bród an domhain
air as bheith ag mairseáil imeasc na bhfear, agus
atá anois ag filleadh ina libíneach agus é comh
sáraithe sin go bhfuil sé i riocht titime; an cruitín-
each bocht camchosach sin, nach bhfuil siúl an
bhealaigh ann, déarfá, ach a tharraing a chosa mí-
chumtha ina dhiaidh go Fíodh an Achaidh agus
arais arís. Chuaigh dioth bróid síos tríd. Tá, see

iad na fir cheannann cheanna a throid ag Doire,
Eachdhroim agus an Bhóinn, ag Baile Aondroma
agus ag Baile na hInse, agus ag Thiepval chois
Somme. Ba mhinic a b'fhiúntaí a ngníomh ná a
gcúis, ach bhí siad i gcónaí fearúil fírinneach.
Níorbh fhurasta a mealladh, ach an taobh a rach-
adh siad leis bheadh siad dílis go bás dó.

— Chugainn Dáibhidh!

Bhain Eistir tarraing go corraithe as muinchille
Liam.

— Chugainn Dáibhidh! Nach bhfeic' tú é?
Thall udaí ag taoibh Ábrahaim Bléine! Hóigh!
'Dháibhidh! 'Dháibhidh!

Bhí Dáibhidh ag mairseáil go righin leis ar
chomhchéim lena chuallaí, é crom chun tosaigh
claon, amhail is dá mbeadh paca ar a mhuin agus
raidhfeal ar a ghualainn agus iad ag gluaiseacht
arís ar bhóithre stróctha na Fraince agus "Tip-
perary" acu lena dtroithe ata a éadromú. Bhí sé
ag stánadh amach roimhe agus a bheola teannta go
dúr ar a chéile fána chroiméal.

B'éigean do Eistir glaoch ina ainm air arís agus
arís eile sul ar chuala sé í. Nuair a d'amharc sé
siar agus chonaic í féin agus Liam, tháinig gean
gáire thar a bhéal. Dhírigh sé slat a dhroma agus
sháith amach a bhrollach.

Chuala Síle Ní Phréith an scairt, freisin, agus
d'amharc sise anonn mar an gcéanna. Níor aithin
sí Liam den chéad amharc, agus an cóta nua air.
Bhí sé ag beannú go soilbhir do Oráisteach éigin dá
raibh ag siúl sa Lóiste seo. Ní raibh Síle cinnte
céacu faoiseamh nó fearg a mhothaigh sí ina croí
an neomat sin, ach thiontaigh sí ar shiúl sul a
bhfeiceadh Liam í féin.

— Tá sé á sheasamh amach go maith, mar

Dháibhidh! arsa Eistir go bródúil. Caidé'n banna seo chugainn?

Ní thug Liam freagra uirthi. Bhí sé ag breathnú an bhanna chéanna agus an Lóiste a bhí ag teacht ina ndiaidh. Gléasraí airgid a bhí ag an bhanna, agus bhí lucht a seinnte fá ionair dhearga agus bhrístí dubha agus cháipíní píce, sa chaoi nach dtabharfá de shamhail orthu ach fir bhanna reisiminte éigin de chuid Arm Shasana. Ach is ar an mheirge a bhí le feiceáil ar a gcúl is mó a bhí aird Liam. "Lóiste an Phreas" a bhí anseo, agus ar a meirge bhí pictiúir ollmhór de leathanach tosaigh nuachtáin; agus bé an mana a bhí acu: "Preas Saor Do Phobal Saor." Pobal saor! Dar le Liam, nach mór an t-aor é sin, agus a fhios acu i rith an ama gurb é rud a bhfuil géar-smacht ag an Phreas ar an phobal! Chuimhnigh sé ar an tionchar a bhí ag an *Belfast Telegraph* ar Dháibhidh Mac Giolla Dhuibh agus ag an *Ulster Protestant* ar Ábraham Bléine. Dar leis, d'fhéadfadh an Preas Poblachtóirí nó Cumannaigh, nó Caitilicigh Rómhánacha, fiú, a dhéanamh de Phrotastúnaigh Chúige Uladh, taobh istigh de roinnt bhlian, dá mba mhian leo é. Cad chuige a bhfuil siad seo ina nAondachtóirí agus ina bProtastúnaigh, ar scor ar bith? Ní hé gur rugadh ina nAondachtóirí agus ina bProtastúnaigh iad. Rugadh ina naíonáin iad, dálta gach naíonáin eile, agus sin an méid. Ní fíor gur treise dúchas ná oiliúint. Gach éan mar oiltear. Bhí siad ina nAondachtóirí, ní de thairbhe an méid eolais a chuir na nuachtáin ina láthair, ach de thairbhe an méid eolais a cheil na nuachtáin orthu. Bhí siad ina bProtastúnaigh de thairbhe . . .

D'amharc Liam ar na fir a bhí ag mairseáil go hordúil i ndiaidh an mheirge, gach duine acu gléasta

go fiúntach, agus hata Anthony Eden ar gach duine
deireannach acu. Chuir siad i gcuimhne dó an fear
óg úd a chonaic sé le solas lasáin Lá Fhéile Pádraig,
nuair a rinne Liam agus Síle moill ag an chrann
leagtha agus iad ar a mbealach anuas ó Dhún Mhic
Airt. Bhuail taom samhnais go tobann é. Dar leis,
tá siad nochta, lom-nochta—gan á gcumhdach ach
hata Anthony Eden agus ribín flannbhuí!

Fán am sin bhí Síle ar a slí chun an bhaile, agus
í á rá go míshásta istigh ina mheanmna: "Bhéar-
faidh mise le fios dó Dé Domhnaigh! Caithfidh sé
rogha a dhéanamh eadrainn Dé Domhnaigh." Ach
sul a dtáinig an Domhnach bhí a mhalairt de rud ag
cur as di, nó bhí a máthair tinn go bás.

CAIBIDIL 24.

BHÍ coinne déanta ag Pádraig le hAodh Ó Cianáin.
Maidin an Dara Lá Déag theagmhaigh siad le
chéile ag an ionad coinne i mBaile Átha Cliath, agus
thug an Cianánach amach go dtí teach an Ghinearáil
ar Bhóthar Bheann Éadair é. Sean-teach mór de
bhrící dearga a bhí ann, agus cosán gairbhéil idir
chrainn chuilinn suas go dtí céimeanna an dorais
tosaigh.

Tháinig fear crom-shlinneánach liath, a raibh
spéaclaí á gcaitheamh aige, amach ina n-airicis.

—Pádraig Ó Préith? a d'fhiafraigh sé de ghlór
bhog oilte. Chualas a lán mar gheall ort ó Aodh
anso! Céad míle fáilte romhat go Bleá Cliath.

Sheol sé isteach go dtí seomra a bhí gléasta mar
leabharlainn iad. Bhí bean bheag ag cóiriú bláthanna
i gcrúsca ag an fhuinneoig. D'amharc sí go cineálta
ar Phadraig nuair a cuireadh in aithne dá chéile iad.

— An bhfuil tusa gafa aige, comh maith le hAodh? Sé mo chomhairle dhuit, a bhuachaill, chuile rud a deireann m'fhear céile leat i dtaobh an ghnó so do ligint isteach ar chluais agus amach ar chluais. Tá an fear bocht as a mheabhair, tá's agat!

— An gcreidfeá é, a Phádraig, arsan Ginearál go haoibhiúil, go raibh an bhean chéanna ag déanamh timireachtaí do na hÓglaigh, Seachtain na Cásca?

Nuair a d'imigh a bhainchéile, bhain an Ginearál na spéaclaí dá shróin agus chuaigh a chimilt na lionsaí lena bhrat póca. Dar le Pádraig go raibh sé an-chosúil, agus na gloiní air, le hollamh léannta éigin. B'fhusa a chreidbheáil, áfach, agus na spéaclaí de, gurbh é seo an sean-ghleacaí a ndearnadh criathar de Seachtain na Cásca agus a d'éirigh ón mharbh, d'fhéadfaí a rá, le dul i ndeabhaidh lainne leis na Dúchrónaigh, agus oiread luaidhe ina chorp agus bháithfeadh cat ar bith.

— Nílim cinnte, a Phádraig, arsa seisean, cé'n t-eolas do thug Aodh dhuit maidir leis an bplean so atá againn chun Éire d'athaonú. Pé scéal é, dhein an cogadh so tá tar éis tosnú sa gCoiria difríocht éigin don scéal. Go deimhin, is fearr an seans a bheidh againn, de bharr an chogaidh sin, ár gcuspóir do thiúrt chun críche.

— Ach níl Sasain rannpháirteach sa chogadh sin, arsa Pádraig.

— Is fíor dhuit, ach beidh, dar liom. Ach fiú muna mbíonn, raghaidh an cogadh céanna i dtairbhe dhúinn, óir má dhiúltaíonn Seán Buí a scair féin den dtroid i gcoinne na nDearg do dhéanamh, is amhlaidh is mó an chomhbháidh a bheidh ag na Poncánaigh linn. Le fiche focal do rá i bhfocal amháin, a Phádraig, sé is rún dúinn chuile fhear is chuile ghunna dá mbeidh le fáil go luath againn do chaith-

eamh i gcoinnibh na Teorann. Táimid ag brath na
Sé Contaethe d'ionsaí.

— Na Sé Contaethe a ionsaí ón taoibh seo den
Teorainn! Ní mhairfeadh sibh seachtain. Dhean-
faí bia míoltóg díbh. Tá mise ar shéala bheith cinnte
nach dtiocfadh libh arm a thiomsú abhus a gheobhadh
buaidh na bpéas, 's gan trácht ar Arm na Sasana ar
chor ar bith! Shíl mise, i ndiaidh bheith ag caint le
Cumhaí, gur éirí-amach i mBéal Feirste, nó díormaí
reatha ag gníomhú ar fuaid na Sé gContae a bhí i
gceist agaibh. Béidir nach mairfimís fad seachtaine
féin, ach b'fhearr mar abhar bolscaireachta éirí-
amach ag Ultaigh in éadan ansmacht Shasana ná
muintir na Poblachta ag ionsaí " Éireann Thuaidh "
agus na hUltaigh dhílse ag fáil a mbuaidh. Agus
sin an scéal a scaipfeadh na Sasanaigh, mar is feas-
ach díbh!

— Bíodh foighne agat, a Phádraig, más é do
thoil é. Níor chualais deireadh an scéil fós.

— Gabhaim mo leathscéal, a Ghinearáil.

— Ná habair é. Níorbh aon ionadh é díomá
bheith ort muna mbeadh i gceist agam ach an rud a
shílis. Ach cad deirir do shaighdiúirí fé éide Arm
na hÉireann do ghabhfadh seilbh ar an Srath Bán
in aon oíche amháin, do thabharfadh aghaidh ar
Oghmhagh is ar Dhún Geanainn, agus díormaí eile
saighdiúirí bheith ag gluaiseacht thar Teorainn chuile
áit ag an am gcéanna?

D'amharc Pádraig fá iontas ar an Ghinearál.
Ansin thug sé spléachadh gasta ar an Chianánach.
Bhí aoibh go dtí an dá chluais ar Chumhaí.

— Sin rud nach bhfeiceann tú a choíche! arsa
Pádraig. Tá mise lán-chinnte nach n-ionsaíonn an
tArm seo abhus na Sé Contaethe fhad 's bheas
garastún sa Tuaisceart ag Sasain.

— Ní thuigeann tú fós cad tá i gceist agam. Ní hé an tArm Náisiúnta do bheadh ann, i dtosach báire, pé scéal é. Tá na mílte de bhuachaillí calma tírghrácha in Éirinn go mba aoibhinn leo an seans so do bheith acu. Agus is féidir teacht ar na raidhfil agus ar na piléir ba ghá. Maidir leis an éide, is fusa fós teacht air sin. Tá cairde maithe agam san Arm, tá's agat! Bhuel, oíche an Ghnímh Mhóir, éiríonn buachaillí amach ar fuaid Tír Eoghain, ag gearradh na n-idirbhealtaí, ag briseadh sreangacha gutháin is telegrafa, ag tochailt poll sna bóithribh, ag cur síos mianach talún. Táim ag súil go mbeadh gunnaí acusan freisin. Ní bheidh sé de dhualgas orthu an fód do sheasamh má ionsaítear iad. Is cuma liom fiú muna maródh siad aon fhear amháin de fhórsaí na Sasana, fad is go gcuirid an méid constaic is féidir rompu. Táim ag súil, leis, go mbeidh na buachaillí sin fé éide na hÉireann, ach má bhíonn, sé is fearr dóibh do dhéanamh ná ligint don ngnáth-phobal iad d'fheiscint, ach an namhaid do sheachaint. Is tábhachtaí go síilfeadh na daoine go bhfuil saigh-diúirí na hÉireann chuile áit ná go mbeadh troid ann. Ba mhó i bhfad an buntáiste dhúinn fórsaí Shasana in Oghmhagh do bheith ag smaoineamh go bhfuil siad timpeallaithe againn cheana ná scata beag do bheith ag troid thall is abhus, rud do thaispeán-fadh a laige is bheimís dáiríribh.

— Tuigim, arsa Pádraig. Cleas na nGearmán-ach agus iad ag ionradh na hOllóine!

— Sin é é. Bhuel, oíche seo an Ghnímh Mhóir, raghaidh buachaillí as ceantar an tSratha Bháin i seilbh na beirice ar an mbaile sin. Níor dheacair é sin do dhéanamh. Deineadh a leithéid go minic cheana i gcaitheamh Cogaidh na Saoirse. Buachaillí a bheadh féna n-éadaí féin do bheadh páirteach i ngabháil bheirice na bpóilíní, dar ndó. Chomh luath is a bheadh sé déanta acu, do thiocfadh carranna lán de shaighdiúirí fé éide isteach ó Chontae Dhún na nGall, ó Shligeach, ó Mhuineachán. Do leanfaidís ag teacht isteach i rith an ama, chuile fhear is chuile raidhfeal, chuile mhaisín-ghunna is chuile ghranád láimhe is féidir d'fháil sna Sé Contaethe Fichead. Nuair a chloiseann na buachaillí sna contaethe thoir-thuaidh gur thosnaigh an troid, déanfaid mar do dhein na hEoghanaigh. Le cois bheith ag gearradh na n-idirbhealtaí, beidh orthu chuile orlach de gheilignít dá bhfuil le fáil do phleascadh, is cuma muna séideann siad san aer ach cairrgí ar shleasa cnoc nó fóda móna ar an bportach, chomh fada is déanaid torann. Beidh stáisiún folaithe foirleatha go gnóth-ach ag spré ráflaí is scéalta áibhéile. Laistigh de roinnt uaireanta beidh sé creidte ag na hOráistigh, ag na Sasanaigh, ag an saol mór, go bhfuil Tír Eoghain go léir i seilbh an Airm Náisiúnta agus go bhfuil saighdiúirí na Poblachta ag tarraing cos in airde ar Bhéal Feirste agus ar chuile bhaile mór sna Sé Contaethe!

Shuigh an Ginearál síos nuair a bhí an méid sin ráite aige, agus chuir a spéaclaí arais ar a shróin.

Bhí Pádraig ag stánadh air agus a bhéal ar leathadh.

— Gníomh Mór! arsa seisean sa deireadh. Dallamullóg mhór! Ach caidé tá taobh thiar de? Níl tú a mhaíomh go mb'fhiú a leithéid d'eachtra gheall ar an phreab a bhainfí as Stormont nó gheall ar an phoiblíocht a gheobhaimís as?

— D'fhiafraís díom cad tá laistiar de. Sé m'fhreagra ar sin ná Gníomh Mór! Is eol duitse, go háirithe, ós Ultach thú, nach gcuimhneodh na Sasanaigh ar shaighdiúirí do chur amach ag troid leis na Poblachtóirí. B'ionann sin is admháil gur saighdiúirí Éireannacha iad " na himeaglóirí " seo, na gunnairí, na méirligh, lucht pléascáin do chaitheamh. Ní hea, in aon chor. Is leor dar leo, an gnó d'fhágaint fé Chonstáblacht Ríoga Uladh agus, más gá, an Chonstáblacht Speisialta. Ach conas mar fhéadfadh na Sasanaigh suí ansan ag Oghmhagh agus aonaid de Arm na hÉireann ag gluaiseacht i dtreo Bhéal Feirste? Caithfid troid do thiúrt dúinn.

— Níor mhór an sásamh dúinn an méid sin agus a fhios againn go bhfaigheadh siad ár mbuaidh go furasta!

— Má bhíonn chuile rud i gceart, cuirfid lá nó dhó amú sara mbeid deimhin de ná fuil aon éirí amach ann, dáiríribh, agus ná fuil aon áit i seilbh na nÉireannach ach an Srath Bán. Tiúrfaid aghaidh ar an mbaile sin. Ach fé bhun an ama san beidh carranna is loraithe ar an slí ó thuaidh, ar chuile bhóthar ar fuaid na Sé gContae Fichead, agus iad ag tiúrt lóin is tarrthála chun na bhfear gcalma úd a d'ionsaigh daingean na nGall sa dTuaisceart.

— Caidé bheadh an Rialtas abhus a dhéanamh i rith an ama?

— N'fheadar, ach is cuma. Féach, a Phádraig, 1916 úr nua do bheadh ann, saighdiúirí na hÉireann ag troid ar son Éireann agus brat na hÉireann os a gceann, agus an seana-namhaid os a gcomhair amach! An measann tú go bhfuil aon Éireannach gur fiú an t-ainm do thiúrt air nach mbeadh inár leith? Béidir nach n-éireodh linn. Béidir go ndéanfaidís " bia míoltóg " dínn, mar a dúrais. Béidir go gcuirfidís eitleáin amach inár gcoinnibh agus go leagfaidís bombaí ar an Srath Bán. Is amhlaidh is fearr é. Béidir go bhfágfaidís an Srath Bán ina fhásach lena ngunnaí móra is a dtancanna. Béidir

nach bhfágfaidís den mbaile ach carn brící mar
leacht os ceann na marbhán. Is cuma, beidh na Sé
Contaethe thar n-ais againn de bharr na híbirte sin.
Ní thuigeann tú conas san? Ní thuigeann tú ach go
mbuafaí orainn. Ach bíodh a fhios agat, a Phádraig,
gur de bharr an Jameson Raid a fuair na Sasanaigh
seilbh ar an Saorstát Oráisteach i nDeisceart na
hAifrice, cé gur theip ar an eachtra úd. Cé go dteip-
feadh orainne, gheobhaimís seilbh ar an Daorstát
Oráisteach i dTuaisceart na hÉireann! Béidir go
gceapann tú nach comparáid chuí é sin. Tá go
maith. Cad mar gheall ar Théacsas? "Cuimhnigí
ar an Alamo!" Fuair garastún díscithe an Alamo
bua airm Santa Anna. Cuir troid dhána ar siúl,
faigh bás go glórmhar calma, agus go grod ina
dhiaidh tiocfaidh chugainn Sam Houston nó Mícheál
Ó Coileáin éigin agus leanfaidh an tír é agus beidh
aiséirí ann. Dá olcas dá mbeadh an scéal, Gníomh
Mór a bheadh inár ngníomh-ne, agus bheadh toradh
air ar luas nó ar moille. Ach an gceapann tú, a
Phádraig, nach dtiocfadh Rialtas na Poblachta i
gcabhair ar dhream Éireannach do bheadh tar éis
cogadh do chur ar shean-namhaid na Poblachta?
Tuigim meon na saighdiúirí, mura dtuigim meon na
bpolaiteoirí. Bheadh an-fhonn ar an Arm Náisiúnta
gluaiseacht ó thuaidh. Táid ag feitheamh go mí-
fhoighneach ó 1922 i leith leis an ordú san nach
dtáinig riamh. Bheadh Ceannairc eile sa Churrach,
a Phádraig! Thug Arm Shasana dúshlán an Rial-
tais d'ordódh dhóibh an Tuaisceart d'ionsaí. Thiúr-
fadh Arm na hÉireann dúshlán an Rialtais d'ordódh
dhoibh gan é sin do dhéanamh! Táim cinnte go
raghaidís in easumhlaíocht ar aon oifigeach nach
mbeadh toilteanach iad thiúrt ó thuaidh ag tiúrt
tarrthála ar lucht an éirí-amach, ar neamh-chead don

Rialtas dá mba ghá!

Chimil Pádraig a dhorn go meabhrach dá smig.

— Ar mhiste domh fiafraí, arsa seisean ar ball, cén fáth ar thogh sibh an Srath Bán, thar áit ar bith eile? Tá áiteacha is míle is fóirstiní ná é le troid a chur ar siúl.

— Is cinnte go bhfuil. Tá dhá fháth gur thoghas an Srath Bán, fáth míleata agus fáth polaitíochta. Sé an fáth polaitíochta go bhfuil an Srath Bán ar an Teorainn agus go bhfuil Tír Eoghain ag críochántacht leis na trí contaethe Ultacha a gearradh den gCúige chun an stáitín mínádúrtha úd do dhéanamh. Sé an fáth míleata go bhfuil an Srath Bán i bhfad ó Bhéal Feirste, agus gur fusa do na díormaí den Arm Náisiúnta a bheadh ag teacht andeas na fórsaí Sasanacha a bheadh ag ionsaí an tSrath Bháin do thimpealladh.

— Nach bhfuil tú ag déanamh dearmaid de aerfhórsa Shasana? Níl ach cupla eitleán ag an Arm abhus, creidim.

— Dar liomsa gur féidir dearmad do dhéanamh de aer-fhórsa Shasana, óir ní bhainfidh Sasana feidhm as. Tá dearcadh ait ag Seán Buí. Níl sé toilteanach aon dúthaigh atá in ainm a bheith "Breataineach" do bhombáil. Níor bhombáil sé Inse Muir nIocht i rith an Chogaidh dheiridh, cé go raibh na Gearmánaigh ina seilbh. Bheadh saighdiúirí na hÉireann slán ó bhombaí Sasanacha in aon bhaile nó sráidbhaile sna Sé Contaethe go nglacfaidís seilbh air. Agus fiú má leagann na Sasanaigh bombaí orthu is amhlaidh is cinntí go mbeidh an bhua linn sa deireadh, óir iompóidh na hAondachtóirí iad féin i gcoinne Shasana de dheascaibh na bombála. Tá's agat, a Phádraig, nach é leas na Sasana ach a leas féin ba chuspóir do na hOráistigh riamh anall.

— Sin an focal fíor agat, a Ginearáil, arsa Aodh
Ó Cianáin. Agus tá aithne agat féin, a Pháidí, ar
Phoblachtóirí a bhí réidh le troid a chur ar Shasain
ach a liostáil in Arm Shasana díreach i ndiaidh na
n-aer-ruathar lena luach a bhaint as craiceann Hitler!

— Ach chuirfeadh Rialtas Shasana tuilleadh
saighdiúirí anall, oiread 's thiomáinfeadh an tArm
thar an Teorainn arais, arsa Pádraig.

— Do leanfaí don dtroid feadh na Teorann.

— Ach dá leanadh na Sasanaigh thar an Teor-
ainn muid?

— Ní cheadódh na Poncánaigh dóibh an tír do
smachtú. Do bheadh an lá linn sa deireadh, mar do
bhí ag na hIndnéisigh, agus ag na hIúdaigh sa
bPailistín.

— Ach dá bhfaigheadh muintir Stormont lid
roimh ré fán rud seo atá á bheartú agat?

— Ní bhfaighidh, a Phádraig. Ní bheidh fhios
ach ag fíor-bheagán cad tá ar siúl againn, agus
roghnófar go han-chúramach an beagán san. Aon
fhear amháin i ngach ceantar. Beidh airsean d'fháil
amach cé hiad na fir ina cheantar féin do bheadh
sásta páirt do ghlacadh ina leithéid de fheachtas.
Ach ní bhfaigheadh an choitiantacht fios an scéil go
mbeimís ullamh chun buille do bhualadh.

— D'innis tú neart domhsa, a Ghinearáil, agus
gan cinntiú ar bith agat go mbeidh mise sásta
gabháil i gcomhar libh.

— Tá súil agam go mbeidh, a Phádraig, óir
deireann Aodh liom go bhfuilir eolach go maith ar
Thír Eoghain. Ach pé scéal é, fir iontaofa amháin
a gheobhaidh seans diúltú dul i gcomhar linn. Fiú
muna bhfuilir sásta cloí linn anois, a Phádraig,
tuigeann tú an scéal, agus bheifeá ullamh chun gnímh
chomh luath is chloisfeá go raibh an Srath Bán gafa

againn agus go raibh an Trídhathach ag foluain os
ceann an bhaile sin. Bheadh fhios agat cad do bhí ag
teastáil id cheantar féin, agus níor dheacair dod
leithéid fir eile d'fháil a chabhródh leat.

— Dúirt Cumhaí liom go gcuirfeadh an Gníomh
Mór seo deireadh leis an Chríchdheighilt "roimh
dheireadh na Bliana Beannaithe."

Chroith an Ginearál a cheann.

— Bhí Aodh ró-dhóchasach ar fad. Níl 's agam
cén uair a bheimid ullamh chun ionsaí. Nílimid ach
ag tosnú. Caithfidh sé bheith go luath, dar ndó.
Ach caithfear feitheamh freisin le huair na faille.
Tá sé ag brath beagán ar cad a dhéanfaidh Sasana
maidir leis an dtroid seo sa Choiria.

— Níl tú ag iarraidh freagra láithreach uaim?

— Níl, dar ndó.

— Ba mhaith liom faill le machnamh a dhéan-
amh ar an mhéid a chuala mé inniu. Ní bheidh mé
ag gabháil arais go Béal Feirste go ceann cupla lá,
agus béidir go mbeadh freagra le fáil uaim roimhe
sin. Ach cibé freagra a gheobhas tú uaim, agus
cibé ainm a bhéarfadh na staraithe ar na daoine a
rachadh i gceann a leithéid seo d'fheachtas, laochraí
nó fealltóirí nó tírghráthóirí nó cearrbhaigh nó
gealta nó mairtírigh, déarfaidh mise an méid seo,
gur Gníomh Mór gan amhras ar bith é!

CAIBIDIL 25.

BHÍ Bean Uí Phréith comh tinn sin ar an tSatharn
gur chuir Máire fios ar an dochtúir. Scrúdaigh
seisean í, chan focal grinn, agus d'fhág bosca
piollairí di.

Rinne sé moill sa halla, áfach.

AN DÁ THRÁ

— An raibh do hata leat ag teacht isteach duit, a dhochtúir? d'fhiafraigh Máire.

Ní raibh. Tá sé amuigh sa ghluaisteán agam. Ach níor imigh sé fós. Bhreathnaigh Máire a aghaidh tríd a gloiní.

— Caidé mar tá sí, a dhochtúir—dáiríre.

— Bhail, is deacair a rá. Níl sí comh tinn agus bhí an t-am deireannach. Ach b'fhearr duit cur fá dhein an tsagairt. Tá an sean-chroí iontach tuirseach, an dtuigeann tú?

Stán Máire air neomat amháin eile. Ansin chlaon sí a cheann.

— Tuigim, a dhochtúir.

I ndiaidh imeacht don dochtúir, chimil Máire a súile le beinn a praiscín.

An oíche sin chuaigh an Ola Dhéanach ar a máthair den tríú huair le deich mbliain.

* * *

Mhuscail sean-Mhallaí Uí Phréith maidin Domhnaigh, agus iontas uirthi gur mhair sí le solas an lae a fheiceáil arís. Stócach cineálta a bhí sa Dochtúir, ach níor fhéad sé an dallamullóg a chur uirthise. Bhí a fhios aici go dtug sí a seal. Ní raibh sí i bpianaigh, ach bhí sí támh-lag, agus ba léir di nach dtiocfadh léi an taom seo a chur thairsti mar a chuir roimhe. Ní raibh eagla uirthi mar bhí an t-am deireannach, nuair a throid sí go dian leis an bhás a choinneáil fad a sciatháin uaithi agus a ghuigh sí Dia go dúthrachtach ligean di fanacht tamall gairid eile abhus. Ní iarrfadh sí anois ach go ligfeadh Sé di bás a fháil go socair suaimhneach, gan barraíocht trioblóide a thabhairt do Mhallaí bhoicht agus gan barraíocht buartha a chur ar na páistí eile. Is iomaí

207

AN DÁ THRA

oíche nár chodlaigh sí néall, ach í ina luí ansin agus
paidrín i ndiaidh an phaidrín á rá aici ar son gach
uile dhuine idir bheo is marbh dá raibh aithne riamh
aici orthu, le huaireanta fada na hoíche a chur isteach,
agus eagla a croí uirthi go bhfaigheadh sí bás uaig-
neach sa dorchadas agus go dtiocfadh Mallaí isteach
ar maidin agus go bhfaigheadh sí fuar marbh ansin
sa leabaidh í. Ba mhaith léi imeacht i lár an lae
ghil . . .

Béidir go mba chóir di bheith ag guí ar fad, ach
bhí sí ró-thuirseach le guí. Agus tamall gairid eile
agus bheadh sé ró-mhall le guí ar a son féin. An
mbeadh Purgadóir comh holc leis na pictiúirí? Dúirt
an sagart léi nach raibh ann ach tine spioradálta a
ghlanfadh ar shiúl gach iarsma peaca. Bhí eagla
uirthi riamh anall roimh dhóiteán. Bhí, riamh ón
am ar thóg Paidín cipín a thit as an tine san óstán i
Sráid Eabhroc agus a chuir tine leis na cúirtíní ar
fhuinneoig an tseomra itheacháin. Ní raibh sé ach
ag tosnu a shiúl san am. Chuir Peadar Sadhbh ar
shiúl dá thairbhe, cionnas nach dtug sí aire cheart
don pháiste. Ba mhaith an bhuime í Sadhbh, dá
ainneoin sin, agus bhí sí doirte do na páistí. Agus
ba deas an rud cailín as d'áit dhúchais féin bheith
sa tigh agat, agus tú imeasc na gcoimhthíoch i mBéal
Feirste. Ar ndóigh, bhí Sadhbh iontach amscaoi,
agus ní bhíodh ar a hiúl ach na buachaillí. Cuimh-
nigh air! Ag suirí le saighdiúir i gCearnóig an
Bhardais agus í in ainm a bheith ag spaisteoireacht
suas Gairdíní Dhún Cairn le Síle!

Dar leis an tsean-bhean, bhéarfainn an doras
don straoille udaí dá mbeadh a fhios agam san am,
nó dá dtarlódh éinní do Shadhbh, chuirfí cuid den
locht ormsa sa bhaile, as gan smacht ceart a choin-
neáil uirthi agus gan inti ach cailín soineannta tuaithe

208

ar seachrán sa chathair mhóir. A leithéid! Ach, ar
ndóigh, níor chuala mé focal ar bith fá dtaobh de
go raibh Síle fásta, agus bhí sé ró-mhall ansin lena
dhath a dhéanamh ach a ligean amach ar ghreann.
Sadhbh bhocht, chaoin sí uisce a cinn nuair a chuir
Peadar chun bealaigh í. Agus fear tuigseach cineálta
a bhí ann, ach é claon beag tógarthach. Ach cé
bheadh ina dhiaidh air? D'fhéadfadh Páidín an
teach a dhó go talamh orainn, go bhfóire Dia orainn!
Agus níor chuala mé riamh an fhírinne fán dóigh
ar bhris Síle an ceann den bhábóig udaí a cheannaigh
Peadar di an Nollaig roimhe. Bhí sí beagnach comh
mór le Síle féin. Naoi déag is pingin déag a thug
Peadar uirthi, ach b'fhiú gach pingin de nóta chúig
bpúnt anois í. Ní raibh aon bhábóg mar sin agamsa
nuair a bhí mise 'mo ghirsigh bhig. Bábóga adhmaid
is mó a bhíodh againne. Théimís thart de chois an
tsrutháin agus isteach fán droichead mar ar scan-
raigh an luchóg uisce muid tráthnóna samhraidh
amháin, mise agus Áine agus—agus—cén t-ainm seo
a bhí uirthi? Lúiseach! Sé, Lúiseach . . . tá sé ar
bharr mo theangadh agam. Is cuma. Bhí gaol aici,
ar scor ar bith le Micí Ó Dubhghaill as an Cheath-
rúin, agus phós sí fear de Mhuintir Fhlaithbheartaigh
as Ard na Coille agus d'imigh leis go Ceanada. Bhí
folt álainn uirthi mar Lúisigh. Ligimís anuas ár
gcuid ghruaige agus nímís sa tsruthán í. Nímís
gruaig na mbábóg fosta, an méid a raibh gruaig ar
bith orthu, agus an méid nach raibh ligimís orainn
gur ag ní a ngruaige a bhíomar. Thit Teidí Béar
Áine isteach sa tsruthán lá amháin. Bhí Somhairle
Mac Amhlaoibh ag gabháil thart ar rothar, agus
chuaigh seisean i dtarrtháil ar an Teidí. Ach ní
raibh sé riamh mar an gcéanna ina dhiaidh—an
Teidí, ar ndóigh! D'at sé go millteanach, agus réab

sé ar ball agus tháinig an cochan uilig as . . .

Ní raibh mórán rothar i gceantar s'againne an t-am udaí. Ba mhór an nuaíocht iad. Ach, ar ndóigh, bhí na múrthaí ag Muintir Mhic Amhlaoidh. Ní raibh gluaisteáin ann nó busanna. Nuair a bhí muid inár gcailíní móra agus a théimís go Béal Feirste chuig na ceoldrámaí, bhí orainn gabháil an bealach uilig chun an Chaisleáin Nua, ar an charr taoibhe, in airicis na traenach. Is ansin a casadh orm Peadar. Ag obair do m'Uncal Pádraig a bhí sé. Dhéanaimís gáire i gcúl a chinn, mise agus Áine. Sheasaíodh an ghruaig díreach ar a cheann, ba chuma caidé'n méid ola a chuireadh sé airthi. Ach bhí sé iontach cneasta, agus oibrí dúthrachtach a bhí ann. Ní bhfuair sé buaidh an dos gruaige sin gur liostáil sé san Arm i 1914. Ní raibh an bearbóir míleata i bhfad gur chuir sé deireadh leis, adeireadh Peadar. Fear breá a bhí ann, mar Pheadar, go ndéana Dia a mhaith air. Ach dá bhfágtaí fúm féin é, an t-am sin, sé Gearóid a phósfainn. Ní raibh faic na fríde de mhaith ann mar Ghearóid. Sílim gur thuig mé féin im chroí istigh i rith an ama gur ruagaire reatha a bhí ann. Agus sé an droch-chríoch a bhí i ndán dó. Is minic a bhuaileadh sé a bhean, deir siad. Níl a fhios agam an mbuailfeadh sé mise? An bhiotáilte a thug a bhás, ar ndóigh. Agus é comh hóg sin! Is mór an gar nach n-ólann Páid. Níor bhris sé riamh an gealltanas a thug sé agus é ar scoil ag na Bráithre Criostaí . . .

Buachaill maith atá ann, mar Pháid. Is maith liom go bhfuil sé socair síos fá dheireadh. Ghoill sé go mór orm an t-am a raibh sé ar a sheachnadh. Agus ina dhiaidh sin, bhí áthas orm gur amuigh fán tuaith a bhí sé, as bealach na mbombaí. Caithfidh sé gur dhroch-dhuine ar fad a bhí ann mar Hitler,

gidh go mbíodh meas mór ag Páid air tráth. Ar
ndóigh, níor leag sé bombaí riamh ar na ceantracha
Caitiliceacha i mBéal Feirste. Leag sé bombaí uair
amháin ar Bhaile Átha Cliath, ach Iúdaigh is mó a
mharaigh sé. Bhí sé go holc do na hIúdaigh, deir-
tear. Creidim gur tógadh ina Chaitiliceach é, ach
níl a fhios agam. Léigh mé ar an pháipéar i bhfad
roimh an Chogadh gur chaith a chuid fear cairdinéal
amach ar an fhuinneog . . . Agus féach an bhail a
thug na Cumannaigh ar an Chairdinéal Min-a-
leithéid-seo-de-ainm-choimhthíoch, agus ar an Ard-
easpag Stepinac! A rá 's de go raibh na Comh-
ghuaillíthe ag obair as láimh a chéile le Stalin i rith
an Chogaidh! Ach ba mhillteanach na gníomha a
rinne na Gearmánaigh ins na campaí sin a bhí acu.
Bhí an scéal uilig ar an *Sunday Express*, ar ndóigh.
Chuirfeadh siad Críostaithe isteach i ngas-sheomraí
amhail is nach mbeadh iontu ach sean-chait! Agus
an bhean udaí a phiocadh amach na príosúnaigh a
raibh tatú ar a gcraiceann le scáthanna lampaí a
dhéanamh dá seithí! A Dhia, is millteanach na
huafáis atá ar an tsaol seo. Ní raibh an sean-Kaiser
comh holc le Hitler, gidh gur lámhaigh sé an Bhan-
altra Cavell agus go mbíodh sé ag déanamh gallaoirí
as na corpáin. Agus ropadh a chuid saighdiúirí a
mbaigneaidí tríd na páistí Beilgeacha. Sin an fáth
ar liostáil Peadar, ar ndóigh. Bhí cean iontach aige
ar leanaí beaga . . .

Síle a b'ansa le Peadar. Agus bé Páid mo
mhaicín féin. Agus Mallaí bhocht an duine is fearr
den iomlán. Dhéanfadh sí bainchéile mhaith do
fhear fhiúntach éigin. Ach níl a fhios agam fá Dhia
cá bhfaigheadh Mallaí fear. Ní fheiceann sí duine
ar bith, agus ní éiríonn sí amach i lúib chruinnithe.
Béidir go mbeidh níos mó de chead a cos aici nuair a

bheas mise ar shiúl. Is olc an ghaoth .. Agus Síle. Tá
dúil agam go bpósfaidh sí Liam. Tiontóidh sé, ar
ndóigh. Ach ba chóir di a thabhairt chun Aifrinn
léi sa dóigh a dtiocfaidh sé isteach air de réir a
chéile. Buachaill maith é, mar Liam. Féach an gar
a rinne sé do Pháid. Níl a fhios agam cad chuige
arbh éigean do na buachaillí sin bheith ag teitheadh
trasna na Teorann. Tá súil agam nach mí-rud ar
bith a bhí déanta acu. Ar ndóigh, paca bithiúnach
atá iontu mar phéas. Ach cad chuige ar mharaigh
siad an Constábla Ó Murchú? Dea-Chaitiliceach a
bhí ann. Agus an pléascán udaí a caitheadh leis an
tSairsint Mac Suibhne cupla mí ó shoin. Agus na
lorgairí sin a maraíodh suas an tír. Ní bheadh aon
rath ar a leithéid d'obair. Ar ndóigh, ní abróinn focal
a choíche le Páid. Ach is maith an rud gur éirigh
sé as an chineál sin. Cad chuige nach dtiocfadh leo
uilig a saol a chaitheamh go ciúin caradach mar a
dhéanfadh dea-chomharsain?

Is trua nach bhfuil obair níos fóirstiní ag Páid
bocht. Bhí sé comh cliste sin agus é ar scoil. Dúirt
an Bráthair Ó Tuathail go raibh. Murbh é go
bhfuair a athair bás an t-am sin, is féidir go rachadh
Páid go hIolscoil na Ríona agus gur ina dhlíodóir
nó ina dhochtúir, dálta an fhir óig a bhí anseo inné,
a bheadh sé fán am seo. Ach bé toil Dé é, ar ndóigh,
agus is Aigesean is fearr fhios. Ní bhíonn tuaith-
leas beag dá laghad ag bean, agus í ag tabhairt na
cíche don leanbh a rug sí, caidé tá i ndán dó. Nuair
théinn isteach ar bharra mo chos, roimh ghabháil fá
chónaí domh, a chinntiú nach raibh an naíonán i
ndiaidh an t-éadach leapa a chaitheamh de, is beag
a shamhail mé go mbeadh sé lá éigin ag teitheadh
lena bheo roimh na péas ... Is maith liom gurb iad
na sean-bhraitlíní saora a cheannaigh mé roimh an

Chogadh atá ar an leabaidh . . . Beidh na braitlíní
fiúntacha glan le cur isteach fúm i ndiaidh . . . Tá
gach rud iontach ciúin . . . Níl an fear bainne féin
le cloisint anois . . . Agus thost na druideogaí 's na
gealbháin . . . Déarfainn go mbeadh toirneach againn
ar ball . . .

*   *   *

Bhí na dallóga ar fhuinneoga an tí i Sráid
Tennyson nuair a tháinig Liam aníos tráthnóna
Domhnaigh. Ní dhearna sé iontas ar bith den mhéid
sin. Bhíodh siad ar fhuinneoga sheomra na máthara
cuid mhór den am. Agus chuala sé Máire ag casaoid
fán scríos a rinne an ghrian, an corr-lá loisceach a
tháinig an samhradh báiteach sin, ar an troscán agus
ar na cúirtíní sa pharlús. Agus bhí an lá seo lois-
ceach. Lean dealramh dalltach ceo teasbhaigh na
maidne, agus nuair a leag Liam a lámh ar laiste an
gheata bhain sé geit as, bhí sé comh millteanach te
sin. Thug sé fá dear, fosta, go raibh cuid mhaith
ban ag comhrá le chéile ag doirse na dtithe, rud nár
ghnáth i Sráid Tennyson, fiú ar an lá a ba teo den
bhliain. Chonacthas dó, ar ndóigh, gur á ngrianrú
féin a bhí siad. Níor chuir sé sonrú, ach oiread, sa
ghluaisteán mhór a bhí ina stad díreach lasmuigh
de theach Mhuintir Uí Phréith. Is amhlaidh a bhí
sé ag smaoineamh go mbéidir go mbeadh Síle sásta
dul leis amach bealach Bhaile Haine agus suas cosán
an tsléibhe. Níorbh aimsir oiriúnach don dreapa-
dóireacht í, ar ndóigh, ach d'fhéadfadh siad dul leis
an bhus go bun an chnoic, agus ba deas fionnuar an
áit spaisteoireachta é an cosán sin ag síneadh idir
fálta arda suas an Dubhais. Bhí tobar fíor-uisce ag
barr an chosáin, fosta, a gcuirfeadh a chuimhne féin

cathú ar dhuine a leithéid de lá. D'fhéadfadh siad dul síos bealach Bhaile gCom Airtín agus filleadh chun an bhaile ar an Chuarbhóthar Thiar i gcomhair tae.

Bhí Liam ar tí an cloigín a bhaint nuair a d'fhoscail an doras isteach agus nocht bean choimh-thíoch a bhí ag labhairt tharna gualainn le spéaclaí Mháire, a bhí le feiceáil sa halla ar a cúl.

— 'S ní dhéanfaidh tú dearmad a chur i gcuimhne domh 'dé'n t-am a mbeidh an tórramh ann? Ní chaillfinn ar ór na cruinne é. Bhí mé iontach mór le do mháthair bhoicht, go ndéana Dia 's Mháthair Bheannaithe trócaire uirthi, uair den tsaol . . .

Bean fheolmhar mheán-aosta a bhí inti, dath minádúrtha buí ar a cuid ghruaige agus dath mí-fholláin corcra ina pluca. Ainneoin na haimsire, bhí sí fáiscthe isteach i gcoirséad teann fána gúna éadrom samhraidh, agus bhí cóta fionnaidh fána guaille. Níorbh iontas ar bith é, mar sin, go raibh péarlaí allais ag sileadh lena héadan a bhí beagnach ar choimhéid leis na péarlaí a bhí ag sileadh lena bráid.

— Ó, gabhaim mo leathscéal! arsa sise, nuair a thug sí Liam fá dear. Is tusa Páidín is dócha. Is minic a d'oil mé i m'ucht thú! Peata beag ceann-chatach a bhí ionat. D'fhás tú ó shoin, ar ndóigh, ach d'aithneoinn áit ar bith thú. Nach millteanach an scéal seo fá do mháthair bhoicht. Is dócha go bhfuil sibh uilig croí-bhriste. Ach, ar ndóigh, ní raibh sí óg, tá a fhios agat. Bhí mise ar scoil nuair a pósadh í, ar ndóigh. Chífidh mé lá an tórraimh thú, a Pháidín. Ba chóir díbh a hadhlacadh go luath, nó is cosúil go bhfuil tonn teasa chugainn. Cá mhéid gluaisteán a bheas agaibh? Beidh trí cheann ar a laghad agaibh is dócha—.

— Ní bheidh a fhios againn, a Shadhbh, arsa

Máire, go dtige Páid arais ó Bhaile Átha Cliath.

— 'Dé sin? Ó, nach é seo Páidín ar chor ar bith! Ha-ha, mura bhfuil sin go hiontach greannmhar! Ach tá tú iontach cosúil leis, a dhuine uasail! Ar athphréataí, díreach ar athphréataí! Bhail, caithfidh mé deifir a dhéanamh . . .

Agus d'imigh sí ag stabhail ar a sála ró-arda ionsar an ghluaisteán mar a raibh fear beag ina luí trasna an roth stiúrach, dreach duibhlionntach air agus toitín gan deargadh ina bhéal.

Sheasaigh Máire siar agus lig Liam isteach sa halla.

— Tá mé iontach buartha a chluinstin go bhfuil bhur máthair marbh, arsa seisean. Ní raibh a fhios agam, gur chuala mé ón bhean uasail udaí é, nó ní thiocfainn ar chor ar bith a chur coiscridh fúibh i lár bhur dtrioblóide uilig.

— Tá fáilte roimh ár gcairde, a Liam, a d'fhreagair sí.

Thug Liam spléachadh gasta uirthi. Ní raibh a fhios aige go dtí sin gur áirigh Máire ar a cairde é.

— An bhean udaí, adúirt si agus í ag dúnadh an dorais, ní bheadh duine cinnte nach a thaispeáint dúinn a cóta fionnaidh agus a gluaisteáin a tháinig sí chugainn! Tóg ort isteach chun an pharlúis, a Liam. Tá Síle ansin. Béidir go dtiocfadh leat cian a thógáil di, nó ghoill bás a máthara go mór uirthi.

CAIBIDIL 26.

BHÍ na páistí beaga ag teacht amach ó Scoil na Sabóide nuair a shroich Liam an Siorcas arís, agus a lámha á gcur suas le scáth a thabhairt ar sholas lasrach na gréine do shúile a d'éirigh cleacht-

aithe leis na seomraí fionnuara gruama istigh. Bhí
Liam ró-mhór do roinn na leanaí, nuair a chuir a
aintín amach go dtí Scoil na Sabóide den chéad uair
riamh é, ach chloiseadh sé iad ag canstan " Jesus
Loves Me Yes I Know," agus " Tell Me The Stories
Of Jesus "; Claidheamh Gideon, Arm Joshua, Dearg-
Ruathar Samson fá shluaite na bhFilistíneach, sin
an cineál is mó a gheibheadh siad i roinn na bpáistí
móra. Dar leis, de réir mar a fhásaimid aníos is
amhlaidh is faide a bhímid ag imeacht ó Íosa, go
dtí nach gcuimhnímid, ár mbunús, Air ach mar fhocal
eascaine as béal daoine gan chreideamh . . .

Lig sé é féin isteach lena eochair. Chuir sé a
cheann isteach ar dhoras na cistine, ach ní raibh le
feiceáil ach Goering, ag déanamh bolg-le-gréin ar
lic na fuinneoige, agus cuil mhór ghorm ar shróin
Sheoirse sa phictiúir os ceann an mhatail.

, Ar a bhealach suas an staighre dó bhain Liam
gíoscán as an chlár scaoilte sa treas céim óna bhun.

Bhí Eistir ag míogarnaigh os ceann a Bíobla sa
pharlús. Chlis sí, agus thit an leabhar trom dá glúin.

— An tusa atá ann, 'Dháibhidh? a scairt sí.

— Ní hé, ach mise, a Bhean Mhic Giolla Dhuibh.
Tháinig sí go bun an staighre.

— Fuist, a Liam. Chuaigh Dáibhidh a luí i
ndiaidh am dinnéara, agus beidh sé comh confach
le heasóig má mhusclann duine ar bith é. An ndéan-
faidh mé réidh do chuid tae duit?

— Ná déan, a Bhean Mhic Giolla Dhuibh. Ní
bheidh mé ag fánacht i bhfad. Tháinig mé isteach
a fháil mo chulaith oíche agus a dh'inse duit go
mbeidh mé ag caitheamh na hoíche anocht as baile.

— Ag caitheamh na hoíche anocht as baile!

— Sé. Cara dem chuid. D'éag a mháthair ar
maidin. Tá siad ag iarraidh orm an oíche a

chaitheamh acu.

— Díreach! Bhail, ba mhór an chaill é. Duine ar bith a mbeadh aithne agamsa air?

— Ní dóigh liom é. Gabhaim mo leathscéal, a Bhean Mhic Giolla Dhuibh, ach caithfidh mé deifir a dhéanamh.

Chuaigh Liam isteach go dtí a sheomra. Bhí náire air as bheith seachantach le hEistir, ach ar dhóigh éigin ba leisc leis inse di fá Shíle. Cúig neomat ina dhiaidh bhí sé ag siúl suas an tsráid go dtí stad na dtram.

Choimhéad Eistir ó fhuinneoíg an pharlúis é. Dar léi, tá rud éigin cearr. Tá súil agam nach bhfuil sé gaite le straoille bhig éigin a chuirfeas ar bhealach a aimhleasa é.

Chroith sí a ceann go himníoch agus chrom gur thóg an Leabhar Naofa a bhí ina luí foscailte ar a bhéal faoi ar an bhrat urláir. Nuair a bogadh é nochtadh paiste gránna mar a raibh an taipéis caite. Chimil Eistir a lámh go meabhrach don bhall lom sul ar éirigh sí ina seasamh. Scrúdaigh sí gach orlach den bhrat urlár, a raibh róis, idir dhearg agus buí air, agus gach bláth acu comh mór le ceirtlín cáil. Dachad bliain a mhair sé dóibh. Cuireadh síos é cupla lá roimh an phósadh. Ní raibh saol comh bog ag lucht oibre an t-am sin. Ní raibh aon Bhúró ann, nó fiacla saor in aisce do chách. Ach bhí tithe le fáil, agus troscán le fáil, troscán a raibh caitheamh ann, ní hionann agus anois. Bhí lánúnacha óga ag pósadh anois agus ag dul a chónaí i seomra fán díon os ceann tábhairne nó siopa, agus gan de throscán acu ach an méid a gheobhadh siad ar mhodh " Caitlín Mo Mhúirnín "' agus gan sa mhéid sin féin ach boscaí oráiste agus seithe líomhnáin orthu, agus íoc na tráthchoda gach seachtain mar chloich mhuilinn fána

muinéal. Fuair sise spré fhiúntach óna hathair, gidh
nach raibh airgead mór le gnóthú ar an iascaireacht
an t-am sin mar bhí fá láthair. Sa litir dheirean-
nach a fuair sí ón bhaile dúradh gur ghnóthaigh
Adam céad púnt san aon oíche amháin ar na scadáin.
Agus bhí inneall i mbunús uilig gach bád i gcaladh
Phort an Bhogaigh anois. Aigh, bhí caitheamh sa
bhrat urláir sin. Mhairfeadh sé a seal féin, dá chaite
anois é. Bhí sé ann sul ar saolaíodh Seoirse agus
mhair sé a sheal-san, foiríor. Agus ní raibh Seoirse
gan a lorg a fhágáil ar an bhrat urláir chéanna, gidh
gur annamh a ligeadh sí isteach chun an pharlúis
é. Thigeadh sé isteach ag rith tríd an seomra
lena bhróga troma salacha agus é i ndiaidh philleadh
ó Scoil na Sabóide . . .

Shéid Eistir gráinnín deannaigh de ór-chiumhais
an Bhíobla ar fhág méara a hathar, agus méara a
athar-san roimhe, a lorg ar a leathanaigh. Dar léi
go raibh boladh an éisc agus na hola lampa ina
gaosáin. Bheir gach uile rud a sheal, arsa sise ina
mheanmna. Níl buan ach Briathar Dé . . . Níl a
fhios agam an rachadh Liam amach chun an team-
paill liom an Domhnach seo chugainn . . .

*   *   *

Nuair a d'fhill Síle ón Aifreann an mhaidin sin
tháinig Máire amach ina hairicis. Bhí a haghaidh
iontach bán, ach labhair sí go stuama sollúnta.

— Goitse anios an staighre liom, a Shíle. Ní
féidir liom Mam a mhuscailt.

Bhain bás a máthara crothadh mór as Síle. Bhí
a máthair breoite comh minic sin gur ar éigin a thioc-
fadh léi a chreidbheáil go dtáinig sé fá dheireadh.

Chaith sí an chuid eile den mhaidin ina suí ar

an tolg, ag stánadh amach roimpi as súile glasa a
raibh méid as cuimse iontu de dheasca comh tarraing-
the rite agus bhí a haghaidh. Choinnigh sí brat póca
fáiscthe ina mheall ina dorn druidte, ach níor thit
aon deor as na súile glasa úd.

D'aithin Máire nár chabhair ar bith di Síle agus
í sa riocht ina raibh sí, agus bhí oiread sin le déanamh
aici féin nach raibh sé de uain aici bheith ag cur ama
amú ag iarraidh sólás a thabhairt dá deirfiúir. Mar
sin, tharraing sí an dallóg anuas ar fhuinneog an
pharlúis agus d'fhág ansin í.

Gach uair dar chuimhnigh sí ar a máthair ina
luí marbh sa tseomra thuas, mhothaigh Síle arraing
aithreachais ina croí. Is annamh a d'fhág a máthair
an seomra sin le blianta beaga anuas, agus is annamh
a chuimhnigh Síle ar chuairt a thabhairt uirthi agus
comhrá a choinneáil léi ar feadh tamaill. Agus fiú
amháin nuair a chuimhníodh sí ar a dualgas agus a
dhéanadh amhlaidh, bhíodh sí ag feitheamh go mí-
fhoighdeach go bhfaigheadh sí imeacht ar cham-
leathscéal éigin. Thuirsíodh sí go ró-fhurasta de
bheith ag tabhairt chluaise do scéalta beaga gan tábh-
acht óna máthair fá laethe a hóige sin fán tuaith,
agus fá eachtraí Pháid agus é ina ghasúr bheag
chrosta. D'fhág sí an t-iomlán fá Mháire, ar an
leathscéal go raibh uirthi féin bheith an lá go léir
ina seasamh sa tsiopa ag riar do chuistiméirí doshásta.
Is ar éigin a bhíodh sí toilteanach tráill nó teotachán
a iompar ionsar a máthair, ar eagla go gcoinneodh
sise sa tseomra í ag éisteacht lena cuid chainte.
Agus anois bhí sé ró-mhall. Ní bhfaigheadh sí seans
eile a choíche leorghníomh a dhéanamh san fhaillí a
rinne sí ar a máthair, nó an grá agus an aire a thug
sise dóibh a chúitiú léi.

Chuimhnigh sí ar an dóigh a gcéasadh siad í

nuair a thigeadh sí isteach le póg a thabhairt dóibh
sul a dtéadh siad a chodladh. Scairteadh siad ina
diaidh agus í ar a bealach síos an staighre arais, ag
iarraidh a tabhairt arais ar leathscéal éigin, póg eile,
deoch uisce, ceist fán tsomhlas iarbhéile a bhí le
bheith acu lá tharna bhárach. Agus an Nollaig. Bé
sin an t-am a ba aoibhne den bhliain fhad agus bhí a
máthair sa tigh le spiorad na Nollag a choinneáil
beo. Cad é an sórt Nollag a bheadh ann
feasta? Fiú nuair a b'éigean di an Nollaig a chaith-
eamh ina leabaidh, thugadh a máthair ordú dóibh
gach rud a dhéanamh díreach mar a dhéanadh sí
féin é, na slabhraí páipéir agus an cuileann agus an
drualus a chur suas, gidh nach mbeadh sí féin ann
lena bhfeiceáil. Cé chuimhneodh ar mhaisiúcháin
Nollag a chur suas agus a máthair imithe uathu?

Chuimhnigh sí ar an scanradh a fuair sí maidin
Lae Nollag amháin, san óstán i Sráid Eabhroc.
Mallaí a chuir tús leis, Mallaí a bhí in aon-leabaidh
léi agus a fuair í ag ithe milseán as tón a stoca
Nollag, milseáin a ba chosúla le giotaí cailce, cuid
acu cearnach, cuid acu cruinn, cuid a raibh déanamh
réalta nó corrán gealaí orthu. Bhí boladh cumhra
orthu, ar scor ar bith. Chuir sé uafas ar Mhallaí.
Ag ithe milseán roimh an Aifreann, Lá Nollag Mór
thar lá ar bith eile! Bheadh Dia iontach feargach
léi, agus ní bheadh a fhios ag duine caidé an tubaiste
a thiocfadh orthu dá bharr! Chuir sise amach a
teanga a thabhairt dhúshlán Mhallaí agus na hEag-
laise, ach bhí sí imníoch de ainneoin a dánaíochta.
Bhagair Mallaí uirthi, agus a spéaclaí ag soilsiú le
díograis dhiaganta go ndéanfadh sí scéal uirthi lena
máthair. Ní fhéadfadh Síle dul chun na haltóra
anois, a dhearbhaigh sí. Bhí Síle féin idir dhá
chomhairle. Dá mbéidir léi tabhairt ar Mhallaí gan

scéitheadh uirthi, bheadh gach rud i gceart. Cár
mhiste fá chupla seán-mhilseán, nach raibh ró-
bhlasta fiú! Cinnte ní bheadh Dia ina dhiaidh
uirthi. Ar ndóigh, seans gur fhág na milseáin a lorg
ar a teanga, ach d'fhéadfadh sí a cimilt go maith
lena brat póca. Chuala sí a máthair ag dul síos an
staighre go dí an seomra itheacháin. An chéad rud
eile chuala sí scread choscarthach, agus bhuail eagla
mhillteanach í gurb amhlaidh a mharaigh Dia a
máthair le cúitiú a bhaint as an pháiste a rinne an
peaca sin maidin Lae Nollag. Ar ndóigh, chuala
sí glór a máthara ag scairtigh an chéad neomat
eile : " Goitse anuas go gasta, a Pheadair ! Tá fear
péas sa chrann Nollag !" Chuala Síle go soiléir í,
agus mhéadaigh ar a huafás agus ar a heagla.
Istigh ina meanmna chonaic sí an crann Nollag, é
gléasta le boibilíní beaga gloine agus le sreing
spréacharnaigh, agus ina cheart-lár, ag amharc amach
idir na craobhóga glasa, aghaidh dhúr dhanartha
chonstábla. Bhrúigh sí Mallaí amach as a bealach
agus thug léim isteach fán éadach leapa. Chuala
sí ina dhiaidh cad a tharla. Is amhlaidh a d'fhág
a hathair an doras gan glasáil. Nuair a tháinig an
constábla óg thart agus d'fhéach an doras, shiúil
sé isteach go bhfeiceadh sé an raibh duine ar bith
ina shuí go fóill. Bhí an seomra itheacháin folamh,
ach shoilsigh solas ón lampa sráide isteach ar an
chrann Nollag. Chuaigh sé fhad leis, á bhreathnú.
Bhí an síothmhaor óg tuirseach, agus lena chois sin
bhí sé tar éis bheith sa Chearc Rua i Sráid an Iarla,
mar ar sheasaigh cuid de na fir deochanna dó.
Shuigh sé síos ar imeall an tobáin ina raibh an crann
Nollag, a dhéanamh a scíste, agus thug amach buidéal
beag a bhronn an tábhairneoir sa Chearc Rua mar
fhéirín Nollag air. D'ól sé slog as leis an fhuacht

a choinneáil amach. Nuair a tháinig Bean Uí
Phréith anuas ar maidin bhí sé cuachta ansin fán
chrann Nollag, buidéal folamh ar an urlár fána
chosa, agus a smig buailte ar bhun a ghunna . . .
Scéal beag greannmhar a chuala sí go minic
óna máthair. D'éirigh sí bréan, ar na mallaibh, de
bheith ag éisteacht leis gidh go ndéanadh sí gáire
bheag ag cur i gcéill gur bhain sí sult as. Ach
anois, agus í ag cuimhniú air, mhothaigh sí an
t-uaigneas agus an chritheagla cheannann chéanna
uirthi agus mhothaigh an mhaidin úd nuair a chuala
sí scread ghéibheannach a máthara agus a shíl gurbh
í scread a báis í . . .

Chuimhnigh sí ar a máthair mar a bhí sí tar
éis bhás a n-athar, ar comh calma foighdeach agus
bhí sí. B'éigean dóibh an teach ósta agus an
tábhairne a dhíol leis na fiacha a íoc. Ní raibh a
máthair ar fónamh an t-am sin féin, agus bhí siad
ag cailleadh cuistiméirí agus airgid i rith an ama.
An chuimhne is déanaí a bhí ag Síle ar an óstán i
Sráid Eabhroc, daoine isteach agus amach ar fuaid
na háite, troscán á thabhairt ar shiúl, agus na páistí
ina suí ar bhoscaí agus ar mhálaí sa chistin agus a
máthair dheargshúilleach ag iarraidh a mealladh chun
ispíní a ithe as sean-chuach anraithe a raibh an
leathchluas briste de. Dar le Síle, tá an cuach an-
raithe sin áit éigin i bpoll an ghuail go dtí an lá
atá inniú ann . . .

Chuimhnigh sí ar a máthair i bpoll an ghuail
oícheanta na n-aer-ruathar, a paidrín idir méara a
raibh crith orthu, agus focal grinn aici do na cailíní
idir gach dá Ave, le cian a thógáil díobh, nuair a
ba chórtha do Shíle féin, an Poblachtóir neamh-
eaglach, bheith ag tabhairt mhisnigh dá máthair.
Chuimhnigh sí ar an am chruaidh a bhí ag a

máthair i ndiaidh bhás an athar, agus ar an chrá a
d'fhulang sí nuair a bhí uirthi glacadh le tairiscint
a n-aintín agus na girseacha a ligean chun an
chlochair sa chaoi a mbeadh sí féin in inmhe dul
amach ag saothrú a codach . . .

Chuimhnigh sí ar an lúcháir a bhíodh ar a
máthair nuair a thigeadh sí chun an chlochair
ar chuairt chucu, agus ar an chumha a bhíodh
uirthi ag imeacht di. Chuimhnigh sí ar gach
uair dar imigh a máthair síos an cosán ag tarraing
ar an gheata, agus an tSiúr Columba á comóradh.
Bean bheag anbhann agus fonn millteanach uirthi
rith arais le barróig amháin eile a bhreith ar na
girseacha, ach í ag siúl go daingean roimpi gan
amharc siar tharna gualainn, ar fhaitíos go bhfeic-
feadh siad na deora lena súile . . .

*   *   *

I gceann gach aon tamaill thigeadh duine éigin
isteach sa pharlús a dhéanamh comhbhróin le Síle.
Bhí cuid acu a d'aithin sí, agus cuid nár aithin.
Tháinig sean-Roberts Armstrong, agus Bean Uí
Néill, agus Máirín Nic Ailín, agus go leor eile de
na comharsain. Tháinig bean fheolmhar dhearg-
ghnúiseach a raibh cóta fionnaidh uirthi. Labhair
siad uilig léi, ach ní thug sí aird ar na focla a chan
siad. Bhí an mana céanna aici do gach duine acu.
Rinne sí crothach láimhe leo, agus stán go tostach
orthu as a súile móra tirime.

Nuair a tháinig Liam isteach d'amharc sí comh
marbhánta céanna air agus d'amharc ar an dream
a tháinig roimhe. Níor chan sé focal, ach shuigh
síos ar an tolg lena taobh agus chuir a lámh fána
slinneáin. Thiontaigh sí chuige, agus tháinig na

deora fá dheireadh, tháinig siad ina dtuile. Bhí
dearmad glan déanta ag Síle den fhíoch a bhí uirthi
le Liam, agus den chúis a raibh sí i bhfíoch leis.
Ba chuma léi cibé acu ina Oráisteach nó ina Chaitil-
iceach a bhí sé, ina Aondachtóir nó ina Phoblachtóir.
D'aithin sí go raibh guala charadach anseo a dtioc-
fadh léi a deora a shileadh uirthi.

CAIBIDIL 27.

CHUAIGH Síle a luí go luath. Tháinig biseach
uirthi tar éis di uisce a cinn a chaoineadh, agus
bhí sí in ann lámh chuidithe, a raibh Máire go mór
ina feidhm, a thabhairt dá deirfiúr. Thug sé uch-
tach di Liam a beith sa tigh. Chuir sé i gcuimhne
di go bhféadfadh aoibhneas agus sonas bheith i ndán
do dhuine dá mhéid é an chaill a bhí sé tar éis a
fhulang. Nuair a chuala Liam nach mbeadh Pádraig
arais go dtí an Luan thoiligh sé an oíche a chaith-
eamh sa chistin ar an leabaidh champa a chleacht
seisean. Shíl Síle go mbéidir go gcuirfeadh Máire
go tréan in éadan an tsocruithe sin, agus chuir sé
iontas uirthi gur ghlac a deirfiúr go huisiúil leis.

Nuair a d'fhógair Síle go raibh sí ag dul fá
chónaí d'éirigh Liam ina sheasamh.

— Beidh mé ag bualadh isteach chuig Maim go
n-abróidh mé oíche mhaith léi, adúirt sí leis. Dá
olcas mé, níor lig mé oíche tharam riamh gan an méid
sin a dhéanamh. An dtiocfaidh tú suas liom, a
Liam?

— Tiocfaidh, cinnte. Ní fhaca mé ach an t-aon
uair amháin í agus í ina beatha. Ba mhaith liom go
mór an seans bheith agam slán a fhágáil aici.

Nuair a bhreathnaigh Liam an bhean a bhí sínte

ar an leabaidh, í fána tais-léine dhonn, a paidrín
snaidhmthe thart ar a lámha agus an chros céasta
idir a méara marbha, thainig mothú aisteach ina
chroí. Ghrinnigh sé a haghaidh chiúin a raibh gach
rian pianaí agus buartha glanta di, mar bheadh sé
ag iarraidh a rún a dhéanamh amach. Dar leis, tá
sí amhail íbirt sínte ar altóir, ina luí ar éadach gan
smál agus coinnle lasta fá dtaobh di . . .

Chuaigh Síle ar a glúine le hais na leapa agus
choisreac í féin. Go ciotach, chomhair a bheith go
doicheallach, rinne Liam aithris uirthi. Chorraigh
Síle nuair a mhothaigh sí lena taoibh é, ach ní thug
sí thart a ceann.

Thug Liam iarraidh paidir a rá, ach bhí sé as
cleachtú na guíodóireachta.

— A Thiarna Íosa, a thosnaigh sé, ach ní thioc-
fadh aon fhocal eile chuige.

Ón áit a raibh sé ar a ghlúine níor léir dó níos
faide aghaidh an mharbháin. Chuimhnigh sé i
dtobainne ar an lá a ligeadh isteach sa tseomra úd
sa bhaile é leis an amharc dheireannach a fháil ar a
mháthair féin. Nuair a chonaic an leanbh í sínte
ansin ar an leabaidh, an fhuil tráite as a gruadh,
an feisteas ceannann céanna uirthi agus bhí ar an
bhean seo os a chomhair anois, agus an deartháir
beag marbh, nár leag sé súil riamh air go dtí sin,
lena taoibh, scanraigh sé roimpi agus thug ruathar
amach as an teach. Chuaigh sé i bhfolach i gcró
na gcearc, agus is ansin a fuarthas é tar éis dóibh
bheith iomlán uaire á chuartú, clúmh éan ina ghruaig
agus lorg na súóg ar a aghaidh imeaglaigh. Níor
chaoin sé deor sa reilig, óir ní raibh a mháthair
mharbh ann le deora a bhaint as. Ní raibh ann ach
bosca fada a raibh ornáidí práis agus cloiginn ain-
geal air. Bhí a fhios aige gur aingle a bhí iontu,

H

nó dúirt an cailín aimsire leis é, ise a raibh greim
láimhe aici air. Níorbh fhéidir leis a hainm nó a
haghaidh a thabhairt chun cuimhne anois, ach bhí
a fhios aige gurbh í an cailín aimsire í. Agus bhí
an sean-shagart ann, casóg fhada go múrnáin air,
agus a bhróga comh salach agus bhí riamh, ach
níor chaith sé snaoisín go dtáinig sé amach as an
reilig agus chroith lámh le hathair Liam. Bhí carr
beag na roth mór ag an gheata agus sean-Daisy
reamhar faoi. Tháinig an fear mór fán chulaith
dhuibh agus an hata chruaidh anall gur thóg sé an
páiste idir a dhá láimh agus d'fhág ina shuí sa charr
é. "Anois, a mhic," adúirt sé, "bhéarfaidh mé
amach tigh d'aintín thú, agus beidh am súgach i
gceart agat go ceann seachtaine nó dhó." Thion-
taigh sé chuig an chailín aimsire ansin, agus dúirt
ós íseal léi: "Beidh an t-iomlán dearmadta aige sul
a bpille sé 'na bhaile. Ní buan cuimhne pháiste."
Ach chuala an páiste na focla, agus ghreamaigh
siad ina chuimhne. Sul ar scar a athair uaidh i
gcistin an aintín, bhronn sé bonn soilseach leath-
choróineach air. Ní raibh an méid sin airgid aige
san am amháin riamh roimhe sin. Ach cibé gream-
anna milse nó gunnaí bréige a cheannaigh sé dó,
bhí a gcuimhne caillte aige, agus d'fhan cuimhne
an radhairc úd leis, cuimhne aghaidh mharbh a
mháthara, aghaidh na mná óige a bhíodh ag feadal-
aigh agus í ag fuineadh aráin tréicil, aghaidh na
mná a bhíodh ar a glúine lena thaoibh maidneacha
Domhnaigh sa teampall mar a raibh altóir agus éad-
ach geal agus coinnle lasta uirthi ...

Ghearr Síle fíor na Croise uirthi féin arís agus
d'éirigh ina seasamh. D'éirigh Liam.

Chrom an cailín os ceann an chorpáin agus phóg
ar chlár a héadain í.

— Ní bheidh tusa ag gabháil fá chónaí go fóill, a Liam? Ní féidir, ar ndóigh, agus Mallaí ag obair sa chistin! Tá dúil agam go gcodlóidh tú go maith, cibé ar bith, agus nach gcuirfidh na luchógaí 's na daoil dubha isteach barraíocht ort!

— Slán go gcodla tú féin, a Shíle.

— Agus go raibh míle maith agat, a Liam.

— As bheith sásta an oíche a chaitheamh fá aon-díon leatsa, a thaisce?

— As bheith 'do Liam!

*   *   *

D'fhill Liam ar an chistin. Bhí an tine lasta agus bhí Máire ag iarnáil éadaí ar an bhord.

— Ó, tusa atá ann, arsa sise. Suigh síos. Tá a fhios agam go bhfuil sé ró-the do thine, ach shíl mé go mbeadh cuma níos tiriúla ar an chistin dá mbeadh tine againn. Tá an fhuinneog ar fhoscailt agam, ar ndóigh. Fliuchfadh mé pota tae ar ball. Nó béidir go mb'fhearr leat cócó fá choinne an tsuipéir?

— Ná bac lena dhath a dhéanamh réidh domhsa.

— Bheadh sé comh maith agat freagra díreach a thabhairt orm. Nó beidh orm suipéar a dhéanamh domh féin comh luath 's bheas an smúdáil críochnaithe agam.

— Cibé a ghlacfas tú féin, mar sin.

— Sin tae agus tósta, siúd 's go dtuigim go maith nach ceart a leithéid a chaitheamh ag am luí.

Dhearg Liam toitín.

— A Mháire, arsa seisean i gceann deich neomat nó mar sin, ar mhiste leat dá gcuirinn ceist phearsanta ort?

— Dheamhan fhios agam go gcluinfidh mé í!

— Bhail, cad chuige nach maith leat mé?

D'fhan Máire gan cor aisti, agus a droim leis. Ansin fuair sí boladh an éadaigh á dhó ag an iarann te agus chrom sí go fústrach deifreach ar an obair arís.

— Cé dúirt leat nach maith liom thú? Síle, is dócha!

— Níor dhúirt duine ar bith liom é. D'aithin mé ón tús é.

— Bealastánacht! Is maith liom go mór thú.

— Cad chuige, mar sin, a mbíonn tú i gcónaí ag doicheall romham?

Thiontaigh sí thart go fadálach. Bhí a súile buartha i gcúl ghloiní a spéaclaí.

— Tá brón as cuimse orm má bhí mé riamh díomúinte leat. Tá muid níos mó fá chomaoin agat anois ná riamh. Níl a fhios agam caidé dhéanfainn ar chor ar bith le Síle ach go dtáinig tú i dtarrtháil orainn tráthnóna.

— Ní díomúineadh ar bith atá mé a mhaíomh, a Mháire, agus is maith a thuigeas tú féin caidé tá i gceist agam.

— Bhail, sé an fáth a raibh mé ag doicheall romhat ar tús, ó bheir tú orm a rá, go raibh mé in amhras ort. Shíl mé gur shaoithiúil an rud é Protastúnach bheith 'na Phoblachtóir.

— Níl sé comh saoithiúil sin ar fad. Caidé fá Wolfe Tone?

— Och, sin! Níl mórán ar bith eolais agam fá ghnoithe polaitíochta. Ach ar mhaith leat iomlán na fírinne a chluinstin? Tá mé cinnte nach dtaitneodh sí leat.

— Is fearr a thaitneodh an fhirinne liom ná an bhréag, a Mháire.

— Bhail, dá mba Phrotastúnach den ghnáth-

chineál thú, d'fhéadfaimís bheith mór leat agus
bheith cúramach san am chéanna fán mhéid a chan-
faimís i do láthair. Ach sé rud a labhair Páid agus
Síle amach go foscailte leat.

— Bheifeá níos forbhfáiltí liom, mar sin, dá
mba Aondachtóir, agus béidir Oráisteach mé?

Chuir Máire grug uirthi féin.

— Bhail, ní deas an rud le rá le d'éadan é, a
Liam, ach is dócha go mbeadh.

Dar le Liam, tá mé breis is leathbhliain ag
cuartaíocht sa tigh seo, agus níl mé ach ag tosnú a
chur aithne ar an chailín seo.

— Cad chuige sin? a d'fhiafraigh sé.

— Bhail, is dócha go bhfacthas domh go raibh
tú ag iarraidh an dá thrá a fhreastal, agus do chosa
greamaithe go daingean i ngainimh na trá thall.

Dar le Liam, tá sin duibheagánta go maith, dar
Dia! Ní bheadh duine ag dréim lena leithéid ó
Mháire. Ach ansin, ní raibh mé riamh cinnte cá leis
a mbeinnse ag dréim ó Mháire.

— Agus an amhlaidh atá tú in amhras orm go
fóill?

— Och, bíodh splaideog chéille agat, a Liam!
Tá a fhios agam go bhfuil tú comh hiontaofa leis an
duine is dílse acu.

Shín Liam bosca na dtoitíní ionns uirthi.

— Caithimis píopa—nó toitín—na síochána le
chéile, mar sin!

Chroith sí a ceann.

— Béidir nach bhfuil sé ina shíocháin eadrainn
go fóill, a Liam.

— An abair tú sin liom?

— Is amhlaidh a bhínnse ag doicheall romhat
ansin cionnas gur Phoblachtóir thú agus gur shíl mé
go mbéidir go raibh Páid s'againne gaite leis an

dream udaí arís agus go bhfaigheadh mo mháthair
bhocht a thuilleadh tiortála dá thairbhe. Cead ag
Páid a rogha rud a dhéanamh anois, ar ndóigh. Ní
de mo ghnoithe-se níos faide é. Ach níl mé ró-
chinnte nárbh fhearr liom i d'Aondachtóir agus i
d'Óráisteach thú. Is lú an seans ansin go bpósfadh
Síle thú.

Bhí Liam gonta go mór.

— Tuigim, arsa seisean go ciúin. Cúrsaí
creidimh atá taobh thiar de, i ndeireadh na dála?

— D'innis mé duit nach dtaitneodh an fhírinne
leat. Tú féin a tharraing ort é.

— Admháim sin, agus níl mé 'na dhiaidh ort, a
Mháire. Níor mhaith leat mé bheith ag suirí le Síle.

— Bhail, thuig mé ón chomhrá a chluininn ar
siúl agat le Páid nach mbeadh fonn ort tiontó 'do
Chaitiliceach. Bhíodh an bheirt agaibh i gcónaí ró-
mhórtasach as tú bheith 'do Phoblachtóir Phrotastún-
ach. Dá mba ghnáth-Phrotastúnach thú, déarfainn
go mbéidir go dtiontófá mar mhaithe le Síle. Ach
bíonn barraíocht chainte ar siúl agaibh fá Wolfe
Tone agus a leithéid. Dá mbeadh céad Protastúnach
mar thusa i gCúige Uladh, deir Páid, bheadh Éire
aontaithe taobh istigh de dheich mbliain. Ach líon
sibh ceann Shíle leis an chineál sin go dtí go bhfuil
an chontúirt ann go bpósfadh sí thú agus gan tusa
tiontó ar chor ar bith.

—Tá tú in éadan póstaíocha measctha, mar sin?

— Tá an Eaglais s'againne ina n-éadan, agus is
críonna an Eaglais ná mise nó tusa nó Síle.

— Shílfeadh duine go mba é leas na hEaglaise
Caitilicí moladh do gach Caitiliceach Rómhánach ins
na Sé Contaethe Protastúnach a phósadh. Nach
bhfuil riail éigin ann go gcaithfidh an Protastúnach
gealltanas a thabhairt 'na leithéid de chás go dtóg-

faidh sé na páistí ina gCaitilicigh?

— Tá, go dearfa.

— Dá bpósadh go leor Caitiliceach Protastúnaigh bheadh bunús uilig mhuintir Chúige Uladh ina gCaitilicigh Rómhánacha taobh istigh de chéad bliain! Agus, a dhálta sin, chuirfeadh sé deireadh luath leis an Chríchdheighilt. Tuigeann na Protastúnaigh féin an méid sin, agus sin an fáth a bhfuil an tAondachtóir is lú fearmad ar bith comh daingean in éadan na bpóstaíocha measctha 's tá an Pápa féin. Ní Aondachtóir mise, agus ní fearmadóir mé. Bheinn lántoilteanach ligean do Shíle a clann a thógáil 'na gCaitilicigh. Tá meas áirithe agam féin ar an Chreideamh Chaitiliceach. Ní fheicim a dhath in éadan póstaíocha measctha. Bhí mo mháthair féin 'na Caitiliceach.

Stán Máire fá iontas air.

— Caidé dúirt tú?

— Dúirt mé go raibh mo mháthair féin 'na Caitiliceach Rómhánach. Agus phós sise Protastúnach. Shíl mé go raibh a fhios agat sin.

Chlaon Maire a ceann go tuigseach.

—Míníonn an méid sin cuid mhór nach raibh dul agam a thuigbheáil. Ó do mháthair a fuair tú é.

— Caidé rud?

— Do dhearcadh polaitíochta, ar ndóigh. Bhí sé san fhuil agat.

— Amaidí! Ní dóigh liom go raibh oiread eolais fá chúrsaí polaitíochta aicise agus tá agatsa, a Mháire.

Shín Máire amach a lámh ag iarraidh toitín.

— Glacfaidh mé anois é, a Liam. Beidh sé de dhíth orm i ndiaidh scéal mar sin a chluinstin!

Bhí toitín Liam caite isteach sa tine aige i bhfad roimhe seo. Thug sé idir thoitíní agus lasáin di.

— Bhail? arsa seisean.

— Bhail?

— Bhail, phós sise Protastúnach, fear fiúntach cineálta. Bhí seisean ina Aondachtóir ach gan bheith 'na fhearmadóir, agus shíl sé an dubh-rud di. Níor phós sé arís i ndiaidh a báis, gidh go raibh sé óg go leor agus saibhir go leor le rogha agus togha bheith aige.

— Ach níor thóg sé 'do Chaitiliceach thú!

— Thógfadh, ach go bhfuair sise bás. Ba ghnáth leis ár dtabhairt go dtí an teach pobail gach Domhnach agus ansin tiomáint ar aghaidh go dtí an teampall Preisbitreach. Bhí ligean chucu agus uathu acu araon, agus chaith siad saol sona i gcuideachta a chéile fhad 's mhair sí.

— D'éag sí go hóg?

— Comh hóg sin nach bhfuil cuimhne cheart agam uirthi.

— Agus chuaigh d'athair siar ar a ghealltanas.

— Ní dheachaigh m'athair riamh siar ar ghealltanas—dá dheoin féin. Ach caidé eile a thiocfadh leis a dhéanamh? B'as Tír Chonaill do mo mháthair, agus ní raibh duine ar bith dá gaoltaí in áit s'againne. Ní bheifeá ag dúil go gcuirfeadh sé a mhac féin chuig coimhthígh in iarthar Chontae Dhún na nGall. Ba leis féin mé i ndiaidh an iomláin. Agus, ar scor ar bith, ní chruthaíonn sin a dhath ar bith. Bheinnse lán-tsásta ligean do Shíle na páistí a thógáil ina creideamh féin. Agus, mar a dúirt mé cheana féin, bhí saol sona sásta acusan fhad 's mhair sí.

— Agus an raibh saol sona sásta agatsa?

D'fhan Liam ina thost. Níor labhair Máire go ceann tamaill eile, ach oiread, ach í ag coimhéad na toite ag foluain fána ceann.

— D'fhéadfadh Síle bás a fháil go hóg, arsa sise

232

go fadálach sa deireadh.

— Ná bí ag caint mar sin!

— A dhálta sin, a Liam, is dócha gur baisteadh 'do Chaitiliceach thú.

— Is cinnte gur baisteadh. Nach bhfuil mé á rá leat go raibh m'athair sásta ligean di mo thógáil i mo Chaitiliceach?

— Tá tú 'do Chaitiliceach ar fad, mar sin. Ní bheifeá ach díreach ag pilleadh 'na bhaile.

Rinne Liam draothadh gáire.

— Ag éirí níos measa atá tú, a chailín! Tá mise 'mo Chaitiliceach Rómhánach díreach ar an abhar gur dhoirt an sean-shagart uisce ar m'éadan agus gráinnín snaoisín lena chois, bíodh geall air, agus chan deilín éigin os mo cheann!

Tháinig Máire aniar agus chaith an toitín isteach sa tine.

— Ná déan dearmad, a Liam, go bhfuil mise agus Páid agus Síle inár gCaitilicigh díreach ar an abhar go ndearna sagart éigin an rud ceannann céanna linne!—Ach ní fhliuchfaidh seo an tae dúinn. Cuirfidh mé an citeal ar an ghas.

CAIBIDIL 28.

— CREIDIM go bhfuil tú ag cuimhniú ar theacht isteach san Eaglais, a Liam, arsa Pádraig Ó Préith, tuairim is seachtain tar éis an tórraimh.

— Ní rachainn an fad sin go fóill, a Pháidí. Deir Máire go bhfuil sé de cheart agam Caitiliceach a thabhairt orm cheana féin. Ach ní leor an t-ainm gan an creideamh.

— Tiocfaidh an creideamh, más é toil Dé é, agus

is cinnte gurb é. Beidh muidinne uilig ag guí ar do
shon, cibé ar bith.

D'amharc Pádraig go meabhrach amach ar
fhuinneoig an pharlúis.

— Nach iontach an dóigh a dtiteann rudaí
amach! Seachtain ó shoin bhí mise ag cuimhniú ar
pháirt a ghlacadh in eachtra mhearaí áirithe le cog-
adh a chur ar siúl ins na Sé Contaethe. Shíl mé
gur mar mhaithe le mo mháthair, a d'fhulang a sáith
dem thairbhe-se, a loic mé. Ach anois, agus í marbh
agus curtha, níl fonn dá laghad orm a dhéanamh!

— Caidé'n chaint seo fá chogadh a chur ar na
Sé Contaethe? a d'fhiafraigh Liam.

— Och, aisling a bhí ag fear maith ar mhó a
chrógacht agus a thírghrá ná a chiall. Dá mbéidir
é! Ach ní féidir.

Bhreathnaigh Liam a aghaidh go fiosrach.

— Agus an síleann tú go mba mhaith an rud é
dá mbéidir seilbh a ghlacadh ar na Sé Contaethe leis
an láimh láidir?

Chuir an cheist iontas ar Phádraig.

— Breast thu, a Liam, nach gcuirfeadh sé an
dlaíóg mhullaigh ar an troid atá ar siúl againn le
seacht gcéad bliain?

— Cogadh Gael le Gall? Ach an gcuirfeadh sé
deireadh leis an troid eile atá ar siúl le céad go leith
bliain?

— Caidé'n troid sin?

— Cogadh Caitiliceadh le Protastúnach, ar
ndóigh.

— Chuirfeadh, cinnte. Dá mbeadh Éire aon-
taithe bheadh síocháin agus teacht le chéile againn
fá dheireadh thiar thall.

— Dá dtigeadh Caitiliceach agus Protastúnach
le chéile bheadh Éire aontaithe ar ndóigh. Ach

ní féidir Éire a aontú de thairbhe Protastúnaigh
Chúige Uladh a smachtú.

Chrup Padraig a mhalacha.

— Ní bheimís á smachtú. Ni bheimís ach ag cur
an tóir ar na Sasanaigh.

— Creideann tú mar sin nach dtroidfeadh Pro-
tastúnaigh Uladh?

— Ní throidfeadh. Níor throid riamh, taobh
amuigh den dream a d'éirigh amach i Nócha a hOcht.

— Féadfaidh tú a chreidbheáil uaim, a Pháidí,
go dtroidfeadh. Tá a fhios agat féin nach bhfuil
sa chaint uilig fá Shasain bheith ag coinneáil na Sé
gContae uainn lena gcuid baigneaidí ach bolscaireacht
chlaon. Cá mhéid saighdiúirí Sasanacha atá ins na
Sé Contaethe fá láthair?

— Caidé fá na B-Fhir? 'Ach ní throidfeadh
siadsan, ar ndóigh.

— Throidfeadh, a Pháidí. Throidfeadh, cinnte.
Agus ní Sasanaigh iad, ach Protastúnaigh Chúige
Uladh. Daoine den dream chéanna a d'eagraigh
Óglaigh Uladh.

— Óglaigh Uladh! Ní raibh ansin ach dalla-
mullóg. Thuig Carson go maith nach mbeadh air
troid.

— Béidir sin, siúd 's nach bhfuil mé cinnte de.
Ach ní raibh a fhios ag an choitiantacht nach
mbeadh orthu troid in éadan Arm na Sasana. Ní
eagla a bhí orthu, ach oiread, murar throid siad an
t-am sin, ach díreach nach raibh troid riachtanach.
Throid siad ag Thiepval. Thit sé mhíle fear den
Roinn Ultaigh ansin in aon lá amháin, agus is dócha
go raibh a mbunús in Óglaigh Uladh roimhe. Siad
na B-Speisialtaigh agus an tArm Tíriúil abhus ins
na Sé Contaethe Óglaigh Uladh na glúine seo, agus
throidfeadh siad go bás in éadan Sasanach nó Éire-

annach, dá mba riachtanach, leis na Sé Contaethe a choinneáil Protastúnach.

— Maise, ní dhearna siad mórán an t-am a raibh Hitler ag leagan bombaí ar Bhéal Feirste. Liostáil i bhfad níos mó as an tSaorstát ná as na Sé Contaethe!

— Is fíor sin, ach ní eagla a bhí orthu. Agus ní scéal scéil atá agamsa. Chreid siad dáiríre gur mó an chontúirt do na Sé Contaethe muintir an Deiscirt ná Gearmánaigh nó Rúisigh ar bith. Siad Sam agus Ben Harpúr, agus Raibí Cóiplí, agus Seonaí Arbuckle—fir nár chuala tú trácht riamh orthu, a Pháidí, ach a mbínnse ag súgradh leo agus muidinne uilig 'nár bpáistí—siadsan agus a mac-samhail eile a bheadh le smachtú agaibh. Agus tá mé á rá leat go dtroidfeadh siad.

— Ní bheimís ag troid le Protastúnaigh an Tuaiscirt a smachtú, ach leis an tír a aontú.

— Caidé tá i gceist agat mar thír? Spleotán talún? An "potato-patch," mar a thug fear mo comh-shloinnte, George Bernard, uirthi? Tá na céadta agus béidir na mílte tonnaí de thalamh na hÉireann ag titim isteach san fharraige gach uile bhliain, agus níor chuala mé duine ar bith á caoi! Más talamh na hÉireann atá i gceist, d'fhéadfadh sibh aithris a dhéanamh ar na hOllónaigh, agus oiread talaimh a bhaint arais den fharraige agus dhéanfadh Sé Contaethe eile díbh 'na n-ionad.

Rinne Pádraig gáire.

— Tá tú millteanach deisbhéalach anocht, a Liam! Tá a fhios agat gur muintir na hÉireann atá i gceist agam mar Éire. An sean-náisiún a bhí ársa sul a raibh Sasain ar bith ann.

— An sean-náisiún Gaelach? Bhfuil tú cinnte nach é an sean-náisiún Caitiliceach atá i gceist agat?

Cluinim neart cainte fá Náisiúntóirí na Sé gContae,
agus siad na Caitilicigh atá i gceist i gcónaí. Deir-
tear go gcaithfear theacht i dtarrtháil ar " ár gcomh-
náisiúnaigh ins na Sé Contaethe a bhfuil géarlean-
úint dá déanamh orthu."

— Breast thú, 'Liam, tá a fhios agam comh
maith 's tá a fhios agat féin nach bhfuil ansin ach
bolscaireacht.

— Maith go leor, ach ba cheart a n-iarraidh a
thabhairt do lucht na bolscaireachta! Gheobhadh
siad i bhfad ó shoin í dá mbeadh sé de chéill nó de
mhisneach ag na hAondachtóirí géarleanúint cheart
a chur orthu agus gach uile Chaitiliceach ar an taoibh
abhus den Teorainn a thiomáint isteach chun an
tSaorstáit, mar a rinne muintir Pakistan leis na
Hindúaigh.

— Is leor sin den deismireacht! Muintir uilig
an Tuaiscirt atá de dhíth orainn. Ach cad is féidir
linn a dhéanamh, mura bhfuil siad sásta cloí leis an
náisiún, ach na hAondachtóirí a smachtú?

— Ní leigheasfadh sé an scéal, a Pháidí. Mhair
cuimhne 1690 go dtí an lá atá inniu ann, agus siad
Caitilicigh na hÉireann a bhí ag troid ar son Rí
Shasana an t-am sin. Mhairfeadh cuimhne 1950
cupla céad bliain eile, dá n-éireodh le harm Éireann-
nach na Sé Contaethe a smachtú i mbliana. Ní
chuirfeadh sé deireadh leis an fhíoch agus leis an
fhuath. Ní dhéanfadh sé ach a mbuanú. Bheadh
" Arm Poblachtach Uladh " ann i gceann tamaill,
ag iarraidh saoirse a bhaint amach do Chúige Uladh.

— Mhair cuimhne 1690 cionnas gur choinnigh
na polaiteoirí beo í. Níor mhair cuimhne 1798 beo
imeasc na gProtastúnach.

— Mhair, oiread 's mhair imeasc na gCaitiliceach.
Níor chuimhnigh muidinne, áfach, ach gur throid

dream beag de Phrotastúnaigh Chúige Uladh ar son saoirse agus nár throid na Caitilicigh ar chor ar bith.

— Caidé fá Rásaí Chaisleán an Bharra agus caidé fá Bhuachaillí Loch Garman?

— Eachtra Fhrancach agus troid ar son an Chreidimh Chaitilicigh. Cad chuige nár throid an sean-náisiún Caitiliceach?

—Ní raibh cuid troda iontu, a Liam. Bhí siad ró-fhada fá chois ag na Sasanaigh.

— Chuala mé an scéal sin ag Síle? Ach throid siad ag Waterloo, a Pháidí. Agus ag Barrosa.

— Cibé áit a bhfuil sin!

— Caidé chuirfeadh na focail "Fág a' Bealach" i gcuimhne duit, a Pháidí?

Níl a fhios agam. Foireann iomána nó Pádraig Sairséal, is dócha.

— Díreach. An sean-náisiún Gaelach Caitiliceach! Ach sé a chuireas sé i gcuimhne domhsa an reisimint Bhreataineach a bhfuil sé mar rosc catha acu. An "87th Foot" a bhí orthu an t-am sin, ach siad "Royal Irish Fusiliers" an lae inniu iad. Siad a bhuaigh Cath Barrosa do na Sasanaigh, agus canann siad go fóill:

> Then this cup to all the living and in memory of the slain,
> Who bravely fought for freedom's cause upon Barrosa's plain.

Sin an áit a raibh an sean-náisiúin Gaelach in 1811, ocht mbliana i ndiaid bhás Roibeaird Emmet! Agus tá Caitilicigh na hÉireann ag fáil bháis ina mílte ar son Impireacht na Breataine riamh ó shoin. Dúirt tú féin gur liostáil níos mó de mhuintir an Deiscirt sa Chogadh dheireannach ná liostáil de mhuintir na Sé gContae. Agus, ar ndóigh, níor Phrotastúnaigh uilig iad a liostáil abhus. Cad

chuige, mar sin, a gcaithfear Protastúnaigh Chúige
Uladh a smachtú? Ar an abhar go bhfuil siad in
ainm a bheith dílis do Shasain? Thug Caitilicigh
an deiscirt níos mó cuidithe don arm atá in ainm a
bheith ag coinneáil na Sé gContae san Impireacht
ná thug an mhuintir abhus. Ar an abhar nach bhfuil
siad " Gaelach "? Tá a gcuid fola comh Gaelach le
fuil Éireannaigh ar bith eile. Ní labhrann siad
Gaeilg agus níl meas ag a mbunús uirthi? Cá mhéid
de mhuintir an Deiscirt a labhras Gaeilg, agus cá
mhéid acu a bhfuil fuath acu di? Tá siad ina
bPlandóirí, ina nAlbanaigh, ina nGaill? Bhí siad
na céadta bliain lonnaithe in Éirinn sul ar fhág
athair Phádraig Mhic Phiarais Sasain agus sul ar
fhág athair Éamonn De Valera an Spáinn. Caidé'n
fáth a gcaithfear a smachtú? Ar an abhar gur
Protastúnaigh iad! Nach é sin go díreach é, a
Pháidí? Nach fíor go gcaithfear a smachtú ar an
abhar gur thréig an dá dhream cuspóir Wolfe Tone:
Protastúnach, Caitiliceach agus Neamhaontach a
thabhairt le chéile mar mhaithe lena chéile? Nach
é sin é? Rinne an dá dhream dearmad de na
hÉireannaigh Aontaithe agus chuaigh siar go Doire,
Eachdhroim agus an Bhóinn!

Stad Liam i dtobainne den chaint, agus chuir
aoibh fhaiteach air féin.

— Beidh tú ag déanamh go bhfuil leath-bhróg
Ghallda orm ar fad! Go bhfuil iarsma den fhear-
mad ionam féin!

Chroith Pádraig a cheann.

— Nár lige Dia! arsa seisean go sollúnta. Ach
ina dhiaidh sin, sé mo bharúil gur chuma dá mbeifeá
'do Chaitiliceach lán-chreidmheach cheana féin,
agus 'do Phoblachtóir comh díograiseach agus tá
anois, go mbeifeá 'do strócadh i do dhá leath ag

239

iarraidh an dá thrá a fhreastal, ar an abhar nach dtig leat a chreidbheáil go bhfuil iomlán an chirt nó iomlán na fírinne ag ceachtar den dá dhream Éireannach.

— Níl tú ag brath mo chaitheamh amach ar mhullach mo chinn, mar sin?

— A athrach ar fad. Bhí mé ar tí fiafraí díot an mbeifeá sásta theacht a chónaí tigh s'againne. Tá leabaidh folamh anois, ar ndóigh, agus d'fhóirfeá i gceart di. Rachaidh na cailíní isteach i seomra mo mháthara, agus d'fhéadfá a seomra féin a ghlacadh.

— Bheinn ag cur do leapa de dhíobháil ortsa, a Pháidí?

— Cloífidh mise leis an leabaidh champa. D'éirigh mé comh cleachtaithe sin léi gur corrach a chodlóinn i leabaidh ar bith eile.

Cad é deir na cailíní?

— Siad a mhol cuireadh a thabhairt duit, a Liam. Ar ndóigh, ná bí ag smaointiú go mbeifeá ag suí inár mbun. Chuideodh sé le Máire, ó tharla pinsean agus leabhar ciondála mo mháthara caillte aici. An dtiocfaidh tú chugainn?

Níor chaith Liam thar neomat ag meabhru na ceiste.

— Tiocfaidh. Bheadh orm imeacht ón lóistín atá agam ar scor ar bith, ar ball.

— Bulaí fir. Cén uair a thiocfas tú? Anocht?

— Bhail, maith go leor. Anocht.

CAIBIDIL 29.

Ní raibh solas le feiceáil i gceann ar bith de na fuinneoga i dtigh Mhic Giolla Dhuibh nuair a shroich Liam Sráid Eglinton.

Dar leis, is amhlaidh is fearr é. Tá na sean-
daoine i ndiaidh a ghabháil fá chónaí. Níl a fhios
agam caidé mar chuirfinn in iúl do Eistir go bhfuil
mé lena tréigbheáil.

D'fhoscail sé an doras tosaigh agus dhruid go
ciúin ina dhiaidh é. Chuaigh sé suas an staighre go
dtí a sheomra, ag tabhairt dá aire gan a chos a
leagan ar an chlár scaoilte sa tríú céim. Las sé an
choinneal agus bhailigh a chuid éadaí agus leabhar
go deifreach le chéile. I ndiaidh dó an mála a
phacáil, chaith sé a chóta thar a bhacán, thóg an
mála i láimh amháin agus an choinneal sa láimh eile
agus chuaigh síos go dtí an chistin.

Chlis sé nuair a chonaic sé dhá shúil shoilseacha
ag glúcaíocht isteach tríd an fhuinneoig air. Ansin
rinne sé leamh-gháire.

— Tá mé iontach scaolmhar anocht, arsa seisean
ina mheanmna. Shílfeadh duine gur droch-obair de
chineál éigin a bhí ar siúl agam, 's a rá go mbain-
feadh Goering preab asam!

Scríobh sé nóta fá dheabhaidh ag míniú do
Eistir go mbeadh air imeacht go ceann tamaill agus
go mbéidir nach mbeadh sé ag filleadh ar chor ar
bith. Ghlac sé buíochas léi as gach rud dá ndearna
sí riamh dó, agus d'fhág roinnt airgid ar an bhord
in éineacht leis an litir, " in ionad fógra míosa."

D'amharc sé thart an seomra, ar gach ball tros-
cáin agus ar gach rud dá raibh ann, amhail is dá
mbeadh sé ag iarraidh pictiúir grinn de a thaisciú
ina chuimhne; bróga Dháibhidh fán chathaoir uillinn
mar ar chaith sé iad nuair a chuir sé air a shlipéidí
le dul a léamh an *Telegraph* agus a chaitheamh a
phíopa, ar an chófra i gcúl an dorais, ar Rí Liam
agus Rí Seoirse V. Ansin d'amharc sé ar an chlog,
ar an chat séine, agus ar an dá liathróid de ghloine

I

ghlas-bhán ar an mhatal. Agus tá dheireadh, d'amharc sé ar phictiúir an tsaighdiúra óig os a gceann.

— Cead agat teacht 'na bhaile anois, a Sheoirse, arsa seisean go cianach. Fágfaidh mé fútsa uilig é!

Chuimhnigh sé ar chóta Sheoirse. D'fhéadfadh sé a fhágáil ansin. Béidir go sílfeadh Eistir gurb é rud a rinne sé dearmad de. Ansin rinne sé ath-smaoineamh. Bhronn sise air é, agus thug sé sásamh áirithe di bheith á bhronnadh. Choinneodh sé an cóta. Thug sí go leor eile dó nach bhféadfadh sé dearmad a dhéanamh de. Thug sé amharc amháin eile ar ghriandeilbh Sheoirse agus shéid as an choinneal.

D'fhág sé doras na cistine ar fhoscailt ar eagla go ndéanfadh sé trup agus é á dhrod.

Sheasaigh sé neomat ag bun an staighre agus cluas le héisteacht air. Níor chuala sé faic.

Bhí sé díreach ag tarraing an doraís tosaigh amach ina dhiaidh nuair a tháinig siorradh gaoithe isteach trid an scoilt idir chomhla agus ursain dhoras an nísheomra agus dhún an doras ar a chúl le trup a mhuscail Eistir sa leabaidh sa tseomra thuas.

— Ar chuala tú sin, 'Dháibhidh ? Caidé bhí ann?

— 'Dhath ar bith, Eistir. Téigh 'chodladh. Dheamhan a raibh ann ach doras a dhruid de phlaip!

A CHRÍOCH SIN.

*Clóbhuáileadh i gClólainn Fhoilseacháin
Náisiúnta Teo., Cathair na Mart, agus
foilsíodh i Mí na Samhna, 1952.*